a cabeça
do cachorro

ALEXANDRA HOROWITZ, Ph.D.

a cabeça do cachorro

*o que seu amigo
mais leal vê, fareja,
pensa e sente*

TRADUÇÃO

Lourdes Sette

11ª edição

BestSeller

Rio de Janeiro | 2023

CIP-BRASIL. CATALOGAÇÃO-NA-FONTE
SINDICATO NACIONAL DOS EDITORES DE LIVROS, RJ.

Horowitz, Alexandra

H796c   A cabeça do cachorro / Alexandra Horowitz; tradução: Lourdes Sette.
11ª ed.   – 11ª ed. – Rio de Janeiro: BestSeller, 2023.

Tradução de: Inside of a dog
ISBN 978-85-7684-275-0

1. Cão - Psicologia. 2. Cão - Comportamento. I. Título.

10-2843.   CDD: 636.7
                                    CDU: 636.7

Texto revisado segundo o novo Acordo Ortográfico da Língua Portuguesa.

Título original norte-americano
INSIDE OF A DOG

Publicado mediante acordo com Scribner, um selo da Simon & Schuster, Inc.

Design de capa: Leonardo Iaccarino
Fotógrafo: Max Machado
Modelo: Wheaten-terrier, Nelson Villas-Boas

Editoração eletrônica: FA Editoração

Direitos exclusivos de publicação em língua portuguesa para o Brasil
adquiridos pela
EDITORA BEST SELLER LTDA.
Rua Argentina, 171, 3º andar, São Cristóvão
Rio de Janeiro, RJ – 20921-380
que se reserva a propriedade literária desta tradução

Impresso no Brasil

ISBN 978-85-7684-275-0

Seja um leitor preferencial Record.
Cadastre-se em www.record.com.br e receba informações sobre
nossos lançamentos e nossas promoções.

Atendimento e venda direta ao leitor:
sac@record.com.br

Para os cães

Agradecimentos

Aos seguintes cães:

Todos que conheceram Pumpernickel não se surpreenderão com o fato de que os maiores agradecimentos são para ela, por nos escolher no abrigo e por me proporcionar o prazer incrível de conhecê-la. Agradeci a ela tantas vezes desde então, com o queijo substituindo as palavras que não pude encontrar. Obrigada a Finnegan, por ser seu próprio cão e por ser um cão tão completamente cão. Cada dia fica melhor quando ele vem correndo desesperadamente para mim. Agradeço aos cães de outrora: a Aster, que aguentou uma porção de besteiras infantis e me ensinou como ser menos egoísta; a Chester, que conseguia sorrir e rosnar ao mesmo tempo; a Beckett e Heidi, que ao morrer destacaram o que é precioso; e a Barnaby, que em sua felinidade enfatizou o que é um cão.

Às seguintes pessoas:

Dizem que é difícil escrever. Se assim for, este não é um livro, pois foi um prazer escrevê-lo, como é um prazer observar e estar com cães e pensar pensamentos de cães o tempo inteiro. Tive ainda mais prazer por entregar o livro a pessoas na Scribner, com quem pude contar para transformar meu amontoado de capítulos em um livro de verdade. Sou grata a Colin Harrison por sua leitura incansável dos rascunhos e por estar aberto a simplesmente tudo. Se tivesse transformado um livro sobre cães em um sobre gatos, acredito que Colin o teria aceitado . . . contanto que ele fosse bom de ler. Muito obrigada a Susan Moldow por seu entusiasmo desde o início.

Antes de ter um agente, examinei páginas de agradecimento para ver aqueles que incluíram palavras que me fariam preparar correndo uma proposta para seus agentes. Peço desculpas antecipadas a Kris Dahl por isso: ela é exatamente a pessoa que você quer que o represente e a seu livro; e agradeço a ela por isso.

Meus orientadores e mentores na universidade, Shirley Strum e Jeff Elman, que estavam dispostos a considerar o quanto uma questão teórica oculta sobre a cognição poderia ser examinada à luz das observações de cães — e eles aperfeiçoaram a teoria e a prática. Fui e ainda sou grata. Obrigada a Aaron Cicourel, que também é, como ele diz, um dos caras que tenta escolher o caminho mais difícil. Marc Bekoff foi um dos primeiros a tratar a brincadeira de cães como matéria de interesse do ponto de vista biológico. Foram seus escritos (juntamente com o sempre perspicaz Colin Allen) e, mais tarde, seus conselhos, dedicação e amizade que me levaram a ir em busca da minha própria pesquisa.

Preciso agradecer a Damon Horowitz, com quem elaborei o plano para escrever este livro e que pareceu acreditar que se tratava de uma ideia sábia e realista. Seu ceticismo perfeito sobre todos os assuntos foi equilibrado pelo apoio ilimitado que me deu. Devo tudo a meus pais, Elizabeth e Jay. Eles foram as primeiras pessoas as quais desejei mostrar o livro por todas as razões certas. Quanto a você, Ammon Shea: você me fez melhor com as palavras, você me fez melhor com os cães e você me fez melhor.

Sumário

PREFÁCIO

UMWELT: DA PERSPECTIVA DO FOCINHO DE UM CACHORO

PERTENCENDO A CASA

FAREJAR

MUDO

MENTE NOBRE

DENTRO DE UM CÃO

VOCÊ ME CONQUISTOU NO PRIMEIRO INSTANTE

A IMPORTÂNCIA DAS MANHÃS

Além do cão, um livro é o melhor amigo do homem. Dentro do cão, a escuridão não permite a leitura.

— Atribuído a Groucho Marx

Prefácio

Primeiro, você vê a cabeça. Por cima do topo do morro, aparece um focinho, babando. Ainda não é possível ver nada ligado a ele. Um membro surge e, em uma sucessão lenta, é seguido pelo segundo, terceiro e quarto membros, que suportam seis quilos entre eles. O wolfhound, noventa centímetros de altura até o ombro e um metro e meio de cabo a rabo, espia a chihuahua de pelo longo, metade da altura média de um cão, oculta pela grama entre os pés da dona. A chihuahua pesa três quilos, e cada um deles treme. Com um salto lânguido e as orelhas esticadas para o alto, o wolfhound se posiciona diante dela. A chihuahua olha recatadamente para longe; o wolfhound se dobra para ficar na mesma altura dela e morde a lateral de seu corpo. A chihuahua olha de volta para o cão, que levanta o traseiro no ar, rabo hirto, preparando-se para o ataque. Em vez de fugir desse perigo aparente, a chihuahua imita a pose do wolfhound, e morde a cara dele, abraçando aquele focinho com as patas minúsculas. Eles começam a brincar.

Durante cinco minutos, esses cães rolam, se agarram com força, se mordem e se atiram um sobre o outro. O wolfhound se deita de lado e a cachorrinha responde com ataques à cara, à barriga e às patas dele. Uma pancada forte do cão faz a chihuahua recuar rapidamente e se esquivar, intimidada, tentando ficar fora de seu alcance. Ele late, pula e fica em pé de novo com um estrondo. Como resposta, a chihuahua corre até uma daquelas patas e a morde, com força. Eles estão em um meio-abraço — o wolfhound com a boca ao redor do corpo da chihuahua que, por sua vez, chuta a cara dele — quando o dono dá um puxão na coleira do wolfhound, levantando-o e afastando-o. A chihuahua se recompõe, olha para eles, late uma vez e anda devagar até sua dona.

Esses cachorros são tão incomparáveis que poderiam ser de espécies diferentes. A facilidade com que brincam um com o outro sempre me intrigou. O cão de caça mordeu, abocanhou e avançou sobre a chihuahua; no entanto, a cadelinha não respondeu com medo, mas na mesma moeda. O que explica a capacidade deles para brincarem juntos? Por que o cão de caça não vê a chihuahua como uma presa? Por que a chihuahua não vê o wolfhound como um predador? A resposta nada tem a ver com ilusões de grandeza canina por parte da chihuahua ou falta de impulso predador por parte do wolfhound. Tampouco se trata de um instinto inato para assumir o comando.

Há duas formas de aprender como a brincadeira funciona — e o que os cães brincalhões pensam, percebem e dizem: nascer cachorro ou passar muito tempo observando cuidadosamente esses animais. A primeira opção não estava disponível para mim. Venha comigo enquanto descrevo o que aprendi observando.

Sou uma amante dos cães.

Minha casa sempre teve um. Minha afinidade com eles começou com o cachorro de minha família, Aster: olhos azuis, rabo cortado e o hábito noturno de vagar pela vizinhança, o que frequentemente me deixava acordada até tarde, de pijama e preocupada, esperando por seu retorno. Por muito tempo, vivi o luto pela morte de Heidi, uma springer spaniel que correu excitada — minha imaginação infantil se lembra da língua pendurada para fora da boca e das longas orelhas esticadas para trás pelo vigor feliz de sua corrida — para debaixo dos pneus de um carro na estrada próxima à nossa casa. Já na Universidade, observava com admiração e afeição Beckett, uma vira-lata adotada, com sangue de chow-chow, enquanto ela estoicamente me observava sair de casa.

E agora, aos meus pés, está a forma quente, enrolada e ofegante de Pumpernickel — *Pump* —, uma vira-lata que viveu comigo por todos os seus 16 anos e ao longo de toda a minha vida adulta. Comecei cada um de meus dias em cinco estados, cinco anos de pósgraduação e quatro empregos com a batida de seu rabo no chão, saudando-me ao ouvir meus primeiros movimentos pela manhã. Como qualquer um que se considera um cinófilo concordará, não consigo imaginar minha vida sem essa cadela.

Sou uma amante de cachorros, amo os cães. Também sou cientista.

Estudo o comportamento animal. Do ponto de vista profissional, tomo cuidado para não antropomorfizar os animais, atribuindo-lhes sentimentos, pensamentos e desejos que usamos para nos descrever. Ao aprender como estudar o comportamento dos animais, aprendi e usei o código dos cientistas para descrever ações: ser objetivo; não explicar um comportamento apelando para um processo mental quando a explicação por meio de processos mais simples é suficiente; ter em mente que um fenômeno que não pode ser observado em público nem pode ser confirmado não faz parte da ciência. Hoje, como professora de comportamento animal, cognição comparativa e psicologia, dou aulas usando livros didáticos brilhantes que lidam com fatos quantificáveis. Eles descrevem tudo — de explicações hormonais e genéticas até respostas condicionadas, padrões fixos de ação e ótimas taxas de forrageio —, no mesmo tom objetivo e desapaixonado.

Mas...

A maioria das perguntas que meus alunos fazem não é respondida nesses textos. Nas conferências em que apresento minhas pesquisas, outros acadêmicos invariavelmente direcionam as conversas pós-palestra para suas experiências com seus animais de estimação. E ainda permaneço com as mesmas perguntas que sempre me fiz sobre meu cachorro — sem nenhuma profusão de respostas. A ciência, conforme praticada e demonstrada nos livros didáticos, raramente aborda nossas experiências de convívio com nossos animais buscando entender suas mentes.

Nos primeiros anos de minha pós-graduação, quando comecei a estudar a ciência da mente, com um interesse especial na mente de animais não humanos, nunca me ocorreu estudar os cachorros. Eles pareciam tão familiares, tão bem compreendidos. Não há nada a ser aprendido sobre eles, meus colegas afirmavam: os cães são simples, criaturas felizes que precisamos adestrar, alimentar e amar, e isso é tudo com relação a eles. Os cães não oferecem *dados* para estudo. Essa era a crença básica dos cientistas. Meu orientador de tese estudou, respeitavelmente, babuínos: os primatas são os animais mais bem-vistos no campo da cognição animal. A pressuposição é que o

lugar mais provável para se encontrar habilidades e cognição semelhantes às nossas é entre nossos irmãos primatas. Esse era, e permanece sendo, o ponto de vista predominante dos cientistas comportamentais. Pior ainda, os donos de cães pareciam já ter coberto o
território da teorização sobre as mentes caninas, e suas teorias foram
geradas a partir de anedotas e antropomorfismos mal aplicados. A
própria noção da mente de um cão estava corrompida.

Mas...

Durante os anos de pós-graduação na Califórnia, passei muitas
horas de lazer nas praias e nos parques de lá com Pumpernickel. Na
época, estava estudando para ser etóloga, uma cientista do comportamento animal. Participei de dois grupos de pesquisa observando
criaturas extremamente sociais: os rinocerontes brancos do Parque
de Animais Selvagens em Escondido e os bonobos (chimpanzés pig-
meus), nesse mesmo parque e no zoológico de San Diego. Aprendi
a ciência da observação, coleta de dados e análise estatística crite-
riosas. Ao longo do tempo, essa forma de olhar começou a perme-
ar aquelas horas de lazer. De repente, os cães, em suas transições
fluentes entre o próprio mundo social e o das pessoas, se tornaram
inteiramente estranhos: parei de encarar o comportamento deles
como simples e bem compreendido.

Onde outrora eu achara graça de uma brincadeira entre Pumpernickel e um bull terrier local, enxergava agora uma dança complexa, que exigia cooperação mútua, comunicações quase ins-
tantâneas e avaliação das capacidades e dos desejos um do outro.
A menor virada de cabeça ou da ponta do focinho parecia intencional e significativa. Eu via cães cujos donos não entendiam um
único ato deles; via cães inteligentes demais para seus companheiros
de brincadeiras; via pessoas interpretando erroneamente as solici-

tações caninas como confusão e o prazer como agressão. Passei a levar uma filmadora comigo e a gravar nossos passeios no parque. Em casa, assistia a filmes de cães brincando com cães, de pessoas jogando bolas e frisbees para seus cães. Filmes de perseguições, lutas, carinhos, corridas e latidos. Com uma nova sensibilidade para a possível riqueza das interações sociais em um mundo inteiramente não linguístico, todas essas atividades outrora corriqueiras agora me pareciam uma fonte inaproveitada de informações. Quando comecei a assistir às gravações em câmera extremamente lenta, enxerguei comportamentos que nunca vira em anos de convívio com esses animais. Examinados detalhadamente, os saltos de pura brincadeira entre dois cães se tornavam uma série estonteante de comportamentos sincrônicos, trocas ativas de papéis, variações de demonstrações comunicativas, adaptação flexível à atenção do outro e movimentos rápidos entre atividades lúdicas muito diversas.

O que eu via eram instantâneos fotográficos das mentes dos cães, visíveis nas formas em que se comunicavam uns com os outros e tentavam se comunicar com as pessoas próximas — e, também, na forma como interpretavam as ações de outros cães e de outras pessoas.

Nunca mais encarei Pumpernickel — ou qualquer outro cão — da mesma forma. No entanto, longe de estragar o prazer de desfrutar as delícias da interação com ela, os óculos da ciência me proporcionaram uma maneira original e rica de olhar o que ela fazia: uma forma nova de entender a vida como um cão.

Desde aquelas primeiras horas de observação, estudo as brincadeiras dos cães com seus iguais e com as pessoas. Na época, inconscientemente, eu estava envolvida com a profunda mudança que se processava na atitude da ciência em relação aos estudos sobre cães.

A transformação ainda não está completa, mas o cenário já é bastante diferente daquele que se via há vinte anos. Se antes havia um número desprezível de estudos sobre a cognição e o comportamento caninos, agora há conferências, grupos de estudos etológicos e experimentais nos Estados Unidos e em outros países, todos dedicados à pesquisa canina, que tem se espalhado pelas publicações científicas. Os cientistas que fazem esse trabalho viram o que eu vi: o cão é uma porta de entrada perfeita para o estudo dos animais não humanos. Eles convivem com os seres humanos há milhares, talvez centenas de milhares de anos. Por meio da seleção artificial provocada pela domesticação, eles se desenvolveram para ser sensíveis a exatamente aqueles elementos que são parte significativa de nossa cognição, incluindo — importante — a capacidade de prestar atenção nos outros.

Neste livro, apresento a ciência canina a você. Uma quantidade impressionante de informações sobre a biologia — habilidades sensoriais e comportamento —, a psicologia e a cognição caninas reunida por cientistas que trabalham em laboratório e no campo, estudando cães trabalhadores e cães companheiros. A partir desses resultados acumulados por centenas de programas de pesquisa, conseguimos iniciar a criação de um retrato do cão a partir do interior dele — da sua capacidade olfativa e auditiva, da maneira como seus olhos nos veem e do cérebro que está por trás disso tudo. Os trabalhos aqui revisados sobre a cognição dos cães incluem os meus, mas vão muito além, resumindo todos os resultados de pesquisas recentes. Em alguns tópicos sobre os quais ainda não temos informações confiáveis, incorporo estudos sobre outros animais que também podem nos ajudar a entender a vida de um cachorro. (Para aqueles cujo desejo de ler os artigos de pesquisa originais foi aqui despertado, referências completas aparecem no final do livro.)

Não fazemos nenhum desserviço aos cães ao nos afastarmos das coleiras e abordá-los de um ponto de vista científico. Suas capacidades e pontos de vista merecem atenção especial. E o resultado é impressionante: longe de nos distanciar, a ciência nos aproxima, maravilhando-nos com a verdadeira natureza desse animal. Usado de forma rigorosa, mas criativa, o processo e os resultados científicos podem lançar uma nova luz sobre as discussões que as pessoas têm diariamente a respeito do que seus cães percebem, entendem ou acreditam. Com base em minha experiência, aprendendo a olhar sistemática e cientificamente o comportamento da minha cadela, passei a avaliá-la e entendê-la melhor, e a desfrutar de um melhor relacionamento com ela.

Entrei dentro de um cão e vislumbrei seu ponto de vista. Você pode fazer o mesmo. Se tem um cão na sala agora, a maneira como você vê esse monte enorme e peludo de "caninidade" está prestes a mudar.

UMA NOTA INTRODUTÓRIA SOBRE O CÃO, O ADESTRAMENTO E OS DONOS

Chamando um cão de "o cão"

É da natureza do estudo científico dos animais não humanos que algumas criaturas especiais, examinadas, observadas, treinadas ou dissecadas em profundidade, representem suas espécies por inteiro. No entanto, no caso dos humanos, nunca deixamos o comportamento de um indivíduo representar o de todos. Se alguém não consegue resolver o cubo de Rubik em uma hora, não extrapolamos, afirmando que todos os humanos não serão capazes de resolvê-lo também (a menos que aquele indivíduo tenha matado todos os outros humanos). Nesse caso, nosso sentimento de individualidade é mais forte do que nosso sentido de biologia compartilhada. Quando se trata de descrever nossas potenciais capacidades físicas e cognitivas, em primeiro lugar somos indivíduos e, em segundo, membros da raça humana.

Em contrapartida, no caso dos animais, essa ordem é invertida. A ciência considera os animais como representantes de sua espécie em primeiro lugar e, em segundo, como indivíduos. Nos zoológicos, estamos acostumados a ver um único animal ou um casal deles como representantes de suas espécies. Para os administradores do Zoo, eles são mesmo "embaixadores" involuntários. Nossa visão da uniformidade dos membros de uma espécie é bem exemplificada quando comparamos suas inteligências. Para testar a hipótese — há muito popular — de que o tamanho do cérebro é um indicador da inteligência, as dimensões do cérebro de chimpanzés, macacos e ratos foram comparadas às dos humanos. Certamente, o dos chimpanzés é menor do que o nosso, o do macaco é menor do que o dos chimpanzés, o do rato é um mero nódulo do tamanho do cerebelo do cérebro dos primatas. Toda essa história é bastante conhecida. O que é mais surpreendente é que os cérebros usados para fins de comparação foram os de apenas dois ou três chimpanzés e macacos. Esses poucos elementos suficientemente azarados para perderem suas cabeças em benefício da ciência foram considerados, daquele momento em diante, representantes perfeitos dos macacos e dos chimpanzés. Porém, não tínhamos ideia se eles eram macacos com cérebros especialmente grandes ou chimpanzés com cérebros anormalmente pequenos.*

Da mesma forma, se um único animal ou pequeno grupo de animais fracassa em um experimento psicológico, as espécies tornam-se maculadas por esse fracasso. Embora agrupar animais de acordo com a semelhança biológica seja um atalho evidentemente útil, o resultado é estranho: tendemos a falar das espécies como se todos os seus membros fossem idênticos. Nunca cometemos esse erro com os humanos. Se fosse dada a um cão a possibilidade de escolher entre uma pilha de vinte biscoitos e uma de dez e ele escolhesse a segunda opção, a conclusão mais frequentemente utilizaria o artigo definido: "o cão" não consegue distinguir entre a pilha maior e a menor — e não "um cão" não consegue distinguir.

Portanto, quando digo *o cão*, eu me refiro implicitamente aos *cães estudados até o momento*. Os resultados de inúmeras experiências bem conduzidas podem, por fim, permitir que possamos generalizar razoavelmente a respeito de *todos os cães* — ponto final. Contudo, até então, as variações individuais serão grandes: seu cachorro pode ser um farejador extraordinário, pode nunca olhar para você nos olhos, pode amar a cama dele e odiar ser tocado. Nem todo comportamento deve ser interpretado como conclusivo, tomado

---

* Claro, os pesquisadores logo descobriram cérebros maiores do que os nossos: o dos golfinhos é maior, assim como são os das criaturas fisicamente maiores, tais como as baleias e os elefantes. O mito do "cérebro grande" há muito foi derrubado. Aqueles que ainda estão interessados em associar esses órgãos à inteligência agora procuram por outras medidas mais sofisticadas: a quantidade de sulcos cerebrais; o quociente encefálico — uma proporção que inclui tanto o cérebro quanto o tamanho do corpo em seu cálculo; a quantidade de neocórtex; ou o número bruto de neurônios e de sinapses entre neurônios.

como algo intrínseco ou fantástico; às vezes, eles simplesmente *são*, da mesma forma que nós somos. Portanto, o que ofereço aqui é a capacidade conhecida *do cão*; os resultados obtidos por você poderão ser diferentes.

Adestramento de cães

Este não é um livro sobre adestramento. No entanto, seu conteúdo pode torná-lo capaz de adestrar seu cão, mesmo que não tenha essa intenção. Isso nos ajudará a nos igualar aos cães que, sem possuírem um livro didático sobre as pessoas, já aprenderam a nos treinar sem que percebêssemos.

A literatura sobre adestramento, cognição e comportamento não possui muitos elementos em comum. Os adestradores caninos usam alguns princípios básicos de psicologia e etologia — por vezes atingindo ótimos resultados, outras vezes obtendo resultados desastrosos. A maioria das técnicas segue o princípio da *aprendizagem associativa*. As associações entre eventos são facilmente aprendidas por todos os animais, inclusive os humanos. A aprendizagem associativa é o que está por trás dos paradigmas de condicionamento "operante", que fornece uma recompensa (um biscoitinho, atenção, um brinquedo, um afago) sempre que ocorre um comportamento desejado (o cão sentar). Por meio de aplicações repetidas, pode-se *moldar* um comportamento novo e desejado em um cachorro — seja deitar, rolar ou, para os mais ambiciosos, andar calmamente de jet-ski puxado por uma lancha.

Porém, com frequência, os princípios do adestramento conflitam com o estudo científico dos cães. Por exemplo, muitos adestradores usam a analogia do "cão como lobo domesticado" para descrever como deveríamos ver e tratar os cães. Uma analogia é apenas tão boa quanto sua fonte. Nesse caso, como veremos, os cientistas conhecem muito pouco sobre o comportamento natural do lobo — e, muitas vezes, o que sabemos contradiz a sabedoria convencional que fundamenta essas analogias.

Além disso, os métodos de adestramento não foram cientificamente testados, apesar das afirmações contrárias de alguns treinadores. Isto é, nenhum programa dessa natureza foi avaliado pela comparação do desempenho de um grupo experimental adestrado e um grupo de controle cuja vida, apesar de idêntica, não se submeteu a um programa de adestramento. As pessoas que procuram adestradores costumam compartilhar duas características pouco comuns: seus cães são menos "obedientes" do que a média e os donos estão mais motivados a mudá-los do que a média. Levando em consideração essa combinação de condições e uns poucos meses, é muito provável que o cão apresente um comportamento diferente após o adestramento.

As técnicas bem-sucedidas empolgam, mas não provam que o método de treinamento foi responsável pelo sucesso. Embora *possa* indicar a boa qualidade do programa, o sucesso também pode ter sido provocado por uma feliz coincidência. Pode também ter ocorrido em função de terem dado mais atenção ao animal durante o treino. Ou porque o cachorro amadureceu ao longo do programa. Ou até mesmo porque um cão ameaçador se mudou da vizinhança. Em outras palavras, o sucesso pode ser resultado de dezenas de outras mudanças ocorridas ao mesmo tempo na vida do cão. Não podemos distinguir essas possibilidades sem testes científicos rigorosos.

Mais importante: o adestramento é, em geral, talhado para o humano — mudar o cão para que ele se encaixe na concepção do dono, e do que ele quer que o cão faça. Esse objetivo é muito diferente do nosso: observar para ver o que o cão realmente faz, o que ele quer de você e como ele o entende.

O cão e seu dono

Está cada vez mais na moda chamar de guardião ou companheiro de um animal de estimação, em vez de dono. Escritores inteligentes referem-se aos "humanos" dos cães, invertendo a posse. Neste livro, chamo de *donos* as famílias dos cães simplesmente porque esse termo descreve o relacionamento legal que temos com eles. Estranhamente, os cães ainda são considerados uma propriedade (e uma propriedade de valor comercial reduzido, além do valor como reprodutor — lição que espero que nenhum leitor precise aprender). Celebrarei o dia em que os cães não sejam mais nossas propriedades. Até lá, usarei a palavra *dono* de forma apolítica, por conveniência e sem qualquer outra motivação. Essa mesma razão também me orienta a usar o pronome pessoal: a menos que esteja falando sobre uma cadela, em geral chamarei o cão de "ele", já que esse é o termo "neutro" que usamos para os gêneros.

Umwelt: da perspectiva do focinho de um cachorro

Esta manhã, fui acordada por Pump. Ela veio para minha cama e me cheirou enfaticamente, a milímetros de distância, seus bigodes roçando meus lábios, para ver se eu estava acordada, viva ou se era eu mesma. Ela pontua o despertar com um espirro exclamatório bem no meu rosto. Abro os olhos, e ela me fita, sorrindo, ofegando uma saudação.

Olhe para um cão. Vá, olhe. Pode ser esse que está deitado perto de você agora, enrolado sobre as patas dobradas em uma caminha canina, ou esparramado de lado no chão de azulejos, patas em movimentos rápidos correndo por um gramado de sonho. Dê uma boa olhada — e agora esqueça tudo o que sabe sobre esse ou qualquer outro cão.

Eis uma exortação reconhecidamente ridícula: realmente não espero que você possa esquecer com facilidade o nome, a comida predileta ou o perfil singular de seu cão — muito menos tudo sobre ele. Penso nesse exercício como quem pede a um recém-iniciado em meditação para entrar em *satori*, o estado mais elevado de iluminação espiritual, na primeira tentativa: tenha isso como objetivo e veja até onde consegue chegar. A ciência, procurando a objetividade, exige que nos tornemos conscientes de preconceitos e perspectivas pessoais prévios. O que encontraremos, observando os cães através das lentes científicas, é que muito do que pensamos saber sobre eles está inteiramente ultrapassado; outras concepções, que parecem obviamente verdadeiras, ao serem examinadas de perto são mais duvidosas do que pensamos. Ao olharmos nossos cães de outra perspectiva — a do cão — podemos enxergar elementos novos que não aparecem naturalmente para aqueles de nós munidos com cérebros humanos. Assim, a melhor forma de começar a entender os cães é esquecer o que acreditamos saber sobre eles.

A primeira coisa a esquecer são os antropomorfismos. Vemos os cães, falamos com eles e imaginamos o seu comportamento a partir de uma perspectiva preconceituosa, impondo nossos pensamentos e emoções a essas criaturas peludas. *Claro*, diremos, os cães amam e desejam; lógico que eles sonham e pensam; eles também nos conhecem e entendem; sentem-se entediados; ficam enciumados e deprimidos. Haveria uma interpretação mais natural para um cão que nos fita tristemente quando saímos de casa do que achar que ele está deprimido porque o dono está de saída?

A resposta é: interpretá-los com base naquilo que os cães realmente têm a capacidade de sentir, perceber e entender. Usamos essas palavras, esses antropomorfismos, para nos ajudar a compreender o comportamento canino. É natural que, intrinsecamente, optemos pelas experiências humanas, o que nos leva a entender as experiências animais apenas na medida em que esses comportamentos se assemelham aos nossos. Lembramo-nos de histórias que confirmam nossas descrições dos animais e convenientemente esquecemos as que não o fazem. E não hesitamos em repetir "fatos" sobre macacos, cães, elefantes, ou qualquer animal, mesmo sem provas apropriadas. Para muitos de nós, a interação com bichos que não são de estimação começa e acaba nos zoológicos e programas de TV a cabo. A quantidade de informações úteis que podemos obter dessa escuta velada é limitada: um encontro tão passivo revela ainda menos do que obteríamos ao olharmos pela janela do vizinho quando passamos por ela.* Pelo menos, o vizinho é da nossa espécie.

Os antropomorfismos não são inerentemente odiosos. Eles nascem de tentativas de entender o mundo, não de subvertê-lo. Nossos ancestrais humanos teriam antropomorfizado regularmente ao tentar explicar e prever o comportamento de outros animais, incluindo aqueles que podiam desejar comer ou os que podiam querer comê-los. Imagine à noite, na floresta, encarar um estranho jaguar de olhos brilhantes. Nesse momento, refletir sobre o que você pen-

---

* Essa situação tornou-se mais evidente quando coletava dados a respeito do comportamento dos rinocerontes brancos. No Parque de Vida Selvagem, são os animais que vagam (relativamente) livres, enquanto os visitantes ficam restritos a trenzinhos que circulam ao redor de grandes áreas cercadas. Eu estava em um trecho estreito de grama entre o caminho e a cerca, observando um dia típico de socialização daqueles animais. Quando os trenzinhos se aproximavam, os rinocerontes paravam o que estavam fazendo e se juntavam rapidamente em uma formação defensiva: traseiros juntos, as cabeças irradiando como se fossem feixes de raios solares. Embora sejam pacíficos, eles têm uma visão precária e podem facilmente se assustar quando não sentem o cheiro de alguém se aproximando, contando uns com os outros para servir de vigias. Quando o trenzinho parou, todos olharam boquiabertos os animais que, conforme anunciado pelo guia, não "faziam nada". Por fim, o motorista continuou, e os rinocerontes retomaram seu comportamento normal.

saria "se fosse o jaguar" provavelmente seria apropriado — e o levaria a se afastar correndo desse gato. Os humanos sobreviveram: se não era verdadeira, a atribuição era pelo menos suficientemente verdadeira.

No entanto, de um modo geral não estamos mais em posição de ter que imaginar os desejos do jaguar a tempo de escapar de suas garras. Pelo contrário; acolhemos animais e lhes pedimos para se tornarem membros de nossas famílias. Para tal propósito, os antropomorfismos não nos ajudam a incorporá-los aos nossos lares e estabelecer com eles os relacionamentos mais estáveis e satisfatórios possíveis. Isso não significa dizer que estamos sempre errados em nossas atribuições: talvez seja verdade que nosso cão esteja triste, ciumento, curioso, deprimido, ou deseje um sanduíche de pasta de amendoim para o almoço. Porém, é quase certo que não podemos afirmar, digamos, que se trata de uma *depressão* baseada nas provas que temos diante de nós: os olhos enlutados, o suspiro alto. Nossas projeções são frequentemente precárias — ou inteiramente despropositadas. Podemos achar que um animal está feliz quando vemos os cantos de sua boca virados para cima; tal "sorriso", no entanto, pode ser enganador. Nos golfinhos, o sorriso é uma característica fisiológica fixa, tão imutável quanto o rosto atemorizante pintado na cara de um palhaço. Entre os chimpanzés, um riso é um sinal de medo ou submissão, o que está muito longe de significar felicidade. Da mesma forma, um humano pode arquear as sobrancelhas por surpresa, mas o macaco capuchinho que arqueia as sobrancelhas não está surpreso. Ele não está revelando nem ceticismo nem alarme; ao contrário, está sinalizando para os macacos próximos que suas intenções são amigáveis. Em contrapartida, entre os babuínos, as sobrancelhas arqueadas podem ser uma ameaça deliberada (lição: cuidado para qual macaco você vai arquear as sobrancelhas). É nossa responsabilidade encontrar uma forma de confirmar ou refutar essas afirmações que fazemos sobre os animais.

Talvez pareça um deslize inofensivo ver olhos tristes em vez de depressão, mas os antropomorfismos frequentemente passam de benignos a nocivos. Alguns põem em risco o bem-estar dos animais envolvidos. Se vamos administrar antidepressivos a um cão com base na interpretação de seu olhar, é melhor termos certeza de que nossa interpretação está correta. Quando presumimos que sabemos o que é melhor para nosso animal, inferindo a partir de nós ou de qualquer outra pessoa, podemos inadvertidamente estar agindo de forma contrária aos nossos objetivos. Nos últimos anos, por exemplo, houve uma verdadeira comoção acerca do aprimoramento do bem-estar dos animais criados para serem abatidos, tais como dar aos frangos acesso ao ar livre, ou espaço para vagar em seus poleiros. Embora o resultado final seja o mesmo para o frango — ele vai acabar virando o jantar de alguém —, há um crescente interesse no seu bem-estar antes de serem mortos.

Mas será que eles querem pastar livremente? A sabedoria convencional diz que ninguém, humano ou não, *gosta* de ser imprensado por outros. As anedotas parecem confirmar isso: se pudermos escolher entre um trem de metrô lotado de passageiros encalorados e estressados e um com apenas algumas pessoas em seu interior, escolheremos o último imediatamente (salvo, é claro, a possibilidade de que exista alguma outra razão — uma pessoa cheirando mal ou um defeito no ar-condicionado — que justifique essa distribuição favorável). Porém, o comportamento natural dos frangos pode indicar outra possibilidade: os frangos se aglomeram. Eles não saem por aí sozinhos.

Os biólogos inventaram uma experiência simples para testar as preferências desses animais em relação ao lugar que desejam estar: eles escolheram alguns desses frangos e os distribuíram aleatoriamente em casas, passando a monitorar tudo o que fizeram em seguida. O que descobriram foi que a maioria dos frangos se aproximou de outros frangos, sem se afastarem mesmo quando havia espaço disponível. Embora tivessem uma outra opção, mais espaço para estender suas asas, escolheram o trem de metrô lotado!

Isso não significa que se possa dizer que os frangos *gostam* de ser imprensados uns contra os outros dentro de um poleiro, ou que consideram sua vida perfeitamente agradável. É desumano encurralá-los de forma que eles não consigam se mexer. Mas significa que é possível dizer que pressupor uma semelhança entre as preferências dessas aves e as nossas não é a melhor forma de captar o que elas realmente gostam. Não é coincidência que esses frangos sejam mortos antes de atingirem seis semanas de vida. Nessa fase os pintos domésticos ainda estão sendo chocados pelas mães. Privados da possibilidade de correr para debaixo das asas da mãe, os frangos criados para morrer se aproximam de outros frangos.

PEGUE MINHA CAPA DE CHUVA, POR FAVOR

Será que nossas tendências para a antropomorfização dos cães estão tão erradas assim? Sem dúvida que sim. Vejamos o exemplo das capas de chuva. Há alguns pressupostos muito interessantes na fabricação e compra desses minúsculos e elegantes trajes de quatro pernas para cachorros. Deixemos de lado a questão acerca dos cães preferirem uma capa amarela brilhante e resplandecente, quadriculada ou com uma estampa de gatos e cachorros (*evidente* que eles preferem essa).

Seus donos estão muito bem-intencionados quando decidem vesti-los assim: talvez tenham percebido que seus cães resistem a sair de casa nos dias de chuva. Parece razoável concluir a partir dessa observação que o cão *não gosta* de chuva.

Ele não gosta de chuva. O que isso significa? Significa que ele — assim como muitos de nós — não deve gostar de *sentir a chuva em seu corpo.* Mas essa é uma afirmação correta? Nesse caso, o próprio cão nos dá muitos indícios claros. Ele fica animado e abana o rabo quando você pega a capa de chuva? Isso parece apoiar a hipótese... Ou, ao contrário, a visão do casaco talvez signifique para ele uma caminhada muito esperada. Ele foge da capa? Coloca o rabo entre as pernas e abaixa a cabeça? Isso mina a hipótese em questão, mas não a contradiz imediatamente. Ele parece infeliz quando molhado? Sacode a água com entusiasmo? Nem confirma nem contraria. O cão está sendo um pouco obscuro.

Nesse caso, o comportamento natural dos seus parentes caninos selvagens prova ser bastante revelador a respeito do que os cães podem pensar sobre as capas de chuva. Tanto os cães quanto os lobos possuem uma capa permanentemente colada ao corpo. Uma só é suficiente: quando chove, os lobos podem buscar abrigo, mas não se cobrem com materiais naturais. Isso não indica a necessidade de protetores de chuva ou um interesse por eles. Além de ser um casaco, a capa também é algo bem diferente: uma cobertura fechada, e mesmo apertada, que cobre as costas, o peito e às vezes a cabeça. *Há* ocasiões em que os lobos são pressionados nas costas e na cabeça: quando são dominados por outro lobo, ou repreendidos por um lobo parente ou mais velho. Muitas vezes, os dominantes imobilizam os subordinados pelo focinho. Esse procedimento chama-se morder o focinho e talvez explique por que, às vezes, os cães com focinheiras parecem estranhamente submissos. O cão que "encurrala" outro cão é o dominante. O subordinado sente a pressão do animal dominante sobre seu corpo. É provável que a capa de chuva reproduza esse sentimento. Portanto, a sensação principal provocada pela capa não é a de se sentir protegido da umidade; ao contrário, ela produz a sensação desconfortável de que alguém em uma posição superior a sua está por perto.

A validade dessa interpretação é reforçada pelo comportamento da maioria dos cães quando são envoltos em uma capa de chuva: é possível que fiquem imóveis por se sentirem "dominados". Pode-se observar o mesmo comportamento quando um cão, resistindo ao banho, de repente para de se agitar quando fica totalmente molhado ou é coberto por uma toalha pesada e molhada. O cão pode até cooperar para sair, mas não porque gosta da capa, e sim porque foi subjugado.* Claro que ele vai se molhar menos, mas somos nós que gostamos de planejar isso, não o cão. A melhor maneira de evitar esse tipo de equívoco é substituir nosso instinto antropomorfizante pela leitura do comportamento. Na maioria dos casos, essa troca é simples: basta perguntar ao cão o que ele quer. Tudo o que você precisa é saber como traduzir essa resposta.

---

* Isso é semelhante ao que foi descoberto pelos pesquisadores behavioristas que, em meados do século passado, expuseram cães de laboratório a choques elétricos dos quais eles não podiam escapar. Mais tarde, colocados em um recinto onde havia uma rota de escape visível, esses cães mostraram *desamparo aprendido*: não tentaram escapar para evitar o choque. Em vez disso, ficaram imobilizados, aparentemente resignados a seu destino. Isso porque os pesquisadores haviam treinado os cães para serem submissos e aceitarem sua falta de controle sobre a situação. (Mais tarde, eles os forçaram a desaprender a resposta e interromper os choques.) Felizmente, a época em que se praticava esse tipo de experiência já passou.

A VISÃO DE MUNDO DA PULGA

Eis nossa primeira ferramenta para obter essa resposta: imagine o ponto de vista do cachorro. O estudo científico dos animais foi modificado por um biólogo alemão do início do século XX chamado Jakob von Uexküll. Sua proposta foi revolucionária: qualquer um que desejasse entender a vida de um animal deveria começar considerando o que ele chamava de seu *umwelt* (UM-velt): sua subjetividade ou "automundo". *Umwelt* captura o que a vida significa *para o* animal. Considere, por exemplo, a modesta pulga de cervo. Aqueles de vocês que passaram um bom tempo acariciando hesitantemente o corpo de um cão em busca de uma intrigante cabeça de alfinete que revela uma pulga inchada de sangue podem já ter pensado sobre ela. Você provavelmente considera a pulga uma peste, ponto final. Quase nem sequer um animal. Von Uexküll, por sua vez, ponderou sobre qual seria o ponto de vista da pulga.

Um pouco de biologia: as pulgas são parasitas. Membros da família dos aracnídeos — uma classe que inclui aranhas —, elas têm quatro pares de patas, corpo simples e mandíbulas poderosas. Milhares de gerações de evolução simplificaram suas vidas ao máximo: nascimento, acasalamento, alimentação e morte. Nascidas sem patas e órgãos sexuais, esses membros logo crescem, então elas acasalam e ascendem para uma posição superior — digamos, uma lâmina de grama. É aqui que sua história fica interessante. De todas as visões, sons e odores do mundo, a pulga adulta espera apenas por um. Ela não olha ao redor: as pulgas são cegas. Nenhum som as perturba: sons são irrelevantes para seus objetivos. Ela espera apenas pela aproximação de um único odor: um ligeiro perfume de ácido butanoico, um líquido gorduroso expelido pelas criaturas de sangue quente (às vezes, sentimos esse odor no suor). Talvez ela precise esperar um dia, um mês, ou uma dezena de anos. Mas assim que sente o odor preferido, ela o escolhe e cai do lugar em que estava. Em seguida, uma capacidade sensorial secundária é acionada. A pele da pulga é fotossensível e pode detectar calor. Então ela se dirige para o calor. Se tiver sorte, o odor caloroso de suor vem de um animal, e a pulga se agarra nele e faz sua refeição feita de sangue. Após se alimentar uma vez, ela cai, põe ovos e morre.

O objetivo dessa explicação é mostrar que o automundo da pulga é diferente do nosso de formas inimagináveis: o que ela sente ou deseja; seus objetivos. Para a pulga, a complexidade das pessoas é reduzida a dois únicos estímulos: odor e calor — e ela está muito atenta a eles. Se quisermos entender a vida de qualquer animal, precisamos saber o que é importante para ele. A primeira forma de descobrir isso é tentar determinar o que o animal consegue perceber: o que pode ver, ouvir, cheirar ou, de outra forma, sentir. Apenas os objetos que são percebidos podem ter significado para o animal; os outros não são sequer notados — ou todos parecem iguais. O vento que passa pela grama? Irrelevante para a pulga. Os sons de uma festa de aniversário infantil? Não aparecem em seu radar. As deliciosas migalhas de bolo no chão? A pulga não dá a mínima.

A segunda forma de descobrir o que é importante para o animal é saber como ele age no mundo. A pulga acasala, espera, cai e se alimenta. Logo, os objetos do universo, para ela, são divididos em: pulgas e não pulgas; as superfícies onde se pode ou não cair; e as substâncias das quais ela pode ou não querer se alimentar.

Assim, esses dois componentes — percepção e ação — definem e circunscrevem, em grande parte, o mundo de cada ser vivo. Todos os animais têm seus próprios *umwelten* — as próprias realidades subjetivas, que Von Uexküll descrevia como "bolhas de sabão" —, que estão para sempre presos no interior dessas bolhas. Nós humanos também vivemos presos em nossas próprias bolhas de sabão. Em cada um de nossos automundos, por exemplo, estamos muito atentos ao lugar em que outras pessoas estão e o que fazem e dizem. (Por outro lado, imagine a indiferença da pulga a nossos monólogos mais tocantes.) Enxergamos no espectro visual da luz, ouvimos barulhos audíveis e cheiramos odores fortes colocados à frente de nossos narizes. Além disso, cada indivíduo cria seu *umwelt* pessoal, cheio de objetos com significados especiais para ele. Você pode comprovar isso ao ser levado para passear em uma cidade desconhecida por um nativo. Ele o dirigirá ao longo de um caminho óbvio para ele, mas invisível para você. Porém, ambos compartilham as mesmas coisas: provavelmente, nenhum dos dois vai parar e ouvir o grito ultrassônico de um morcego próximo; ou sentir o cheiro do que o homem que passa por perto comeu no jantar de ontem à noite (a menos que a refeição tivesse muito alho). Nós, as pulgas e todos os outros animais nos encaixamos em nosso meio ambiente: somos bombardeados por estímulos, mas apenas um número muito reduzido é significativo para nós.

O mesmo objeto, portanto, será visto (ou melhor, *sentido* — alguns animais não enxergam bem ou não enxergam nada) por animais diferentes de forma distinta. Uma rosa é uma rosa. Ou não é? Para um humano, uma rosa é um tipo específico de flor, um presente ofertado a amantes e algo belo. Para um besouro, uma rosa talvez seja um território inteiro, com lugares para se esconder (na parte inferior de uma folha, invisível para os predadores aéreos), caçar (no topo da flor, onde crescem as formigas jovens) e pôr ovos (na junção da folha com o talo). Para o elefante, trata-se de um espinho quase imperceptível embaixo da sua pata.

E para o cão, o que é uma rosa? Como veremos, isso vai depender da construção do cão, tanto corporal quanto cerebral. Na verdade, para um cachorro uma rosa não é algo belo nem um mundo em si mesmo. Uma rosa é indistinguível em meio ao material vegetal que a rodeia — a menos que tenha sido urinada por outro cão, esmagada por outro animal ou manipulada pelo dono dele. Só então ela adquire um interesse pleno e se torna bem mais significativa para o cão do que a mais formosa rosa é para nós.

VESTINDO NOSSOS CHAPÉUS *UMWELT*

Distinguir os elementos importantes no mundo de um animal — seu *umwelt* — significa, de certa forma, tornar-se um especialista naquele determinado animal, seja uma pulga, um cão ou um ser humano. E essa será nossa ferramenta para resolver a tensão entre o que pensamos saber sobre cães e o que eles realmente fazem. No entanto, sem os antropomorfismos, parece que nosso vocabulário usado para descrever as experiências vividas por eles é muito pobre.

O entendimento da perspectiva de um cão — por meio da compreensão de suas capacidades, experiência e comunicação — fornece esse vocabulário. Porém, não podemos traduzi-lo simplesmente incorporando nosso próprio *umwelt*. A maioria de nós não possui um olfato excelente; para nos tornarmos farejadores, precisamos fazer mais do que apenas refletir sobre isso. Esse tipo de exercício introspectivo funciona apenas quando associado a um entendimento sobre o quão profunda é a diferença entre o nosso *umwelt* e o do outro animal.

Podemos vislumbrá-lo ao "encenarmos" o *umwelt* de outro animal, tentando incorporá-lo — consciente das restrições que nosso sistema sensorial impõe à nossa capacidade de fazê-lo de forma genuína. Experimentar durante uma tarde a realidade de um cão é surpreendente. Cheirar (mesmo com nossos narigões pouco potentes) atenta e profundamente cada objeto com o qual cruzamos ao longo de um dia lança uma nova luz sobre as coisas mais familiares. Enquanto você lê este texto, tente prestar atenção aos sons da sala em que se encontra agora, com os quais já se acostumou e, em geral, ignora. De repente ouço um ventilador atrás de mim, o alarme da marcha à ré de um caminhão, o burburinho de uma multidão de vozes entrando no prédio lá embaixo; alguém ajustando o corpo em uma cadeira de madeira, meu coração batendo, eu engolindo, uma página sendo virada. Se minha audição fosse mais acurada, poderia ter notado o raspar de uma caneta no papel do outro lado da sala; o som de uma planta se esticando para crescer; os gritos ultrassônicos da população de insetos sempre embaixo de nossos pés. Será que esses ruídos se destacam no universo sensorial de outros animais?

O SIGNIFICADO DAS COISAS

Para outro animal, até mesmo os objetos de uma sala não são, de alguma forma, os *mesmos objetos*. Ao olhar em volta, o cão não pensa que está rodeado por coisas humanas; ele enxerga *coisas caninas*. O que pensamos ser a função de um objeto, ou as associações que ele traz, pode ou não combinar com a ideia que o cão tem sobre a sua função ou significado. Os objetos são definidos pela forma como agimos sobre eles: o que Von Uexküll chama de seus *aspectos funcionais* — como se o uso de um objeto fosse acionado quando o vemos. Um cão pode ser indiferente a cadeiras, mas se treinado para pular em cima de uma, aprende que a cadeira tem um *aspecto sentar*: é possível sentar nela. Mais tarde, um cão pode decidir por si mesmo que outros objetos possuem um aspecto sentar: um sofá, uma pilha de travesseiros, o colo de alguém que esteja no chão. Mas os demais objetos que identificamos com a mesma função de uma cadeira não são vistos dessa forma pelos cães: bancos, mesas, braços de sofás. Bancos e mesas pertencem a outra categoria de objetos: obstáculos, talvez, que estão no caminho em direção ao *aspecto comer* da cozinha.

Aqui, começamos a ver como as visões de mundo do cão e as do humano se sobrepõem e como elas diferem. Muitos objetos possuem um aspecto comer para o cão — provavelmente, bem mais do que consideramos como tal. As fezes não constam em nosso cardápio; os cães discordam. Eles podem ter categorias que nós absolutamente não temos — *aspecto rolar*, digamos: coisas sobre as quais se pode rolar alegremente. A menos que estejamos particularmente felizes ou sejamos muito jovens, nossa lista de itens com aspecto rolar é quase nula. E muitos dos objetos comuns que possuem significados específicos para nós — garfos, facas, martelos, percevejos, ventiladores, relógios e assim por diante — têm pouco ou nenhum valor para eles. Para um cão, um martelo não existe. Um cachorro não age com um martelo ou sobre ele, logo essa ferramenta não tem qualquer significado para o cão. Isso até que esteja relacionada a algum outro objeto significativo: está nas mãos de uma pessoa amada; cheira a urina do cão fofinho do vizinho; seu cabo de madeira sólido pode ser mastigado como se fosse um graveto.

Um confronto de *umwelten* ocorre quando um cão encontra um humano, e o resultado desse encontro é a propensão a não entender o que o animal está fazendo. O humano não vê o mundo a partir da perspectiva do cão: da forma como ele o vê. Por exemplo, é comum os donos de cães insistirem enfaticamente que o cão nunca deve deitar na cama. Para aumentar o grau de seriedade desse comando, o dono pode comprar aquilo que um fabricante de travesseiros decidiu chamar de "cama canina" e colocá-la no chão. O cão ficará motivado a se deitar nessa cama especial, a cama não proibida. Em geral, ele o fará, de forma relutante. E, assim, podemos nos sentir satisfeitos: outra interação cão-humano bem-sucedida!

Mas é isso mesmo? Muitas vezes, ao voltar para casa, encontrei uma pilha morna e amarrotada de lençóis em minha cama, onde o cão de rabo abanando que me cumprimentou na porta, ou algum intruso dorminhoco invisível, se deitara recentemente. Não temos nenhum problema em entender o significado das camas para os humanos: os nomes dos objetos tornam a situação clara. A cama grande é para as pessoas; a cama canina é para os cães. As camas humanas representam relaxamento; podem ser muito caras e cobertas com lençóis especialmente escolhidos e enfeitadas com travesseiros macios; a cama canina é um lugar no qual nunca pensaríamos em sentar, é (relativamente) barata e é mais provável que seja adornada por brinquedos mastigáveis do que por travesseiros. E para o cão? Inicialmente, não existe muita diferença entre as camas — exceto, talvez, pelo fato de que a nossa é infinitamente mais desejável. Elas cheiram a nós, enquanto a deles cheira ao material que o fabricante tinha em estoque (ou, pior, a lascas de cedro — um perfume esmagador para um cão, mas agradável para nós). Além disso, nossas camas são onde *estamos*: é nela que passamos nosso tempo de lazer, talvez estejam cheias de migalhas de pão e roupas. O que os cães preferem? Indubitavelmente, a nossa cama. O cão não conhece todas as características que a tornaram um objeto tão deslumbrante para nós. Ele pode, na verdade, vir a aprender que há algo diferente sobre a cama — por ser repetidamente repreendido quando deita nela. Ainda assim, o que o cão percebe é menos "cama humana" *versus* "cama canina", e mais "objeto que provoca gritaria quando se está deitado nele" *versus* "objeto que não provoca gritaria quando se está deitado nele".

No *umwelt* dos cachorros, as camas não possuem aspectos funcionais especiais. Os cães dormem e descansam onde podem, não em objetos designados pelas pessoas para tais finalidades. Pode haver um aspecto funcional para os lugares de dormir: os cães preferem aqueles que lhes permitam esticar-se completamente, onde a temperatura é agradável, onde outros membros de seu grupo ou da família estejam por perto e onde se sintam seguros. Qualquer superfície plana na casa satisfaz essas condições. Faça uma delas se encaixar nesses critérios e seu cão provavelmente a achará tão desejável quanto a sua grande e confortável cama.

PERGUNTANDO AOS CÃES

Para sustentar nossas afirmações sobre a experiência ou a mente de um cão, aprenderemos como perguntar a ele se estamos certos. Lógico que o problema em perguntar a um cão se ele está feliz ou deprimido não é o fato de a questão não fazer sentido. É que não entendemos muito bem sua resposta. A linguagem falada nos tornou excessivamente preguiçosos. Posso imaginar as razões por trás do comportamento recalcitrante e distante de uma amiga durante semanas, formando descrições complexas e psicologicamente elaboradas a partir do sentido das ações dela sobre o que ela pensa que eu quis dizer em algum momento difícil. Mas minha melhor estratégia é, de longe, simplesmente perguntar a ela. Ela me dirá. Os cães, por outro lado, nunca respondem da maneira que esperamos: com sentenças bem pontuadas e ênfases em negrito. No entanto, se olharmos, eles obviamente terão respondido.

Por exemplo, um cão que olha para você e suspira ao vê-la se preparando para ir trabalhar está deprimido? Os cães que ficam trancados em casa o dia inteiro são pessimistas? Sentem-se entediados? Ou estão apenas expirando preguiçosamente e se preparando para tirar uma soneca?

Examinar o comportamento para aprendermos sobre a atividade mental de um animal é precisamente a ideia que motiva algumas experiências recentes inteligentemente elaboradas. Os pesquisadores não usaram cães, mas aquele surrado sujeito de pesquisa: o rato de laboratório. O comportamento desses roedores em gaiolas pode ser o maior contribuinte para o *corpus* do conhecimento psicológico. Na maioria dos casos, o próprio rato não é interessante: a pesquisa nem é sobre eles. Surpreendentemente, é sobre os humanos. A ideia é a de que os ratos aprendem e lembram por usarem alguns dos mesmos mecanismos utilizados pelos humanos, só que os ratos são mais fáceis de manter em caixinhas e de ser expostos a estímulos restritos na esperança de se obter uma resposta. E os milhões de respostas dadas por milhões de ratos de laboratório, *Rattus norvegicus*, aumentaram imensamente nosso entendimento sobre a psicologia humana.

Porém, os próprios ratos são intrinsecamente interessantes também. Às vezes, as pessoas que trabalham com eles nos laboratórios descrevem a "depressão" ou a natureza exuberante desses animais. Alguns ratos parecem preguiçosos, alguns são alegres; outros pessimistas; outros, ainda, otimistas. Os pesquisadores escolhem duas dessas características — pessimismo e otimismo — e lhes atribuem definições operacionais em termos de comportamento que nos permite determinar se é possível verificar diferenças reais entre ratos. Em vez de simplesmente tirarmos conclusão a partir do modo como os humanos parecem quando estão pessimistas, podemos perguntar como é possível um rato pessimista ser distinguido de um otimista com base em seu comportamento.

Assim, o comportamento dos ratos foi examinado não como um espelho do nosso, mas como um indicador de algo sobre... os ratos: suas preferências e emoções. Esses sujeitos foram colocados em ambientes extremamente restritos: alguns eram "imprevisíveis", onde os companheiros de gaiola, o acolchoamento e o cronograma de luz e escuridão sempre mudavam; outros eram ambientes estáveis e previsíveis. O projeto experimental tirou vantagem do fato de que, largados em suas gaiolas e com pouco para fazer, os ratos rapidamente aprendem a associar novos eventos à ocorrência simultânea de um fenômeno. Nesse caso, um som específico era tocado em alto-falantes dentro das gaiolas — um estímulo para pressionar uma alavanca que acionava a chegada de uma porção de comida. Quando um som diferente era tocado e os ratos pressionavam a alavanca, ouviam um som desagradável e não recebiam nenhum alimento. De forma previsível, esses animais — tais como os ratos de laboratório antes deles — rapidamente aprendiam a associação. Corriam em disparada para a alavanca que liberava comida apenas quando acionado o som favorável, como crianças correndo atrás de uma carrocinha de sorvete. Todos os ratos aprenderam isso com facilidade. Entretanto, foi quando ouviam um novo som, a meio caminho entre os dois sons aprendidos, que os pesquisadores descobriram a importância do ambiente dos ratos. Os que foram colocados em ambientes previsíveis interpretaram o novo som como *comida*; os agrupados em ambientes instáveis não.

Esses ratos apreenderam otimismo ou pessimismo sobre o mundo. Vê-los em ambientes previsíveis pulando com vivacidade diante de qualquer novo som significa ver o otimismo em ação. Pequenas mudanças no ambiente foram suficientes para estimular uma grande mudança de perspectiva. As intuições dos que trabalham com os ratos de laboratório a respeito do humor desses animais podem ser precisas.

Podemos submeter nossas intuições sobre os cães ao mesmo tipo de análise. Para cada antropomorfismo que usamos para descrevê-los, podemos fazer duas perguntas: 1) Existe algum comportamento natural do qual essa ação seja uma evolução? 2) A que essa afirmação antropomórfica corresponderia se a desconstruíssemos?

BEIJOS CANINOS

Dar lambidas é a maneira de Pump fazer contato, de me cumprimentar. Quando chego em casa, ela me saúda com lambidas no rosto enquanto me abaixo para acariciá-la; ela dá lambidas de acordar na minha mão enquanto cochilo na cadeira; lambe todo o suor de minhas pernas quando volto de uma corrida; sentada ao meu lado, imobiliza minha mão com a pata dianteira e a vira para lamber a pele quente e macia da palma. Adoro suas lambidas.

Com frequência, ouço donos de cães confirmarem o amor de seus animais por eles com base nos beijos que recebem quando chegam em casa. Esses "beijos" são lambidas: lambidas molhadas no rosto; lambidas concentradas e exaustivas na mão; polimento solene de um membro do corpo por uma língua. Confesso que trato as lambidas de Pump como um sinal de afeição. "Afeição" e "amor" não são apenas constructos recentes de uma sociedade que trata os bichos de estimação como pessoas pequenas, a serem calçadas com sapatos quando o tempo está ruim, fantasiadas para o Halloween e mimadas em spas. Antes de existir essa espécie de tratamento de beleza para cães, Charles Darwin (que acredito piamente nunca fantasiou seu cãozinho de bruxa ou duende) escreveu sobre os beijos-lambidas de seus cães. Ele tinha certeza de seus significados: os cães têm, ele escreveu, uma "forma impressionante de mostrarem seu afeto, que é lamber a mão ou o rosto dos donos". Darwin estava certo? Os beijos parecem carinhosos *para mim*, mas são gestos de carinho *para o cão*?

Primeiro, as más notícias: os pesquisadores de caninos selvagens — lobos, coiotes, raposas e outros — relatam que os filhotes lambem o rosto e o focinho das mães quando elas voltam para a caverna após uma caçada com o intuito de fazê-las regurgitar. Lamber ao redor da boca parece ser a pista que estimula a mãe a vomitar os pedaços de carne parcialmente digeridos. Pump deve ficar muito decepcionada, pois nunca regurgitei carne de coelho semidigerida para ela.

Além do mais, nossas bocas são muito saborosas para os cães. Assim como os lobos e os humanos, eles possuem receptores de gosto para salgado, doce, amargo, azedo e até mesmo *umami*, o gosto de terra, alga e cogumelo embebidos no tempero glutamato monossódico. Sua percepção de doçura é processada de forma ligeiramente diferente da nossa, na medida em que o salgado aumenta a experiência dos sabores adocicados. Os receptores de doçura são particularmente abundantes nos cães, embora alguns adoçantes — sacarose e frutose — ativem mais os receptores do que outros, tal como a glucose. Essa condição pode ajudar na adaptação de um onívoro como o cão, para quem vale a pena distinguir entre plantas e frutas maduras e não maduras. Curiosamente, até o sal puro não aciona os chamados receptores de sal na língua e no céu da boca dos cachorros da mesma forma como o faz com os humanos. (Há alguma controvérsia quanto ao fato de os cães terem quaisquer receptores específicos para o salgado.) Mas não precisei pensar muito sobre seu comportamento para perceber que as lambidas de Pump em meu rosto muitas vezes coincidiam com o fato de eu ter ingerido uma farta quantidade de comida.

Agora, as boas notícias: como resultado desse uso funcional das lambidas na boca — "beijos" para mim e para você —, tal comportamento se tornou um cumprimento ritualizado. Em outras palavras, ele não serve apenas para pedir comida; também é usado para dizer alô. Os cães e lobos lambem o focinho simplesmente para recepcionar outro cão na volta para casa e assim obter um relatório olfativo de onde esteve ou o que fez. As mães não apenas limpam os filhotes lambendo-os, elas frequentemente lhes dão umas lambidas rápidas até mesmo após uma breve separação. Um cão mais jovem ou tímido pode lamber o focinho e ao redor do focinho de um cão maior e mais ameaçador para apaziguá-lo. Os cães familiarizados um com o outro podem trocar lambidas quando se encontram nas pontas de suas respectivas coleiras no meio da rua. Esse comportamento pode servir para confirmar, através do cheiro, se aquele cão correndo na direção dele é mesmo quem ele pensa que é. Visto que essas "lambidas de boas-vindas" são muitas vezes acompanhadas por abanos de rabos, bocas alegremente abertas e excitação generalizada, não é um exagero dizer que as lambidas são uma forma de expressar felicidade por seu retorno.

CINÓLOGO

Ainda falo que Pump parece "consciente", ou está *contente* ou *brincalhona*. São palavras que significam algo para mim. No entanto, não tenho nenhuma ilusão de que elas mapeiam a experiência dela. Ainda adoro suas lambidas, mas também adoro saber o que elas significam para Pump além do que apenas significam para mim.

Ao imaginar o *umwelt* dos cães, somos capazes de desconstruir outros antropomorfismos — a culpa de nosso cão por roer um sapato; a vingança de um filhote infligida em nossa echarpe Hermès — e reconstruí-los com o entendimento do cão em mente. Tentar entender a perspectiva de um cachorro é como ser um antropólogo em uma terra estrangeira — inteiramente habitada por cães. Uma tradução perfeita de cada movimento de rabo e latido pode nos iludir, mas um simples exame atento revelará um volume surpreendente de informações. Logo, vamos examinar com atenção o que fazem os nativos.

Nos capítulos seguintes, consideraremos as várias dimensões que contribuem para o *umwelt* de um cão. A primeira dimensão é histórica: como os cães vieram dos lobos e como eles são ou não são parecidos com eles. As escolhas que fazemos com base nas raças levam a alguns projetos intencionais e a algumas consequências acidentais. A dimensão seguinte vem da anatomia: a capacidade sensorial do cão. Precisamos entender o que o cão cheira, vê e ouve... e se há outros meios pelos quais ele sente o mundo. Devemos imaginar o ponto de vista a partir de setenta centímetros acima do chão e por trás do focinho. Finalmente, o corpo do cão, que nos leva ao cérebro dele. Examinaremos as suas capacidades cognitivas e esse conhecimento pode nos ajudar a entender seu comportamento. Essas dimensões se combinam para fornecer as respostas às perguntas sobre o que o cão pensa, percebe e entende. Por fim, elas servirão como fundamentos científicos para um salto imaginativo bem-informado para dentro do cão: metade do caminho andado para nos tornarmos cães honorários.

Pertencendo a casa

Ela está esperando na soleira da porta da cozinha, quase embaixo dos pés. De alguma forma, Pump sabe precisamente onde fica "fora da cozinha". Aqui, ela se esparrama, e quando trago comida para a mesa, ela entra para resgatar os restos caídos no chão. Da mesa, ela consegue obter um pouco de tudo — e aceitará até a oferta mais improvável, ainda que só para mastigá-la um pouco antes de depositá-la sem cerimônia no chão. Ela não gosta de passas. Nem de tomates. Ela tolerará uma uva, se conseguir dividi-la em metades suculentas com os dentes laterais — e depois, deliberadamente, como se controlando um objeto grande e duro, a mastigará. Ela quer todas as pontas das cenouras. Pega os talos de brócolis e aspargos e os segura delicadamente, olhando por um momento para mim, como se conjecturando se algo mais está a caminho antes de instalar-se no tapete para comê-los.

Os livros sobre adestramento insistem em dizer que "um cão é um animal". Isso é verdade, mas não é toda a verdade. O cão é um animal *domesticado*, uma palavra que se originou a partir da raiz que significa "pertencendo à casa". Os cães são animais que pertencem às casas. A domesticação é uma variação do processo de evolução — no qual o selecionador não apenas possui forças naturais, mas humanas também — e seu objetivo final é trazer os cães para dentro de suas casas.

Para entender o que é um cão, precisamos entender de onde ele vem. Como parte da família *Canidae* — cujos membros são chamados canídeos —, o cão doméstico é um parente distante dos coiotes e chacais, dingos, raposas e cães selvagens.* Entretanto, ele vem de uma única e antiga linhagem de *Canidae,* animais que mais provavelmente lembram o lobo cinza contemporâneo. No entanto, quando vi Pumpernickel cuspir uma passa delicadamente, não me lembrei das imagens chocantes de lobos derrubando um alce e o destroçando em Wyoming.**A visão de um animal que pacientemente espera na porta da cozinha e, em seguida, examina com atenção uma cenoura, parece, a grosso modo, irreconciliável com um animal cuja lealdade é, em primeiro lugar, para consigo mesmo, e cujas afiliações são repletas de tensão e mantidas pela força.

Os apreciadores de cenouras surgem dos matadores de alces por meio da segunda fonte: nós. Enquanto a natureza "seleciona" cega e impiedosamente os traços que levam à sobrevivência de seus porta-

---

* As hienas não constam nessa lista. Do tamanho e formato de um cão, com orelhas eretas como as de um pastor alemão e tendência a uivar e vocalizar como muitos canídeos gárrulos, as hienas são, de alguma forma, como cães, mas não são de fato canídeos. Elas são parentes carnívoros mais próximos da fuinha e dos gatos do que dos cachorros.

** Suspeita-se que as passas sejam tóxicas para alguns cães, mesmo em quantidades pequenas (embora o mecanismo de toxicidade seja desconhecido) — o que me leva a perguntar se Pump era instintivamente avessa a passas.

dores, os humanos ancestrais também selecionaram traços — características físicas e comportamentos — que resultaram não apenas na sobrevivência, mas na onipresença do cão moderno — *Canis familiaris* — entre nós. A aparência, o comportamento, as preferências do animal, seu interesse em nós e em nossa atenção são, em grande medida, resultado da domesticação. O cão atual é uma criatura bem projetada. No entanto, muito desse projeto foi realizado ao sabor do acaso.

COMO FAZER UM CÃO: INSTRUÇÕES PASSO A PASSO

Então você quer fazer um cão? São necessários apenas alguns poucos ingredientes. Você precisará de lobos, humanos, um pouco de interação e tolerância mútua. Misture bem e aguarde, ah, alguns milhares de anos.

Ou, se você for o geneticista russo Dmitry Belyaev, simplesmente encontre um grupo de raposas cativas e comece a criá-las seletivamente. Em 1959, Belyaev iniciou um projeto que fortaleceu nossos melhores palpites acerca do que acreditamos terem sido os passos iniciais da domesticação. Em vez de observar os cães e inferir em retrospectiva, ele examinou outra espécie canídea social e a propagou. A raposa prateada da Sibéria era um pequeno animal selvagem que se tornou popular no comércio de peles em meados do século XX. Criadas em gaiolas por causa de casacos de peles de primeira classe, especialmente longos e macios, elas não foram domesticadas, mas mantidas em cativeiro. Com uma receita bem reduzida, Belyaev não as transformou em "cães", mas em algo surpreendentemente próximo a eles.

Embora *Vulpes vulpes*, a raposa prateada, seja um parente distante dos lobos e dos cães, ela nunca foi domesticada. Apesar de sua relação evolucionária, nenhum canídeo foi completamente domesticado a não ser o cão: a domesticação não acontece espontaneamente. O que Belyaev mostrou foi que ela pode ocorrer rapidamente. Começando com 130 raposas, ele selecionou e criou as que eram mais "mansas", como as descreveu, mas as que ele realmente escolheu foram as menos medrosas ou agressivas com as pessoas. Para minimizar o risco de agressão, os animais foram enjaulados. Belyaev se aproximava de cada jaula e convidava a raposa a comer em sua mão.

Algumas o morderam, outras se esconderam. Algumas pegaram a comida, relutantemente. Outras pegaram a comida e também se deixaram tocar e acariciar sem fugir ou resmungar. Outras ainda não apenas aceitaram a comida como até abanavam o rabo e choramingavam para o pesquisador, convidando à interação ao invés de desencorajá-la. Essas eram as raposas que Belyaev selecionou. Por alguma variação normal em seu código genético, esses animais eram naturalmente mais calmos quando ficavam perto de pessoas, mostrando-se até mesmo interessados nelas. Nenhuma dessas raposas foi treinada; todas tiveram a mesma exposição mínima aos tratadores, responsáveis pela alimentação e pela limpeza do acolchoamento da jaula durante suas curtas vidas.

Essas raposas "mansas" foram estimuladas a acasalar, e seus filhotes, testados da mesma forma. Os mais mansos foram acasalados ao atingirem a idade apropriada; e seus filhotes e os filhotes deles passaram pelo mesmo processo. Belyaev trabalhou até morrer, e o programa continuou. Quarenta anos depois, mais da metade da população de raposas formava uma classe que os pesquisadores chamavam de "elite domesticada": não apenas aceitavam o contato com as pessoas, como eram atraídas por elas, "ganindo para ganhar atenção, cheirando e lambendo" tal como fazem os cães. Belyaev criara uma raposa domesticada.

Mais tarde, o mapeamento do genoma revelou que agora existem quarenta genes diferindo as raposas mansas de Belyaev da raposa prateada selvagem. Inacreditavelmente, ao selecionar um determinado traço comportamental, o genoma do animal foi alterado em meio século. E, com essa mudança genética, vieram diversas mudanças físicas familiares surpreendentes: algumas das raposas da última geração têm pelos multicoloridos, malhados, reconhecíveis nos cães vira-latas de todos os lugares. Elas têm orelhas moles e rabos que enrolam por cima do dorso. A cabeça é maior e o focinho mais curto. Por incrível que pareça, elas são engraçadinhas.

Todas essas características físicas vieram de carona, visto que um comportamento específico foi escolhido. O comportamento não afeta o corpo; ambos são resultados comuns de um gene ou conjunto de genes. Mas embora os comportamentos individuais não sejam ditados pelos genes, podem mais ou menos ocorrer por causa deles. Se a constituição genética da pessoa gera níveis muito elevados do hormônio do estresse, por exemplo, isso não significa que ela ficará estressada o tempo inteiro. Mas pode significar que em determinados contextos, em que uma outra pessoa tinha uma reação melhor, ela terá um patamar mais baixo de resposta clássica ao estresse — aceleração dos batimentos cardíacos e da respiração, aumento da transpiração e assim por diante. Digamos que esse indivíduo de patamar mais baixo grita com seu cão por ele se embaralhar em suas pernas no parque. Seus gritos com o pobre filhote certamente não são geneticamente determinados — os genes nada sabem sobre parques caninos, ou mesmo sobre filhotes —, mas sua neuroquímica, criada por seus genes, facilitou a ocorrência desse comportamento quando uma determinada situação se apresentou.

Isso também ocorre com raposas parecidas com cachorros. Considerando-se o que os genes fazem*, até mesmo uma pequena mudança em um deles — ativado ligeiramente mais tarde, digamos — poderia mudar a probabilidade tanto de determinados comportamentos quanto de formas específicas de aparência física. As raposas de Belyaev mostram que um pequeno número de diferenças simples no desenvolvimento é capaz de ter um efeito abrangente: suas raposas, por exemplo, abrem os olhos mais cedo e exibem as primeiras respostas ao medo mais tarde, o que as torna mais parecidas com os cães do que com as raposas selvagens. Isso lhes abre uma janela maior e mais precoce para a criação de um vínculo com a pessoa que toma conta delas — tal como um pesquisador humano na Sibéria. Elas brincam umas com as outras mesmo quando atingem a idade adulta, o que talvez permita uma socialização mais duradoura e complexa. Vale observar que as raposas desviaram dos lobos há uns dez ou 12 milhões de anos; no entanto, após quarenta anos de seleção, elas parecem domesticadas. O mesmo talvez pudesse ocorrer com outros carnívoros se os colocássemos sob nossas asas e dentro de nossas casas. As mudanças genéticas os levariam a se tornarem parecidos com os cães.

---

* O que (alguns) genes fazem é regular a formação das proteínas que atribuem papéis às células. Quando, onde e em que ambiente uma célula se desenvolve — tudo isso contribui para o resultado final. Logo, o caminho que vai de um gene até o aparecimento de um traço físico ou de um comportamento é mais complexo do que se poderia inicialmente pensar, podendo haver modificações ao longo do processo.

COMO OS LOBOS SE TORNARAM CÃES

Embora não pensemos muito sobre isso, a história dos cachorros, bem antes de você ter o seu, é mais relevante para o que eles são do que os detalhes de sua ascendência. Essa história começa com os lobos.

Os lobos são cães sem acessórios. No entanto, o verniz da domesticação os torna criaturas muito diferentes.* Enquanto um cão de estimação perdido não consegue sobreviver nem mesmo alguns dias sozinho, a anatomia, o instinto e a sociabilidade do lobo se combinam para torná-lo muito adaptável. Esses canídeos podem ser encontrados em diversos ambientes: nos desertos, florestas e no gelo. A maioria vive em alcateias, com um casal reprodutor e de quatro a quarenta lobos mais jovens, em geral descendentes. A alcateia age cooperativamente, compartilhando tarefas. Os mais velhos podem ajudar a criar os filhotes, e o grupo todo trabalha em conjunto na caça às presas de grande porte. Eles são muito territoriais e passam bastante tempo demarcando e defendendo seus territórios.

Dezenas de milhares de anos atrás, os seres humanos começaram a aparecer nesses territórios. Tendo abandonado suas formas *habilis* e *erectus*, o *homo sapiens* se tornava menos nômade e começava a criar assentamentos. Mesmo antes do início da agricultura, já havia interações entre humanos e lobos. Contudo, a forma

---

* Há debates acerca de os cães serem considerados uma espécie à parte dos lobos ou uma subespécie deles. Discute-se inclusive a utilidade ou a validade nos dias atuais do esquema de classificação original de Lineu, que demarca *espécies* como uma unidade fundamental válida. A maioria dos pesquisadores concorda que atualmente é melhor descrever lobos e cães como espécies distintas. Embora esses animais possam acasalar uns com os outros, seus hábitos de acasalamento, a ecologia social e os ambientes em que vivem são muito diferentes.

como ocorriam essas interações é uma fonte de especulação. Uma das hipóteses diz que as comunidades relativamente fixas dos humanos produziam grande quantidade de dejetos, incluindo restos de comida. Os lobos, que não apenas catam comida como a caçam, teriam rapidamente descoberto essa fonte. Os mais ousados podem ter superado o medo desses novos animais — humanos nus — e começado a se banquetear nas pilhas de sobras. Dessa forma, uma seleção natural acidental — de lobos menos temerosos ao contato com humanos — teria sido iniciada.

Ao longo do tempo, os humanos passaram a tolerar os lobos, talvez até criando alguns filhotes como bichos de estimação ou, em tempos de escassez, como comida. Geração após geração, os lobos mais calmos foram mais bem-sucedidos por viver nas imediações da sociedade humana. Mais tarde, as pessoas começariam a criar aqueles animais de que mais gostavam intencionalmente. Esse foi o primeiro passo para a domesticação, a redefinição de animais para o nosso prazer. Em geral, esse processo ocorreu com todas as espécies, a partir de uma associação gradual com os humanos, por meio da qual as gerações seguintes se tornaram mais e mais domadas e, finalmente, distintas em comportamento e corpo de seus ancestrais selvagens. A domesticação é, portanto, precedida por um tipo de seleção inadvertida de animais que estão próximos, são úteis ou agradáveis, o que lhes permite viver nos arredores da sociedade humana. O passo seguinte no processo envolve mais intenção. Os animais que são menos úteis ou agradáveis são abandonados, eliminados ou afastados de nós. Dessa forma, selecionamos aqueles que se submetem com mais facilidade a serem criados por nós. Finalmente, e mais familiarmente, a domesticação envolve criar animais para obter características específicas.

As provas arqueológicas datam o primeiro lobo-cão domestica-do entre 10 e 14 mil anos atrás. Restos de cães foram descobertos em montes de lixo (sugerindo seu uso como comida ou proprieda-de) e em locais de sepultura, seus esqueletos enroscados ao lado de esqueletos humanos. A maioria dos pesquisadores acredita que os cães começaram a se associar conosco ainda mais cedo, talvez mui-tas dezenas de milhares de anos atrás. Existem indícios genéticos — na forma de amostras de DNA mitocondrial* — de uma divisão sutil tão distante quanto há 145 mil anos entre os lobos puros e os que iriam se tornar cães. Poderíamos chamar estes últimos de lobos protodomesticados, visto que eles próprios mudaram o com-portamento de maneira que, mais tarde, encorajariam o interesse (ou a mera tolerância) dos humanos por eles. Quando os humanos apareceram, eles poderiam já estar prontos para a domesticação. Os lobos acolhidos foram provavelmente menos caçadores do que catadores de lixo, menos dominantes e menores do que os lobos alfa, e mais mansos. Resumindo, menos lobos. Assim, bem cedo no desenvolvimento das civilizações antigas, milhares de anos antes da domesticação de qualquer outro bicho, os humanos levaram esse animal para dentro dos muros de suas primeiras vilas.

Esses cães vanguardistas não seriam confundidos com membros de uma das centenas de raças de cachorros atualmente reconhe-cidas. A pequena estatura dos dachshunds e o focinho achatado dos pugs são resultados da criação seletiva feita pelos humanos bem

---

* O DNA mitocondrial são cadeias de DNA dentro da mitocôndria produtora de energia das células, mas fora do núcleo delas. Elas são herdadas da mãe pela prole sem qualquer alteração. O mtDNA de indivíduos foi usado para rastrear a ancestra-lidade humana e para estimar as relações evolucionárias entre espécies animais.

mais tarde. A maioria das raças de cachorros que conhecemos hoje só foi desenvolvida nos últimos séculos. Entretanto, esses primeiros cães teriam herdado traços sociais e a curiosidade de seus ancestrais lobos, aplicando-os na cooperação e no apaziguamento dos humanos, bem como entre eles. Tais animais perderam algumas de suas tendências para o comportamento coletivo: os catadores de lixo não precisam da inclinação para caçar em conjunto. Nem é relevante qualquer hierarquia quando você pode viver e comer sozinho. Eles eram sociáveis, mas não no contexto de uma hierarquia social.

A mudança de lobo para cão foi impressionante em termos de velocidade. Os humanos demoraram aproximadamente dois milhões de anos para evoluírem de *Homo habilis* para *Homo sapiens*, mas o lobo saltou para a condição de cachorro em bem menos tempo. A domesticação espelha o que a natureza faz ao longo de centenas de gerações por meio da seleção natural: um tipo de seleção artificial que acelera o relógio. Os cachorros foram os primeiros animais domesticados e, em alguns aspectos, os mais surpreendentes. A maior parte dos animais domesticados não é predadora. Um predador parece ser uma escolha improvável para se levar para casa: não apenas seria difícil encontrar provisões para um comedor de carne; estaríamos nos arriscando a ser a carne escolhida. E, embora isso possa fazê-los (e os fez) bons companheiros de caça, seu papel principal nos últimos cem anos tem sido ser um amigo e confidente imparcial, não um trabalhador.

No entanto, os lobos possuem características que os tornam excelentes candidatos à seleção artificial. O processo favorece um animal social que tenha um comportamento flexível e seja capaz de adaptá-lo a ambientes diferentes. Os lobos nascem em uma alcateia, mas só permanecem nela até que estejam um pouco mais velhos: então partem e encontram um parceiro para acasalar, criar uma nova alcateia, ou se juntam a uma já existente. Esse tipo de flexibilidade para mudar o status e os papéis funciona bem para lidar com a nova unidade social que inclui os humanos. Dentro de uma alcateia, ou passando de uma para outra, os lobos precisam estar atentos ao comportamento de seus companheiros — assim como os cães precisam estar atentos às pessoas que tomam conta deles, sendo sensíveis ao seu comportamento. Como aqueles primeiros cães-lobos que encontraram os primeiros colonos humanos não teriam sido muito úteis, devem ter sido valorizados por outra razão — digamos, pela companhia. A abertura desses canídeos lhes permitiu ajustar-se a uma nova alcateia: aquela que incluísse animais de uma espécie inteiramente diferente.

DESLOBADOS

E então algum ancestral parecido tanto com os lobos quanto com os cães tomou a iniciativa e passou a vagar entre os humanos ociosos, sendo adotado mais tarde e, em seguida, moldado por eles e não apenas pelos caprichos da natureza. Esse fato torna os lobos atuais uma espécie interessante para fins de comparação com os cães: provavelmente eles compartilham muitos traços. O lobo atual não é ancestral do cachorro, embora lobos e cachorros compartilhem um ancestral comum. É bem provável que o lobo moderno seja bastante diferente até de seus ancestrais. Quanto às diferenças entre cães e lobos, é possível que elas se devam ao que provavelmente fez alguns protocães serem acolhidos, além de criados, pelos humanos.

E há muitas diferenças. Algumas dizem respeito ao desenvolvimento: os olhos dos cães, por exemplo, demoram duas ou mais semanas para abrir, enquanto os filhotes de lobo abrem os olhos com dez dias de vida. Essa pequena diferença pode ter um efeito cascata. Em geral, os cães são mais lentos no desenvolvimento físico e comportamental. Os grandes marcos do desenvolvimento — andar, carregar objetos na boca, envolver-se pela primeira vez em brincadeiras de morder — em geral surgem mais tarde para os cães do que para os lobos.* Isso vira uma grande diferença; ou seja, o intervalo de tempo para a socialização é diferente para cães e lobos. Os primeiros têm mais tempo livre para aprender sobre os outros e se acostumarem a objetos em seu ambiente. Se os cães forem expostos a não cães — humanos, macacos, coelhos ou gatos — já nos primeiros meses do desenvolvimento formam uma ligação, preferindo essas espécies em detrimento de outras e frequentemente superando qualquer impulso predatório ou temeroso que possamos esperar que sintam. Esse período *sensível* ou *crítico* da aprendizagem social é o tempo durante o qual os cães aprenderão quem é um cão, um aliado ou um estranho. Eles são mais suscetíveis a aprender quem são seus companheiros, como se comportar e quais são as associações entre eventos. Os lobos possuem um intervalo temporal menor para determinar quem é familiar e quem é inimigo.

Há diferenças na organização social: os cães não formam grupos verdadeiros; ao contrário, eles catam comida ou caçam pequenas

---

* Há também uma grande diferença entre as raças. Os poodles, por exemplo, não mostram comportamentos de evitação e só começam a brincar-brigar semanas após os huskies, quando semanas representam uma grande parcela do tempo de vida de um filhote. Na verdade, em certos aspectos, os huskies se desenvolvem mais rapidamente do que os lobos. Ninguém estudou como esse fato afeta seu entendimento com os humanos.

presas sozinhos ou em paralelo.* Embora não cacem cooperativamente, são cooperativos: os cães perdigueiros e os de assistência, por exemplo, aprendem a agir em sincronia com seus donos. Para os cães, a socialização entre os humanos é natural; ao contrário dos lobos, que aprendem a evitar os humanos por sua própria natureza. O cachorro é um membro de um grupo social humano; seu ambiente natural é entre pessoas e outros cães. Eles mostram o que é chamado nas crianças de "ligação": preferência pela primeira pessoa que toma conta deles. Eles sentem angústia quando separados dessa pessoa e celebram de forma especial seu retorno. Embora os lobos cumprimentem outros membros da alcateia ao se encontrarem após uma separação, eles não parecem mostrar ligação com figuras específicas. Para um animal que transita entre humanos, tais ligações fazem sentido; para um animal que vive em um grupo, isso é menos relevante.

Do ponto de vista físico, os cães e os lobos diferem. Embora ambos sejam quadrúpedes onívoros, a gama de tamanhos e tipos físicos dos cachorros é extraordinária. Nenhum outro canídeo, ou animal de outra espécie, mostra a mesma diversidade de tipos físicos: do papillon de um quilo e meio ao newfoundland de noventa quilos; de cães magros com focinhos compridos e rabos magros a cães gorduchos com focinhos encurtados e tocos de rabo. Membros, orelhas, olhos, focinho, rabo, pelagem, ancas e barriga são dimen-

---

* Visto que o processo de domesticação provavelmente começou com os primeiros catadores de comida canídeos que viviam ao redor de grupos de humanos — comendo as sobras de nossas mesas —, é uma postura particularmente tola alimentar os cães apenas com carne crua com base na teoria de que, no fundo, eles são lobos. Os cães são onívoros que há milênios comem o que nós comemos. Com muito poucas exceções, o que é bom para o meu prato é bom para a tigela do cão.

sões que permitem reconfigurar os cães sem que isso os impeça de continuarem a ser cães. Os tamanhos dos lobos, em contrapartida, são, como a maioria dos animais selvagens, bastante uniformes em um determinado ambiente. Mas até mesmo o cão "médio" — algo que lembra um vira-lata prototípico — é distinguível de um lobo. A pele do cão é mais grossa do que a dos lobos; embora ambos possuam o mesmo número e tipo de dentes, os do cão são menores. E a cabeça do cão é menor do que a do lobo: aproximadamente vinte por cento menor. Em outras palavras, entre um cão e um lobo com o mesmo tamanho de corpo, o cão possui um crânio muito menor — e, portanto, um cérebro menor.

Esse último fato continuou a ser difundido, talvez em função do apelo progressivo da afirmação (hoje refutada) de que o tamanho do cérebro determina a inteligência. Embora errônea, a transição gradativa de falar sobre o *tamanho* do cérebro para referir-se à sua *qualidade* venceu todas as provas em contrário. Estudos comparativos com lobos e cães ligados a tarefas de resolução de problemas inicialmente pareceram confirmar a inferioridade cognitiva dos cães. Lobos criados em cativeiro que conseguiram aprender uma tarefa testada — puxar três de uma série de cordas em uma ordem específica — saíram-se muito melhor do que os cães testados. No início, os lobos aprenderam mais rapidamente a puxar qualquer corda e depois prosseguiram, sendo mais bem-sucedidos na aprendizagem da ordem em que as cordas deveriam ser puxadas. (Eles também destroçaram mais cordas com os dentes, embora os pesquisadores não tenham se pronunciado acerca desse fato indicar algo sobre sua cognição.) Os lobos também são ótimos em escapar de gaiolas fechadas; os cães, não. A maior parte dos pesquisadores concorda que os lobos prestam mais atenção do que os cães a objetos físicos e os manipulam com mais competência.

A partir de resultados como esses, surge a noção de que existe uma diferença cognitiva entre lobos e cães: em geral, os lobos resolvem problemas com astúcia, enquanto os cães são bobos. Na vida real, as teorias históricas oscilaram entre afirmar que os cães são mais inteligentes, ou que os lobos são os mais espertos. Em grande parte, a ciência depende da cultura na qual ela é praticada e suas teorias refletem as ideias então dominantes sobre a mente animal. Os dados acumulados sobre o comportamento de cães e lobos, no entanto, levam a uma posição mais diversificada. Os lobos parecem ser melhores na resolução de determinados tipos de quebra-cabeças *físicos*. Alguns desses dons são explicáveis ao observarmos seu comportamento natural. Por que os lobos aprenderam rapidamente a tarefa de puxar cordas? Bem, em seu ambiente natural eles agarram e puxam objetos (tais como presas). Algumas diferenças podem estar ligadas às demandas mais restritas feitas aos cães pela vida. Tendo sido enlaçados pelo mundo dos humanos, eles não precisam mais de algumas habilidades que seriam necessárias para sobreviverem sozinhos. Como veremos, as habilidades físicas ausentes nos cães são compensadas por suas habilidades no relacionamento com as pessoas.

E ENTÃO NOSSOS OLHOS SE ENCONTRARAM...

Há uma última e aparentemente pequena diferença entre as duas espécies. Essa pequena variação comportamental tem consequências extraordinárias. É a seguinte: os cães olham nos nossos olhos.

Os cães fazem contato visual e olham para nós para obter informações — a localização da comida, nossas emoções, o que está acontecendo. Os lobos evitam esse contato. Em ambas as espécies, o contato visual pode ser uma ameaça: encarar significa declarar autoridade. Exatamente como ocorre entre os humanos. Em uma de minhas aulas de psicologia na universidade, peço aos alunos que façam uma experiência de campo simples: fazer e manter contato visual com todas as pessoas com quem encontram no campus. Tanto eles quanto os receptores do olhar se comportam de forma extraordinariamente consistente: todos ficam loucos para desviar o olhar. É estressante para os alunos. De repente inúmeros deles afirmam ser tímidos: relatam que seus batimentos cardíacos aceleram e começam a suar simplesmente ao sustentar o olhar de alguém por alguns segundos. Eles tramam histórias elaboradas na hora para explicar por que desviaram o olhar, ou o mantiveram por meio segundo adicional. Grande parte do tempo, os olhares recebidos desviam o olhar daqueles que encaram. Em uma experiência semelhante, eles fizeram outro tipo de teste, verificando a tendência de nossa espécie para seguir o olhar de outros até o ponto focal. Um aluno se aproxima de qualquer objeto publicamente visível e compartilhado — um edifício, uma árvore, uma marca na calçada — e olha fixamente para um determinado ponto. Seu companheiro, outro aluno, se aproxima e clandestinamente registra as reações dos transeuntes. Se não for uma hora de muito movimento e não estiver chovendo, pelo menos algumas pessoas param para seguir o olhar e fitar curiosamente aquele ponto tão fascinante na calçada: certamente, deve haver *algo*.

Se esse comportamento não surpreende, é porque ele é muito humano: nós vemos. Os cães também veem. Embora tenham herdado alguma aversão a fitar longamente outros olhos, os cães parecem estar predispostos a examinar nossos rostos para obterem informações, se assegurarem de algo, se orientarem. Esse comportamento não é apenas prazeroso para nós — existe certa satisfação em fitar profundamente os olhos de um cachorro que nos encara —, mas perfeito para os cães se relacionarem bem com humanos. Como veremos mais adiante, ele também serve como um fundamento para as capacidades de cognição social do animal. Não apenas evitamos o contato visual com estranhos; confiamos no contato visual de pessoas íntimas. Há informação em um olhar furtivo; olhar nos olhos de outra pessoa é profundo. O contato visual entre as pessoas é essencial para a comunicação normal.

Portanto, a capacidade do cão para encontrar e olhar dentro de nossos olhos pode ter sido um dos primeiros passos para sua domesticação: escolhemos aqueles que olham para nós. Não é estranho que fizemos com os cães? Começamos a projetá-los.

CÃES COM ESTILO

A placa em sua gaiola dizia: "Mistura de labrador". Todo cão naquele abrigo era uma mistura de labrador. Mas Pump certamente nasceu de um spaniel: o pelo preto e sedoso caía de seu corpo delgado; as orelhas aveludadas emolduravam o rosto. Dormindo, ela era um filhote de urso perfeito. Rapidamente, os pelos do rabo cresceram mais e ficaram leves como plumas: então, ela é uma golden retriever. Aí, os caracóis macios da barriga ficaram mais densos, as bochechas se encheram um pouco: Ok, ela é um cão d'água. À medida que ficava mais velha, a barriga crescia até atingir uma forma sólida e em formato de barril — afinal, ela é um labrador; o rabo virou uma bandeira que precisava ser aparada — uma mistura de labrador com golden retriever; ela conseguia ficar quieta em um momento e agitada no seguinte — uma poodle. Ela é encaracolada e tem barriga arredondada: claramente o produto de um sheepdog que se enfiou nas moitas com uma carneira bonita. Ela tem estilo próprio.

Os cães originais eram mestiços, no sentido de que não eram oriundos de uma linhagem controlada. Porém, muitos de nossos cães, vira-latas ou não, são fruto de centenas de anos de uma criação rigidamente controlada. O resultado desse processo de seleção é o surgimento do que são quase subespécies, variando em termos de formato, tamanho, tempo de vida, temperamento* e habilidades. O sociável norwich terrier, com vinte e cinco centímetros de altura e cinco quilos, pesa tanto quanto a cabeça do calmo, doce e enorme newfoundland. Peça a alguns cães para buscar uma bola e você receberá um olhar intrigado; mas não é preciso pedir duas vezes a um border collie.

As diferenças familiares entre as raças modernas nem sempre são o resultado de seleção intencional. Alguns comportamentos e características físicas são selecionados — pegar uma presa, o porte reduzido, um rabo bem enrolado — enquanto outros simplesmen-

---

* *Temperamento* é usado aqui no sentido aproximado de *personalidade*, sem o colorido do antropomorfismo. É perfeitamente aceitável falar sobre a personalidade de um cão se com isso queremos dizer "o padrão usual de comportamento e os seus traços individuais". Comportamento e traços não são exclusivos dos humanos. Alguns pesquisadores usam a palavra *temperamento* para se referir às características, conforme elas aparecem nos animais jovens — a tendência genética do cachorro —, enquanto reservam o termo *personalidade* para se referir a traços e comportamentos adultos, ou seja, o resultado desse temperamento específico combinado com o que quer que tenham enfrentado em seu ambiente.

te lá estão. A realidade biológica da criação é que os genes próprios para traços e comportamentos surgem em grupos. Acasale algumas gerações de cães com orelhas particularmente longas e você pode descobrir que todos eles compartilham outras características: um pescoço forte, olhar cabisbaixo, mandíbulas largas. Os cães de percurso, criados para galoparem rapidamente ou durante muito tempo, têm pernas longas — o tamanho das pernas deles é igual (caso do husky) ou supera (caso do galgo) a profundidade dos peitos. Em contrapartida, os cães que rastejam pelo chão (como dachshund) acabaram com pernas muito mais curtas do que a profundidade do peito. Da mesma forma, selecionar um comportamento específico inadvertidamente implica selecionar comportamentos relacionados. Crie cães muito sensíveis a movimentos — que provavelmente têm uma abundância de fotorreceptores do tipo vara em suas retinas — e você poderá também obter um cão cuja sensibilidade aguda a movimentos o leva a ter um temperamento nervoso. A aparência também pode mudar: eles podem ter olhos grandes e globulares para enxergar no escuro. Às vezes, o que se tornou desejável em uma raça é um traço que apareceu pela primeira vez inadvertidamente.

Existem indícios da existência de raças distintas que remontam há cinco mil anos. Em desenhos do Egito antigo, pelo menos dois tipos de cachorros aparecem: os cães parecidos com os mastins, com cabeça e corpo grandes, e os magros com rabos enrolados.* Os mas-

---

* Não há indícios, no entanto, de que qualquer raça existente atualmente possa ser descendente das raças originais. Cães Faraó e Ibizano são citados como raças mais "velhas", e essas definições parecem se apoiar na sua semelhança física com os cães das pinturas egípcias. No entanto, seus genomas revelam que eles surgiram muito mais recentemente.

tins podem ter sido cães de guarda; os delgados parecem ter sido companheiros de caça. E assim começou a criação de cães para fins específicos — e continuou desse jeito por muito tempo. No século XVI, houve acréscimo de outros cães de caça, perdigueiros, terriers e de pastoreio. No século XIX, os clubes e as competições brotaram, e a nomeação e o monitoramento das raças explodiram.

É provável que a maioria das várias raças modernas tenha surgido com essa proliferação da criação nos últimos quatrocentos anos. O American Kennel Club lista hoje quase cento e cinquenta variedades, agrupadas de acordo com a função cinotécnica* da raça. Os companheiros de caça são distribuídos em categorias como "esportivos", "cães de caça", "trabalhadores" e "terrier"; além disso, há as raças trabalhadoras, "pastores e boiadeiros", as simplesmente "não esportivas" e as, um tanto autoexplicativas, "toys". Mesmo entre os cães criados para acompanhar a caçada, há subdivisões: pelo próprio tipo de assistência que fornecem (os cães de aponte apontam a presa; os retrievers a resgatam; os afegães as fazem correr até cansar); pela presa específica que perseguem (os terriers caçam ratos e os harriers caçam lebres); e pelo ambiente preferido (os beagles caçam na terra; os spaniels sabem nadar). No mundo inteiro, ainda existem centenas de raças adicionais, que variam não apenas de acordo com o uso, mas fisicamente: o tamanho e o formato do corpo e

---

* Na maior parte, a ocupação citada é teórica porque uma minoria dos cães criados para trabalhar realmente executa o trabalho que sua raça designa (predominantemente caçam ou cuidam de animais que pastam). As raças remanescentes são companheiros que sentam em nossos colos ou são adestrados, aparados e secados com secador para serem exibidos nos shows como "cães estilosos" — esquisito, visto que comer as migalhas de nosso sanduíche após um banho caprichado é bastante diferente de resgatar aves abatidas de um pântano.

da cabeça, o tipo de rabo, de pelo e cor. Procure uma raça pura de cachorro e você vai se deparar com uma lista de especificações parecidas com as de um carro, detalhando o seu futuro filhote desde as orelhas até o temperamento. Quer um cão com mandíbulas largas, pernas compridas e pelo curto? Pense no dinamarquês. Prefere um com focinho curto, pele enrugada e rabo enrolado? Aqui está um lindo pug para você. Escolher entre raças é como escolher entre pacotes de opções antropomorfizadas. Você não apenas escolhe um cão, você escolhe um que é tipicamente "digno, nobre, altivo, com um olhar corajoso, tranquilo e esnobe" (shar-pei); "alegre e afetivo" (cocker spaniel inglês); "reservado e seletivo com estranhos" (chow-chow); com uma "personalidade brincalhona" (setter irlandês); cheio de si (pequinês); com "ímpeto insensato e afobado" (terrier irlandês); "equilibrado" (bouvier des flandres); ou, ainda mais surpreendente, "um cão bem canino" (briard).

Talvez os cinófilos se surpreendam ao ouvir que o agrupamento de raças com base na semelhança genética não resulta nos mesmos agrupamentos estabelecidos pelo American Kennel Club. Os caim terriers estão mais próximos dos cães de caça; os pastores e os mastins compartilham muitos genomas. O genoma também conflita com muitas das pressuposições sobre as semelhanças entre cães e lobos: os huskies de rabos de foice e pelo comprido estão mais próximos dos lobos do que o esquivo pastor alemão de corpo longo.

Os basenjis, que não têm praticamente qualquer semelhança com os lobos, estão ainda mais perto. Essa é, portanto, outra indicação de que, durante a maior parte de sua domesticação, a aparência do cão foi um efeito colateral acidental de sua criação.

As raças caninas são populações genéticas relativamente fechadas, isto é, cada grupo de gene da raça não aceita novos genomas vindos de fora. Para ser membro de uma raça, um cão precisa ter pais que também sejam membros dessa raça. Logo, quaisquer mudanças físicas nos descendentes podem advir somente de mutações genéticas aleatórias, não da mistura de grupos de genes diferentes que, comumente, ocorre quando os animais (incluindo os humanos) cruzam. Entretanto, as mutações, variações e mesclas são, em geral, boas para a população e ajudam a evitar doenças hereditárias; essa é a razão pela qual os cães de raça pura, embora descendentes do que é considerada uma "boa linhagem" — a ancestralidade pode ser rastreada através da linhagem de criação — são mais suscetíveis aos defeitos físicos do que os de raça mista.

Uma vantagem dos grupos de genes fechados é o fato de o genoma de uma raça poder ser mapeado — o que, na verdade, aconteceu recentemente: o genoma do boxer foi o primeiro, com cerca de 20 mil genes. Como resultado, os cientistas começam a descobrir onde, no genoma, ficam as variações genéticas que resultam em desordens e traços característicos, tais como a narcolepsia, a suscetibilidade à inconsciência repentina encontrada em algumas raças (sobretudo os dobermans).

Outra vantagem de selecionar um exemplar de um grupo de genes fechados de uma raça examinada por pesquisadores é que sentimos que estamos escolhendo um animal relativamente previsível. Pode-se escolher um cão "amigável" ou um considerado um cão de guarda competente. Porém, não é tão simples assim: como nós, os cães são mais do que seus genomas. Nenhum animal se desenvolve em um vácuo: os genes interagem com o ambiente para produzir o cachorro que conhecemos. A formulação exata é difícil de especificar: o genoma molda o desenvolvimento neural e físico, que, por sua vez, determina parcialmente o que será notado no ambiente — e, seja lá o que for, molda ainda mais o desenvolvimento neural e físico contínuo. Isso quer dizer que até mesmo com genes herdados, os cães não são cópias fiéis de seus pais. Além disso, há também uma grande variabilidade natural no genoma. Até mesmo um cachorro clonado, caso você fique tentado a reproduzir seu amado bicho de estimação, não será idêntico ao original: o que um cão experimenta e com quem se relaciona exercem inumeráveis e não rastreáveis influências sobre quem ele se torna.

Assim, embora tenhamos tentado projetar cães, os que vemos hoje são criaturas parcialmente resultantes do acaso. *De que raça ela é?* É a pergunta que mais me fizeram a respeito de Pump — a mesma que também faço a respeito dos cães. Sua ascendência vira-lata encoraja o grande jogo de adivinhação de sua raça: os palpites resultantes são satisfatórios, muito embora nenhum deles possa jamais ser confirmado.*

---

* Os testes de análise genética se tornaram disponíveis desde o mapeamento do genoma: mediante pagamento e com base em uma amostra de sangue ou de um esfregaço de células do interior da boca, as empresas teoricamente revelam o código genético do cachorro, em termos das raças ascendentes. No momento, a precisão desses testes é indeterminada.

A ÚNICA DIFERENÇA ENTRE AS RAÇAS

Embora exista uma literatura extensa sobre raças caninas, nunca se comparou cientificamente as diferenças de comportamento entre elas: tal comparação teria que controlar o ambiente de cada animal, dando-lhes os mesmos objetos físicos, expondo-os aos mesmos cães e humanos — o mesmo tudo, enfim. É difícil acreditar na viabilidade dessa comparação se considerarmos as afirmações ousadas feitas sobre cada raça. Isso não significa dizer que as diferenças são mínimas ou inexistentes. Sem dúvida, os cães de cada raça se comportam de forma diferente quando, digamos, se deparam com coelhos correndo por perto. No entanto, seria um erro garantir que um cão, de raça ou não, agirá inevitavelmente de uma determinada maneira ao ver aquele coelho. Trata-se do mesmo erro cometido quando chamamos algumas raças de "agressivas" e legislamos contra elas.*

Até mesmo sem saber as diferenças específicas entre as reações do labrador retriever e do pastor australiano ao coelho, há algo que pode dar conta da variabilidade de comportamento entre as raças. Elas possuem diferentes *patamares* de observação e reação a estímulos. O mesmo coelho, por exemplo, causa níveis distintos de excita-

---

* O que se considera *agressivo* é geracional e culturalmente relativo. Os pastores alemães estavam no topo da lista após a Segunda Guerra Mundial; na década de 1990, os rottweillers e os dobermans foram desprezados; o American Staffordshire terrier (também conhecido como pit bull) é a atual *bête noire*. Sua classificação tem mais a ver com eventos recentes e com a percepção pública do que com sua natureza intrínseca. Pesquisas realizadas recentemente descobriram que, de todas as raças, os dachshunds eram os mais agressivos, tanto com os donos quanto com estranhos. Talvez isso não seja devidamente relatado porque um dachshund raivoso pode ser recolhido e escondido em uma bolsa grande.

ção em dois cães diferentes; da mesma forma, a mesma quantidade de hormônio que produz essa excitação causa diferentes tipos de resposta, desde levantar a cabeça com interesse moderado até a caça desenfreada.

Há uma explicação genética para isso. Embora chamemos um cão de retriever ou de pastor, não é o comportamento de *resgate* — *trazer a caça abatida* — ou de pastoreio que foi selecionado. Ao contrário, foi a probabilidade de que o cão respondesse apenas na medida certa a determinados eventos e cenas. No entanto, não existe um gene que possamos responsabilizar por isso. Nenhum gene leva diretamente ao comportamento *resgate* — ou a qualquer comportamento específico que seja. Porém, um conjunto de genes pode afetar a probabilidade de um animal agir de uma determinada maneira. Também em nós humanos, uma diferença genética entre indivíduos pode aparecer na forma de tendências diferentes para determinados comportamentos. É possível ser mais ou menos suscetível ao vício de drogas estimulantes, baseado parcialmente na quantidade de estímulos que um cérebro necessita para produzir um sentimento prazeroso. O comportamento aditivo é, portanto, passível de ser vinculado a genes que projetam o cérebro — mas não existe um gene para o *vício*. Aqui também o ambiente é claramente importante. Alguns genes regulam as expressões de outros genes, que podem depender de características ambientais. Se alguém for criado em uma caixa, sem acesso a drogas, nunca desenvolverá problemas com elas, independentemente da sua tendência ao vício.

Da mesma forma, uma raça de cachorro pode se distinguir de outras por sua inclinação para reagir a determinados eventos. Embora todos os cães consigam ver pássaros voando à sua frente, alguns são particularmente sensíveis a pequenos movimentos rápidos, como algo se mexendo nas alturas. Seu grau de resposta a esse movimento é muito mais baixo do que o dos cães que não são criados para serem companheiros de caça. Em comparação com os cachorros, nosso grau de resposta é ainda mais alto. Certamente nós humanos conseguimos ver pássaros decolando; porém, mesmo quando eles estão bem à nossa frente, podemos deixar de percebê-los. Nos cães de caça, o movimento não é apenas observado, ele está diretamente ligado à outra tendência: a de perseguir a caça que se movimenta daquele jeito. E, claro, para que essa tendência leve à perseguição, é preciso ter pássaros ou coisas que se movam dessa maneira por perto.

De forma semelhante, um cão pastor que passa a vida reunindo rebanhos de ovelhas deve possuir um determinado conjunto de tendências específicas: saber observar e acompanhar os indivíduos de um grupo, detectar o movimento errante de uma ovelha que se afasta e possuir um instinto para manter o rebanho unido. O resultado final é um cão de pastoreio, mas seu comportamento é construído por tendências fragmentadas que os pastores manipulam para controlar suas ovelhas. É necessário também que esse cão seja exposto a ovelhas muito cedo em sua vida, ou essas tendências acabarão sendo aplicadas não às ovelhas, mas, de uma forma desorganizada, a crianças, pessoas correndo no parque ou esquilos no jardim.

Uma raça de cachorro tachada de *agressiva* pode ter um nível baixo de percepção e reação a movimentos ameaçadores. Se for baixo demais, até mesmo movimentos neutros — aproximar-se do cão — poderão ser percebidos como uma ameaça. Porém, se o cão não for encorajado a seguir essa tendência, é provável que ele nunca manifeste a agressão pela qual sua raça é notoriamente conhecida.

Conhecer a raça de um cachorro nos fornece uma chave de ouro para entendermos algo sobre ele até mesmo antes de o termos encontrado. No entanto, é um erro achar que esse conhecimento é capaz de garantir que o cão se comportará conforme anunciado — só garante que ele tenha algumas tendências. O que você vê em um cão de raça mista é um abrandamento dos traços mais radicais das raças. Os temperamentos são mais complexos: versões médias de seus ascendentes. De qualquer forma, nomear uma raça de cachorro é apenas o começo de um entendimento verdadeiro do *umwelt* do cão, não um ponto final: o nome não explica o que a vida do cão significa *para o cão*.

ANIMAIS COM UM ASTERISCO

Está nevando e o sol está nascendo, o que significa que temos cerca de três minutos para eu me vestir e irmos para o parque brincar antes da neve ser atacada por outros festeiros. Ao ar livre, bem agasalhadas, avanço com dificuldade e desajeitadamente pela neve alta, enquanto Pump atravessa com grandes saltos, deixando pegadas parecidas com as de um coelho gigante. Sento para fazer um anjo de neve, e Pump se atira ao meu lado. Parece estar fazendo um cão-anjo de neve ao esfregar as costas para a frente e para trás na neve. Olho para ela feliz por nossa brincadeira compartilhada. Então, sinto um cheiro horrível vindo da direção dela. Imediatamente percebo que Pump não está fazendo um cão-anjo de neve; ela está se esfregando na carcaça apodrecida de um animal pequeno.

Há uma tensão entre os que consideram que, no fundo, os cães são animais selvagens e aqueles que acham que são criaturas criadas por nós. O primeiro grupo tende a se voltar para o comportamento dos lobos para explicar o dos cães. Certos adestradores caninos que se tornaram populares nos últimos tempos são admirados por abraçarem completamente a porção lobo dos cães. Com frequência, são ridicularizados pelo segundo grupo, que trata seus cachorros como pessoas quadrúpedes que babam. Nenhum dos dois está certo. A resposta encontra-se exatamente no meio dessas duas abordagens. Os cães são animais, claro, com tendências atávicas, mas parar nesse ponto significa ter uma visão tacanha da história natural do cão. Eles foram remodelados. Agora, são animais com um asterisco.

A inclinação para ver os cães como animais em vez de criações de nossas mentes está essencialmente correta. Para evitar antropomorfizações, alguns se voltam para o que pode ser chamado de biologia desidentificatória: uma biologia isenta de subjetividade ou de considerações confusas, tais como consciência, preferências, sentimentos ou experiências pessoais. Um cão é um animal, dizem, e os animais são sistemas biológicos cujo comportamento e fisiologia podem ser explicados por uma terminologia mais simples e versátil. Recentemente, vi uma mulher saindo de uma petshop com seu terrier calçado com quatro minúsculos sapatos: "para não levar sujeira da rua para casa", explicou ela, enquanto o puxava e ele escorregava com as pernas rígidas pela rua imunda. Essa mulher poderia se beneficiar se refletisse mais sobre a natureza animal de seu cachorro e menos sobre a semelhança dele com um bicho de pelúcia. Na verdade, como veremos, conhecer algumas das complexidades dos cães — a acuidade do faro, a capacidade visual, a perda do medo e o simples efeito de um abanar do rabo — ajuda bastante a entendê-los.

Por outro lado, de várias maneiras, chamar um cachorro de *apenas um animal* e explicar todos os comportamentos caninos tendo como base o comportamento dos lobos é uma atitude parcial e equivocada. A chave para um convívio bem-sucedido com os cães em nossos lares é o próprio fato de que eles não são lobos.

Por exemplo, já é hora de reformularmos as falsas noções de que nossos cachorros nos veem como suas "alcateias". A linguagem da "alcateia" — com as referências ao cão "alfa", ao domínio e à submissão — é uma das metáforas mais difundidas tanto para a família dos humanos quanto para a dos caninos. Ela possui a mesma origem dos cães: estes surgiram de ancestrais do tipo lobo, e os lobos formam alcateias. Logo, afirma-se, os cães formam alcateias. A aparente naturalidade dessa transição é camuflada por alguns dos atributos que *não* transferimos dos lobos para os cães: os lobos são caçadores, mas não deixamos nossos cães caçar para se alimentar.* E, embora possamos nos sentir seguros com um cão na soleira do quarto de um bebê, nunca deixaríamos um lobo sozinho com nosso recém-nascido adormecido, quatro quilos de carne vulnerável.

No entanto, para muitos, a analogia com uma organização domínio-alcateia é extremamente atraente —, sobretudo, quando somos a parte dominante e o cão a submissa. Uma vez aplicada, a concepção popular de uma alcateia perpassa todos os tipos de interação com nossos cães: comemos primeiro, o cão depois; mandamos, ele obedece; passeamos o cão, ele não nos passeia. Na dúvida de como lidar com um animal em nosso meio, a noção de "alcateia" nos fornece uma estrutura.

---

* Não apenas os cães não costumam caçar para se alimentar — sejam ou não encorajados a fazê-lo —, como sua técnica de caça, conforme já observado, é "medíocre". Um lobo caminha calmo e firme em direção a sua presa, sem quaisquer movimentos frívolos; as caminhadas de caça dos cães não adestrados são intermitentes — eles vagam para a frente e para trás, aumentando e diminuindo de velocidade. Pior ainda; eles podem se distrair com sons ou ter uma repentina compulsão para perseguir uma folha que cai. As trilhas dos lobos revelam suas intenções. Os cães perderam essa intenção; nós nos colocamos nesse lugar.

Infelizmente, essa noção não apenas limita o tipo de entendimento e interação que podemos ter com nossos cães, como também se baseia em uma premissa falsa. Evocada dessa forma a "alcateia" tem pouca semelhança com uma alcateia de lobos real. O modelo tradicional é de uma hierarquia linear, com um casal alfa dominante e vários lobos "beta" e mesmo "gama" ou "ômega" abaixo dele. Só que os biólogos contemporâneos especialistas em lobos consideram esse modelo simplista demais. Ele foi formado a partir de observações de lobos *cativos*. Com espaço e recursos limitados, dispostos em pequenos cercados, os lobos sem relação de parentesco se auto-organizam, e o resultado é uma hierarquia de poder. O mesmo deve acontecer com qualquer espécie social confinada em um espaço pequeno.

Na vida selvagem, as alcateias consistem quase inteiramente de animais aparentados ou acasalados. Elas são *famílias*, não grupos de colegas competindo pela liderança. Uma alcateia típica inclui um casal reprodutor e uma ou muitas gerações de descendentes. O grupo organiza o comportamento social e de caça. Apenas um casal acasala, enquanto outros membros adultos ou adolescentes participam da criação dos filhotes. Indivíduos diferentes caçam e compartilham comida; às vezes, vários membros caçam juntos uma presa de porte maior, que talvez seja grande demais para ser atacada isoladamente. Animais sem relação de parentesco ocasionalmente se juntam para formar alcateias com parceiros múltiplos procriadores, mas isso é uma exceção, provavelmente uma acomodação a pressões ambientais. Alguns lobos nunca se juntam a uma alcateia.

O único casal procriador — pais de todos ou da maioria dos membros da alcateia — guia os rumos e o comportamento do grupo, mas chamá-los de "alfas" implica uma rivalidade pela liderança que não é muito correta. Tal como um pai humano, eles não são os dominantes alfa. Da mesma forma, o status subordinado de um lobo jovem tem mais a ver com sua idade do que com uma hierarquia rigorosamente imposta. Os comportamentos vistos como "dominantes" ou "submissos" não são usados na disputa pelo poder, mas para manter a unidade social. Em vez de constituir uma hierarquia social, a classificação é uma marca etária, exibida regularmente nas posturas expressivas dos animais ao cumprimentar e interagir. Ao se aproximar de um lobo mais velho com o rabo baixo, abanando, e o corpo próximo ao chão, o lobo jovem está reconhecendo a prioridade biológica do mais velho. Os filhotes estão naturalmente em um nível subordinado; nas alcateias de famílias mistas, eles podem herdar algum status de seus pais. Embora a classificação possa ser reforçada por encontros tensos, e às vezes perigosos, entre os membros de uma alcateia, isso é mais raro do que a agressão a um intruso. Os filhotes aprendem melhor sobre seu lugar na interação com outros colegas, observando-os e não se colocando no lugar deles.

A realidade do comportamento em alcateia contrasta dramaticamente com o comportamento dos cães em outras maneiras. Em geral, os cães domésticos não caçam. A maioria não nasce na unidade familiar na qual viverá; com humanos sendo os membros predominantes. As tentativas de acasalamento dos cães de estimação não têm (felizmente) relação alguma com as fases de acasalamento dos humanos que os adotam — teoricamente as do casal alfa. Até mesmo os cães selvagens — aqueles que nunca viveram em uma família humana —, não costumam formar alcateias sociais tradicionais, embora possam trilhar caminhos paralelos.

Nós também não somos a alcateia dos cachorros. Nossa vida é muito mais estável do que a de uma alcateia de lobos: o tamanho e os membros desses grupos de animais estão sempre em fluxo, mudando com as estações, o número de descendentes, com os lobos adultos jovens crescendo e partindo em seus primeiros anos, devido à disponibilidade de presas. Em geral, os cães adotados por nós vivem o resto de suas vidas conosco; ninguém é expulso de casa na primavera ou se junta a nós apenas para a grande caçada de alces no inverno. O que os cães domésticos parecem ter herdado dos lobos é a sociabilidade de uma alcateia: um interesse em estar perto de outros. De fato, os cachorros são oportunistas sociais. Vivem sintonizados nas ações dos outros, e os humanos acabam se revelando excelentes animais com os quais vale a pena se sintonizar.

Evocar o modelo ultrapassado e simplista das alcateias encobre as diferenças reais entre os comportamentos desses dois animais e ignora algumas das características mais interessantes do lobo nas alcateias. Faríamos melhor se explicássemos a obediência dos cães, aos nossos comandos — submetendo-se a nós e deliciando-se conosco — porque somos sua fonte de comida e não porque nos consideram alfas. Claro que podemos fazer os cães se submeterem por completo, mas isso não é biologicamente necessário nem particularmente enriquecedor para nenhuma das partes. A analogia com a alcateia não faz outra coisa a não ser substituir nossos antropomorfismos por um tipo de "bestamorfismo", cuja filosofia maluca parece postular algo como "os cães não são humanos, logo devemos vê-los como precisamente não humanos em todos os aspectos".

Nós e nossos cães estamos mais perto de formar uma quadrilha benigna do que uma alcateia: uma quadrilha de dois (ou três ou quatro ou mais). Somos uma família. Compartilhamos hábitos, preferências, lares; dormimos e acordamos juntos; andamos pelos mesmos caminhos e paramos para cumprimentar os mesmos cães. Se somos uma quadrilha, somos uma alegremente concentrada em nós mesmos, que cultua apenas sua manutenção. Nossa quadrilha trabalha compartilhando premissas de comportamento fundamentais. Por exemplo, concordamos com relação às regras dentro de nossa casa. Concordo com minha família que, em hipótese alguma, urinar no tapete da sala é aceitável. Trata-se de um acordo tácito, felizmente. Um cão precisa aprender essa premissa para poder habitar a casa; nenhum deles conhece o valor dos tapetes. Na verdade, os tapetes até podem transmitir uma sensação agradável às patas na hora de aliviar a bexiga.

Os adestradores que abraçam a metáfora da alcateia extraem o elemento "hierarquia" e ignoram o contexto social do qual ele emerge. (Ignoram também que, devido à dificuldade de seguir esses animais de perto, ainda temos muito que aprender sobre o comportamento dos lobos na vida selvagem. Um adestrador lobocêntrico pode chamar os humanos de líderes de alcateia, responsáveis pela disciplina e por forçar a submissão dos outros. Esses treinadores ensinam punindo. Após descobrirem, por exemplo, o tapete inevitavelmente encharcado com urina, o cão será punido. A punição pode tomar a forma de um grito — de uma atitude — forçar o cão a se agachar, dizer uma palavra dura ou dar um puxão na coleira. Levar o cão até a cena do crime e encenar a punição é comum — e uma tática muito equivocada.

Essa abordagem está longe do que sabemos sobre a realidade das alcateias e próxima da desgastada ficção de um reino animal com os humanos no topo, exercendo domínio sobre o resto. Os lobos parecem aprender uns com os outros não pela punição de seus pares, mas observando. Os cães também são observadores apurados — de nossas reações. Em vez de *serem* punidos, eles aprenderão melhor se você deixar que eles próprios descubram quais comportamentos são recompensados e quais não são. Sua relação com seu cachorro é definida pelo que acontece nesses momentos indesejados — como quando você volta para casa e encontra uma poça de urina no chão. Punir o cão com técnicas de dominação por esse comportamento impróprio — tendo a ação sido realizada talvez horas antes — é uma forma de rapidamente basear essa relação na intimidação. Se seu adestrador punir o cão, o comportamento problemático pode diminuir temporariamente, mas o único relacionamento criado será entre o adestrador e seu cão. (A menos que o adestrador passe a morar com você, isso não vai durar muito.) O resultado será um cão ultrassensível e possivelmente medroso, mas não um que entende o que você deseja transmitir. Deixe-o usar a capacidade de observação dele. O comportamento indesejado não atrai atenção, nem comida: nada do que o cão deseja de você. O bom comportamento ganha tudo. Isso é essencial na maneira como uma criança aprende a ser uma pessoa. E é como as quadrilhas de cães-humanos formam uma família.

O CÃO POUCO FAMILIAR

Por outro lado, não devemos esquecer de que apenas dezenas de milhares de anos de evolução separam os lobos dos cães. Teríamos de voltar milhões de anos para encontrar o momento em que nos separamos dos chimpanzés; particularmente, não examinamos o comportamento desses primatas para aprendermos como educar nossos filhos.* Lobos e cães têm DNA iguais, exceto por um terço

---

* É interessante que o número de semelhanças comportamentais entre chimpanzés e humanos (deixando a cultura e as línguas de lado por um momento) aumenta continuamente à medida que o número de estudos científicos sobre esses primatas também aumenta.

de um por cento dele. Ocasionalmente, vemos algo de lobo em nossos cães: um esboço de um rosnado quando você se movimenta para arrancar uma bola adorada da boca dele; uma luta feroz na qual o outro animal parece mais uma presa do que um colega de brincadeira; um vislumbre de selvageria no olhar ao abocanhar um osso.

O caráter ordenado da maioria de nossas interações com cães esbarra vigorosamente no lado atávico deles. De vez em quando, é como se algum antigo gene renegado assumisse o controle do produto domesticado de seus pares. Um cão morde o dono, mata o gato da família, ataca um vizinho. Esse lado imprevisível e selvagem precisa ser reconhecido. A espécie foi criada por nós durante milênios, mas antes disso evoluiu por milhões de anos sem nossa intervenção. Eles eram predadores. Suas mandíbulas são fortes, seus dentes foram projetados para rasgar carne. Eles são feitos para agir antes de ponderar sobre a ação. Têm uma compulsão para proteger — eles próprios, suas famílias, seu território —, e nem sempre podemos prever quando estarão motivados a agir de forma protetora. E eles não prestam automaticamente atenção às premissas compartilhadas pelos humanos que vivem em uma sociedade civilizada.

Assim, quando seu cão sair de seu lado e correr maniacamente para fora da trilha atrás de algo invisível do lado de trás de uma moita, não entre em pânico. Com o passar do tempo, vocês se familiarizarão um com o outro: ele, com o que você espera dele; você, com o que ele faz. É *fora da trilha* apenas para você; para o cão, é uma continuação natural da caminhada. Ele aprenderá sobre trilhas com o tempo. Talvez você nunca enxergue o que estava atrás daquela moita, mas aprenderá, após dezenas de caminhadas, que existe algo invisível lá e que o cão voltará para você. Viver com um cachorro é um processo demorado de familiarização mútua. Até mesmo a mordida dele não é uma entidade uniforme. Há mordidas motivadas por medo, frustração, dor e ansiedade. Uma mordida agressiva é diferente de um mastigar exploratório; uma mordida de brincadeira é diferente de uma mordidinha carinhosa.

Apesar da selvageria passageira, os cães nunca voltam a ser lobos. Cães vadios — aqueles que viveram com humanos, mas vagaram ou foram abandonados — e cães livres — providos com comida, mas vivendo longe dos humanos — não se tornam mais parecidos com os lobos. Os vadios parecem viver uma vida familiar do ponto de vista dos habitantes da cidade: paralelamente e em cooperação com outros, mas frequentemente solitários. Eles não se auto-organizam socialmente em alcateias com um único casal procriador. Eles não constroem esconderijos para os filhotes ou lhes fornecem comida, como fazem os lobos. Os cães livres podem formar uma ordem social da mesma forma que outros canídeos selvagens, mas essa organização se fará mais pela idade do que pelas lutas e conflitos. Nenhum caça cooperativamente: eles catam comida ou caçam pequenas presas sozinhos. A domesticação os modificou.

Mesmo quando os lobos são socializados — criados desde o nascimento entre humanos, e não entre outros lobos —, eles não se transformam em cães. Ficam em um patamar intermediário em termos de comportamento. Os lobos socializados estão mais interessados e atentos aos humanos do que os selvagens. Eles entendem os gestos comunicativos dos humanos melhor do que os lobos selvagens. Entretanto, não são cães em pele de lobo. Os cães que crescem com uma pessoa que toma conta deles preferem sua companhia à de outros humanos; os lobos são menos seletivos. Na interpretação de pistas humanas os cães se saem bem melhor do que os lobos criados por humanos. Ao ver um lobo na coleira, sentando e deitando quando solicitado, pode-se ficar convencido de que existem poucas diferenças entre o lobo socializado e o cão. Observar esse lobo na presença de um coelho é ver quanta diferença ainda existe entre eles: o humano é esquecido enquanto o coelho é impiedosamente perseguido. Perto desse mesmo coelho um cão pode esperar pacientemente, fitando seu dono à espera da permissão para correr. A companhia do humano se tornou a carne motivacional do cão.

MOLDANDO SEU CÃO

Ao escolher um cachorro em uma ninhada ou em um abrigo barulhento e cheio de vira-latas que latem e levá-lo para casa, você começa a "moldar um cão" novamente, recapitulando a história da domesticação da espécie. A cada interação, a cada dia, você define — ao mesmo tempo circunscrevendo e expandindo — o mundo dele. Nas primeiras semanas com você, o mundo do filhote é, se não inteiramente uma *tábula rasa*, muito similar à "confusão extrema e barulhenta" experimentada por um recém-nascido. Nenhum cão sabe, ao olhar pela primeira vez nos olhos de alguém que o espreita em seu compartimento, o que essa pessoa espera dele. Muitas dessas expectativas humanas são bastante semelhantes: ser amigável, fiel, "acariciável"; considerar-me sedutor e adorável, mas reconhecer que estou no comando; não urinar dentro de casa; não pular em cima das visitas; não roer meus sapatos; não revirar o lixo. De alguma forma, essa mensagem não chegou aos cães. Cada um deles precisa aprender esse conjunto de parâmetros para viver com as pessoas. Ele aprende, através de você, o que é importante para você — e o que você quer que seja importante para ele. Somos todos domesticados também: inculcados com costumes culturais, com a forma de sermos humanos, com a maneira de nos comportarmos com os outros. Tudo isso é facilitado pela linguagem, mas a linguagem falada não é necessária para alcançar essa finalidade. Em vez disso, precisamos estar atentos para o que o cachorro está percebendo e tornar nossas percepções claras para ele.

Plínio, o Velho, o enciclopedista romano do século I, incluiu em sua prodigiosa *História Natural* uma afirmação confiante sobre o nascimento dos ursos. Os filhotes, escreveu ele, "são um bloco branco e disforme de carne, pouco maiores do que ratos, sem olhos ou pelos e somente com garras expostas. A mãe ursa vagarosamente dá forma a esse bloco lambendo-o". O urso nasce, sugeriu ele, sendo apenas pura matéria indiferenciada, e, como uma verdadeira empirista, a mãe ursa *torna* seu filhote um urso ao lambê-lo. Quando trouxe Pump para casa, senti que estava fazendo exatamente isso: lambendo-a para lhe dar um formato. (E não apenas porque havia muitas lambidas entre nós — afinal, era ela a única que lambia.) Era nossa maneira de interagir que a fazia ser quem era, que molda os cães com quem a maioria das pessoas quer viver: interessados em nossas idas e vindas, atentos a nós, não demasiadamente invasivos, brincalhões na hora certa. Ela interpretava o mundo ao agir sobre ele, vendo os outros agirem, sendo mostrada e atuando comigo no mundo — promovida a ser um bom membro da família. E quanto mais tempo passávamos juntas, mais ela se tornava quem era e mais ficávamos entrelaçadas.

Farejar

Primeira cheirada do dia: Pump perambula pela sala de manhã enquanto ponho sua comida. Ela parece sonolenta, mas o focinho está bem acordado, estendendo-se para todos os lados como se estivesse fazendo exercícios matinais. Ela o aponta para a comida sem comprometer o corpo e dá uma fungada. Um olhar para mim. Outra fungada. Um julgamento foi feito. Ela se afasta da tigela e me desculpa, enfiando o rosto na minha mão, seus bigodes fazendo cócegas enquanto o focinho úmido examina minha palma. Saímos e seu focinho faz exercícios, quase primitivos, inalando feliz os cheiros trazidos pela brisa...

Nós humanos tendemos a não refletir muito sobre os cheiros. Comparados com a vasta quantidade de informações visuais que captamos e pela qual ficamos obcecados a todo o momento, cheiros são pequenos sinais em nosso dia sensorial. A sala em que estou agora é uma mistura fantasmagórica de cores, superfícies e densidades, pequenos movimentos, sombras e luzes. Ah, e se eu realmente prestar atenção, consigo sentir o cheiro de café na mesa ao lado, e talvez o aroma fresco do livro aberto — mas somente se enfiar o focinho entre as páginas.

Não passamos o tempo inteiro cheirando; mas, quando percebemos um cheiro, em geral é porque se trata de um aroma bom ou ruim; raramente é apenas uma fonte de informação. Achamos a maioria dos odores sedutores ou repulsivos; poucos possuem a natureza neutra das percepções visuais. Nós os saboreamos ou evitamos. Meu mundo atual parece relativamente inodoro. Porém, ele decididamente não está livre de odores. Nosso débil sentido olfativo tem, sem dúvida, limitado nossa curiosidade a respeito dos cheiros do mundo. Um grupo cada vez maior de cientistas tem trabalhado para mudar essa situação, e o que eles descobriram sobre os animais olfativos, cães incluídos, é suficiente para nos fazer invejar as criaturas de focinho. Assim como nós *vemos* o mundo, o cachorro o *fareja*. O universo do cão é um estrato de odores complexos. O mundo dos aromas é, pelo menos, tão rico quanto o mundo da visão.

FAREJADORES

... Sua fungada escavadora, focinho enfiado no fundo de um pedaço de grama, vasculhando o chão sem parar para inalar; a fungada investigativa, avaliando uma mão estendida; o farejo do relógio despertador, suficientemente perto de meu rosto adormecido para me acordar com as cócegas feitas pelos bigodes; a fungada contemplativa, focinho apontado para cima no rastro de uma brisa. Todas seguidas por um meio espirro — apenas o tchim, sem o A — como se limpasse suas narinas de qualquer molécula inalada...

Os cachorros não agem sobre o mundo manipulando objetos ou examinando-os, como as pessoas fazem, ou apontando e pedindo para outros agirem sobre o objeto (como os tímidos podem fazer); em vez disso, eles se aproximam corajosamente de um objeto novo e desconhecido, esticam seus magníficos focinhos até ficarem a milímetros dele e farejam-no profundamente. Na maioria das raças, o focinho do cão é tudo, menos sutil. Ele se projeta para a frente com o objetivo de examinar uma pessoa nova segundos antes de o próprio cão entrar em cena. E o farejo não é apenas mero atributo do topo do focinho; é o abre-alas úmido. O que sua proeminência sugere, e o que toda ciência confirma, é que o cão é uma criatura do focinho.

A fungada é o grande veículo para levar objetos cheirosos ao cão, é o caminho pelo qual os odores das substâncias químicas aceleram até as células receptoras que os aguardam ao longo das cavernas do focinho canino. Fungar é a ação de inalar o ar, mas de uma maneira mais ativa; em geral, envolve explosões agudas e curtas que consiste em puxar o ar para dentro do nariz. Todo mundo funga — para limpar o nariz, sentir o aroma do jantar — como parte de uma inalação preparatória. Os humanos inclusive fungam emocionalmente, ou de forma significativa, para expressar desdém, desprezo, surpresa e como pontuação no final de uma frase. Na maioria das vezes, tanto quanto sabemos, os animais cheiram para investigar o mundo. Os elefantes levantam a tromba no ar em uma "fungada periscópica"; as tartarugas se esticam vagarosamente e abrem bastante as narinas, as marmotas fungam enquanto namoram. Etólogos que observam animais frequentemente anotam todas essas fungadas, pois elas podem preceder uma tentativa de acasalamento, uma interação social, agressão ou alimentação. Seus registros indicam que um animal está "fungando" quando aproxima o focinho do chão ou de um objeto, mas não o toca, ou quando um objeto é levado para perto do focinho, mas não toca nele. Nesses casos, eles presumem que o animal está, na verdade, inalando fortemente, já que podem não conseguir se aproximar o suficiente para ver as narinas se mexerem, ou o minúsculo tufão de ar que movimenta a área na frente do focinho.

Poucos examinaram em detalhes o que exatamente acontece em uma fungada. Recentemente, porém, alguns pesquisadores usaram um sofisticado método fotográfico, que mostra o fluxo de ar para detectar quando e como os cães estão fungando. Eles descobriram que uma fungada não pode ser ignorada. Na verdade, pode-se argumentar que ela não é uma inalação simples ou única. A fungada começa com os músculos das narinas se estendendo para puxar uma corrente de ar para dentro — isso permite que grande quantidade de qualquer odor presente no ar entre no nariz. Ao mesmo tempo, o ar que já está dentro do nariz precisa ser deslocado. Mais uma vez, as narinas tremem ligeiramente para empurrar o ar ainda mais para dentro do focinho, ou para fora e para trás, através de fendas laterais, longe do focinho e do caminho. Dessa forma, os odores inalados não precisam lutar contra o ar que já está no focinho para acessar o revestimento interno deles. Aqui está a razão de esse processo ser tão especial: a fotografia também revela que o vento fraco gerado pela expiração, ao criar uma corrente de ar por cima dele, na verdade ajuda a puxar mais aroma novo para dentro das narinas.

Essa ação é marcadamente diferente da fungada humana, com nosso método deselegante de "inalar por uma narina e expirar pela outra". Se quisermos realmente cheirar algo, precisamos fungar de forma hiperventilada, inalando repetidamente sem expirar com força. Os cães, de forma natural, criam pequenas correntes de ar nas expirações que apressam a inalação. Assim, para eles, a fungada inclui um componente exalado que ajuda o fungador a cheirar. Isso é visível: observe a pequena baforada de poeira que levanta do chão quando um cão o investiga com o focinho.

Devido à nossa tendência de considerar muitos cheiros desagradáveis, deveríamos todos celebrar o fato de que nosso sistema olfativo se adapta ao odor do ambiente: ao longo do tempo, se permanecermos em um mesmo lugar, a intensidade de cada aroma diminui até não sentirmos mais nada. O aroma de café fresco de manhã: fantástico... mas desaparece em questão de minutos. O primeiro odor de algo apodrecendo sob a varanda: nauseante... e desaparece em questão de minutos. O método dos cães evita que eles se acostumem com a topografia olfativa do mundo: eles estão continuamente renovando o aroma em seus focinhos, como se mudassem o olhar em busca de um ponto de vista melhor.

O FOCINHO FOCINHO

Abro um pouquinho a janela do carro — apenas o suficiente para caber a cabeça de um cão (lembrando-me da vez em que ela se atirou para fora da janela aberta atrás daquele esquilo que pedia carona na beira da estrada). Pump se apoia no descanso de braço e coloca o focinho para fora do carro enquanto corremos pela noite. Ela aperta bem os olhos, a cara fica achatada pelo vento, e ela projeta o focinho para dentro da ventania.

Após ter sido aspirado, um cheiro encontra uma saudação receptiva por parte de uma quantidade extravagante de tecidos nasais. A maioria das raças puras, e quase todos os vira-latas, possuem focinhos longos em cujas narinas há labirintos de canais cobertos por um tecido de pele especial. Esse revestimento, como o revestimento de nossos narizes, é feito para receber o ar que carrega "substâncias químicas" — moléculas de vários tamanhos que serão percebidas como aromas. Qualquer objeto que encontramos no mundo está impregnado por um nevoeiro dessas moléculas — não apenas o pêssego maduro no balcão, mas os sapatos que tiramos ao chegar em casa e a maçaneta que seguramos. O tecido interno do nariz é inteiramente coberto com sítios de recepção minúsculos, cada um com soldados de pelo prontos para ajudar a capturar e prender as moléculas de determinados formatos. Os narizes humanos possuem aproximadamente seis milhões desses sítios de recepção sensorial; o focinho do sheepdog, mais de duzentos milhões; o do beagle, mais de trezentos milhões. Os cães possuem mais genes envolvidos na decodificação das células olfativas, mais células e mais *tipos* de células capazes de detectar odores. A diferença na experiência de cheirar é exponencial: ao detectar determinadas moléculas naquela maçaneta, combinações de sítios, não os sítios simples, disparam simultaneamente para enviar informações ao cérebro. Apenas quando o sinal atinge o cérebro é que ele o experimenta como aroma: se fôssemos nós a cheirar, diríamos *Arrá! Que cheiro.*

Muito mais provavelmente, não cheiraríamos esse odor. Mas o beagle, sim: estima-se que seu sentido olfativo pode ser milhões de vezes mais sensível do que o nosso. Perto dele, somos totalmente anósmicos: não cheiramos nada. Podemos notar que nosso café foi adoçado com uma colher de açúcar; um cão consegue detectar uma colher de açúcar diluída em um milhão de galões de água: duas piscinas olímpicas cheias.*

Como é isso? Imagine se cada detalhe de nosso mundo visual fosse associado a um determinado cheiro. Cada pétala de uma rosa pode ser distinta, tendo sido visitada por insetos que deixaram marcas de pólen de flores muito distantes. O que para nós é um simples talo, na verdade detém um registro de quem o tocou e quando. Uma explosão de substâncias químicas marca o lugar em que uma folha foi partida. A superfície das pétalas, cheia de umidade em comparação com a da folha, também detém um odor diferente. A dobra de uma folha tem um cheiro; assim também as gotas de orvalho em um espinho. E o *tempo* reside nesses detalhes: enquanto conseguimos ver uma das pétalas secando e amarelando, o cão consegue cheirar esse processo de decadência e envelhecimento. Imagine cheirar cada mínimo detalhe visual. Isso pode ser a experiência de uma rosa para um cão.

O nariz é também a rota mais rápida pela qual as informações podem chegar ao cérebro. Enquanto os dados visuais ou auditivos passam por um estágio intermediário a caminho do córtex, o nível mais alto de processamento, os receptores no nariz se conectam diretamente com os nervos nos "bulbos" (assim formados) olfativos especializados. Os bulbos olfativos do cérebro canino constituem um oitavo de sua massa: proporcionalmente maior do que

---

* ... em teoria: nenhuma piscina foi usada em tal teste. Em vez disso, os pesquisadores usam amostras extremamente pequenas de um meio inodoro no qual acrescentam uma amostra ainda menor de açúcar.

o tamanho de nossa unidade central de processamento visual, os lóbulos occipitais, em nossos cérebros. Mas o sentido do olfato especialmente afiado dos cachorros também pode ser resultado de uma maneira adicional de eles perceberem odores: através do órgão vomeronasal.

O ÓRGÃO VOMERONASAL

Que especificidade de imagem o nome "vomeronasal" traz! Evocando o desprazer de aspirar uma boa fungada de vômito fresco, o vômer é, na verdade, uma descrição de parte do pequeno osso do nariz onde se localizam as células sensoriais. No entanto, de alguma forma, o nome parece se adequar a um animal que, além de notório pela coprofagia (comer fezes), pode lamber do chão a urina de outro cão. Nenhum desses atos provoca vômito nos cães; eles são apenas formas de obter ainda mais informações sobre outros cães ou animais da vizinhança. O órgão vomeronasal, descoberto primeiro nos répteis, é uma cavidade entre o nariz e a boca revestida com mais sítios receptores de moléculas. Os répteis o usam para encontrar seu caminho, sua comida e um parceiro para acasalar. O lagarto que estica a língua para tocar um objeto desconhecido não está degustando ou cheirando; está transportando informações químicas para dentro de seu órgão vomeronasal.

Essas substâncias químicas são os feromônios: substâncias do tipo hormônio liberadas por um animal e percebidas por outro da mesma espécie e que, em geral, provocam uma reação específica — tal como preparar-se para fazer sexo — ou mudam os níveis hormonais. Há indícios de que os humanos percebem os feromônios de forma inconsciente, talvez até mesmo através de um órgão vomeronasal nasal.*

Os cães definitivamente possuem um órgão vomeronasal: ele fica acima do palato duro da boca, ao longo da base do focinho (septo nasal). Diferentemente de outros animais, os sítios receptores são cobertos por cílios, pelos minúsculos que empurram as moléculas. Os feromônios são frequentemente transportados por um fluido: a urina, em particular, é um grande veículo. Através dela um animal envia informações personalizadas a membros do sexo oposto — sobre, digamos, o desejo de acasalar. Para detectar os feromônios nessa urina, alguns mamíferos tocam o líquido e fazem uma careta característica, torturada, enrolando o lábio de forma peculiar em uma reação denominada *flehmen*. A expressão de um animal em *flehmen* é notoriamente impossível de ser amada, mas é a cara de um animal que está caçando um amante. A pose *flehmen* parece empurrar o fluido na direção do órgão vomeronasal, onde ele é bombeado para dentro do tecido, ou absorvido por meio da ação capilar. Os rinocerontes, elefantes e outros animais com casco fazem *flehmen* regularmente, assim como os morcegos e os gatos, que possuem variações entre suas diversas espécies. Os humanos podem ter órgãos vomeronasais, mas não fazemos *flehmen*. Os cães também não. Mas um cão regularmente observador notará um interesse frequentemente

---

* A psicóloga Martha McClintock foi a primeira a estudar seriamente a detecção de feromônios pelos humanos. Ela e outros psicólogos realizaram estudos inteligentes e fascinantes sobre como nosso comportamento e nossas taxas hormonais podem ser afetados pelos feromônios ou por hormônios do tipo feromônio. Mas essas conclusões ainda são controversas e estão sujeitas a debate.

muito intenso na urina de outros cães — às vezes um interesse que os atrai bem... para perto... até dentro... espera, nojento! Para de lamber isso! Os cães podem lamber urina despreocupadamente, sobretudo a de uma fêmea no cio. Essa talvez seja a versão deles de *flehmen*.

Melhor ainda do que fazer *flehmen* é manter a parte externa do focinho bem úmida. O órgão vomeronasal é provavelmente a razão pela qual os focinhos caninos são molhados. A maioria dos animais com órgão vomeronasal também possui focinhos molhados. É difícil para um odor aerotransportado chegar em estado puro ao órgão vomeronasal, situado em um recesso seguro e escuro no interior da cara. Uma fungada forte não apenas traz moléculas para dentro da cavidade nasal do cão; pequenos pedaços de moléculas também grudam no tecido externo úmido do focinho. Uma vez lá, eles podem se dissolver e ser transportados até o órgão vomeronasal através de dutos interiores. Quando seu cão se roça contra você, ele está na verdade coletando seu odor com o focinho para melhor confirmar que você é você. Dessa forma, os cães duplicam seus métodos de cheirar o mundo.

O CHEIRO FORTE DE UMA PEDRA

Quando Pump capta com o focinho um cheiro bom na grama — quando ela realmente o enfia profundamente na terra — já sei o que acontecerá em seguida. Ela dará uns saltos, tornará a fungar o cheiro de ângulos diferentes, depois dará um leve tapa nele, levantando grama. Mais fungadas profundas, algumas lambidas, amassando o focinho no chão, e depois o clímax — um mergulho profundo no cheiro: primeiro o focinho, abaixando o corpo inteiro atrás dele e se remexendo para a frente e para trás.

O que então esses focinhos permitem que o cão cheire? Como é que o mundo se parece da perspectiva do focinho? Vamos começar com o que é fácil para eles: o que eles cheiram em nós e em outros cachorros. Depois, podemos estar prontos para desafiá-los a cheirar o tempo, a história de uma pedra de rio e a chegada de uma tempestade.

O macaco fedido

Os humanos fedem. O sovaco humano é uma das fontes mais fortes de odor produzido por qualquer animal. Nosso hálito é uma melodia confusa de odores, nossos genitais cheiram mal. O órgão que reveste nosso corpo — a pele — é coberto de glândulas sebáceas e sudoríparas, que regularmente secretam fluidos e óleos que contêm nossa marca particular de cheiro. Quando tocamos um objeto, deixamos um pouco de nós nele; um pedaço de pele morta, com um punhado de bactérias mastigando e excretando constantemente. Esse é nosso cheiro, nosso odor característico. Se o objeto é poroso — um chinelo macio, digamos — e passamos muito tempo tocando-o — colocando um pé, agarrando-o, carregando-o embaixo do braço —, ele se torna uma extensão de nós mesmos para uma criatura com focinho. Para meu cachorro, meu chinelo é uma parte de mim. Na nossa visão, o chinelo pode não parecer um objeto muito interessante para um cão, mas qualquer um que, ao voltar para casa, tenha encontrado um chinelo destroçado, ou tenha sido seguido pelo cheiro deixado no chinelo, sabe que não é assim.

Não precisamos nem tocar os objetos para que eles tenham nosso cheiro; ao nos movimentarmos, deixamos um rastro de células da pele para trás. O ar é perfumado com nosso suor constante e desumidificante. Além disso, vestimos o odor do que comemos hoje, de quem beijamos, no que nos esfregamos. Qualquer água de colônia simplesmente aumenta a cacofonia. Além disso, nossa urina, ao descer dos rins, absorve notas odoríferas de outros órgãos e glândulas: glândulas suprarrenais, tubos renais e, potencialmente, os órgãos sexuais. Os traços dessa mistura em nossos corpos e em nossas roupas fornecem mais informações singulares e específicas sobre nós. Assim, os cães acham muito fácil nos distinguir apenas pelo cheiro. Os cachorros adestrados conseguem distinguir gêmeos idênticos pelos seus cheiros. E nosso aroma permanece o mesmo após partirmos, daí os poderes "mágicos" de rastreamento dos cães. Esses farejadores habilidosos nos enxergam na nuvem de moléculas que deixamos para trás.

Para os cães, *somos* nosso cheiro. De alguma maneira, o reconhecimento olfativo das pessoas é muito semelhante ao nosso reconhecimento visual delas: há múltiplos componentes da imagem responsáveis pela forma como parecemos. Um corte de cabelo diferente ou um rosto recentemente enfeitado com um par de óculos pode, pelo menos temporariamente, nos confundir na hora de identificar a pessoa que está diante de nós. Posso ser surpreendida até mesmo pela aparência de uma amiga íntima de um ângulo diferente ou de uma determinada distância. Assim também a imagem olfativa que formamos deve ser diferente em contextos diferentes. A simples chegada de minha amiga (humana) no parque canino é suficiente para me deixar sorridente; demora um pouco mais para minha cadela notar seu amigo. Ademais, os odores estão sujeitos a diminuir e se dispersar, e a luz não: o cheiro de um objeto próximo pode não atingir você se uma brisa conduzi-lo em outra direção: a força de um odor diminui com o tempo. A menos que minha amiga tente se esconder atrás de uma árvore, é difícil para ela ocultar sua imagem visual de mim. Um vento não a esconderia, mas poderia momentaneamente escondê-la de um cão.

Quando voltamos para casa no final do dia, os cães em geral cumprimentam nosso coquetel de fedores pronta e amorosamente. Se voltarmos para casa após nos ensoparmos com um perfume pouco familiar ou vestindo as roupas de outras pessoas, podemos esperar um momento de perplexidade — não é mais "nós" —, mas nossa efusão natural logo nos trairia. Entre animais, os cães não são os únicos capazes de ver cheiros. Os tubarões têm sido vistos em ziguezague pela água seguindo o mesmo caminho usado por um peixe ferido anteriormente: através não apenas de seu sangue, mas também de seus hormônios, o peixe deixou um pouco de si mesmo para trás. Mas os cachorros são singulares por serem encorajados e adestrados a usar os odores para seguir alguém que já não está mais presente visualmente.

O cão de Santo Humberto é considerado um dos melhores farejadores. Ele não apenas possui uma quantidade maior de tecidos nasais — mais *focinho*; muitas características de seu corpo parecem conspirar para capacitá-lo a cheirar com mais intensidade. Suas orelhas são incrivelmente longas, mas não para possibilitar uma melhor audição, pois ficam penduradas bem perto da cabeça. Em vez disso, um ligeiro meneio de cabeça põe essas orelhas em movimento, levando mais ar aromático para o focinho captar. Seu jorro constante de baba é perfeitamente projetado para reunir líquidos adicionais e enviá-los para serem examinados pelo órgão vomeronasal. Os bassethounds, considerados como originários dos cães de Santo Humberto, dão um passo adiante: graças às suas pernas curtíssimas, a cabeça toda já está no nível do cheiro, ou seja, perto do chão.

Esses cães conseguem cheirar bem devido a sua própria natureza. Por meio de adestramento — recompensando-os quando prestam atenção a determinados cheiros e ignoram outros — eles são facilmente capazes de seguir um aroma deixado por alguém um ou vários dias antes, podendo até especificar onde dois indivíduos se separaram. Não é necessário muito de nosso odor: alguns pesquisadores testaram cães usando cinco lâminas de vidro bem limpas, acrescentando a uma delas uma única impressão digital. A lâmina foi guardada por algumas horas ou até durante três semanas. Os cachorros, então, tiveram a oportunidade de examinar todo o conjunto: se adivinhassem corretamente a lâmina humana, eram recompensados com uma guloseima, motivação suficiente para fazê-los se levantar e farejar as lâminas de vidro. Um dos cães acertou 94 lâminas em 100 tentativas. Mesmo depois que as lâminas foram colocadas no telhado do prédio por uma semana, sendo expostas diretamente ao sol, chuva e a todas as formas de detritos trazidos pelo vento durante sete dias, ainda assim o mesmo cão acertou quase metade das tentativas — resultado bem acima das expectativas.

Eles rastreiam não apenas sentindo os odores, mas cada mudança mínima reajustada neles. Cada uma de nossas pegadas terá mais ou menos a mesma quantidade de nosso odor. Teoricamente, então, se eu saturasse o chão com meu cheiro, correndo de forma aleatória para a frente e para trás, um cão farejador não seria capaz de dizer que caminho tomei, mas apenas que definitivamente estive ali. No entanto, os cães adestrados não percebem apenas um cheiro. Eles percebem a mudança em um cheiro ao longo do tempo. A concentração de um odor deixado no chão por, digamos, uma pegada feita por alguém que está correndo, diminui a cada segundo que passa. Em apenas dois segundos, um corredor pode ter deixado quatro ou cinco pegadas: o suficiente para um rastreador adestrado determinar a direção que ele seguiu com base nas diferenças do odor emanado pela primeira e quinta pegadas. O rastro que você deixou ao sair da sala tem mais cheiro do que um rastro deixado logo antes dele; assim, seu caminho é reconstruído. O cheiro marca o tempo.

Convenientemente, em vez de se acostumar com os odores ao longo do tempo, como acontece conosco, o órgão vomeronasal e o focinho do cão podem regularmente trocar de papéis para manter o cheiro fresco. Essa capacidade é explorada no adestramento dos cães de resgate, que precisam se orientar pelo odor de uma pessoa desaparecida. Da mesma forma, os cães que seguem pistas e perseguem o suspeito de um crime são treinados para seguirem o que é delicadamente chamado de nossa "geração de odor pessoal": nossa produção natural, regular e inteiramente involuntária de ácido butanoico. Isso é fácil para eles que conseguem ampliar essa capacidade para cheirar outros ácidos gordurosos também. A menos que você esteja usando um macacão feito inteiramente de plástico à prova de cheiros, um cão conseguirá encontrá-lo.

Você mostrou medo

Até mesmo aqueles de nós que não estão fugindo de uma cena de crime ou que não precisam ser resgatados têm uma razão para não subestimar a qualidade da fungada de um cachorro. Os cães não conseguem apenas identificar os indivíduos pelo odor; conseguem também identificar *características* deles. Eles sabem se você fez sexo, fumou um cigarro (se fez as duas coisas uma após a outra), se comeu um lanchinho ou acabou de correr um quilômetro. Tudo isso pode parecer benigno: exceto, talvez, pelo lanchinho, esses fatos sobre você podem não ser de grande interesse para um cão. Mas eles também podem farejar suas emoções.

Gerações de crianças foram alertadas para "nunca mostrar medo" diante de um cão estranho.* É provável que os cães sintam o cheiro do medo, assim como o da angústia e o da tristeza. Não é preciso evocar capacidades místicas para dar conta disso: o medo *rescende*. Os pesquisadores identificaram inúmeros animais sociais, de abelhas a veados, que conseguem detectar os feromônios emitidos por um animal quando está amedrontado e reage em busca de segurança. Os feromônios são produzidos involuntária e inconscientemente, e por meios diferentes: um ferimento na pele pode provocar a sua liberação; existem glândulas especializadas em liberar substâncias químicas de alarme. Além disso, o próprio sentimento de alarme, de medo, bem como todas as outras emoções, estão relacionados a mudanças fisiológicas, que vão desde alterações nos batimentos cardíacos e no ritmo respiratório até suores e mudanças metabólicas e sudoríparas. As máquinas poligráficas funcionam (na medida em que funcionam) avaliando as mudanças dessas respostas corporais independentes; pode-se dizer que os focinhos dos animais "funcionam" sendo igualmente sensíveis a elas. Experiências com

---

* Essa expressão — *cão estranho* — parece talhada para inspirar medo. Seu uso também é baseado em uma premissa falsa: a de que os cães familiares se comportarão de forma previsível e confiável, diferentemente dos que não conhecemos. Como vimos, por mais que queiramos que os cães se comportem de acordo com nossos desejos, o fato de eles simplesmente serem seus próprios donos garante que nem sempre o farão.

ratos confirmam isso: quando um deles recebe um choque em uma gaiola e aprende a ter medo dela, os outros ratos sentem o medo do animal mesmo sem tê-lo visto receber o choque — e passam também a evitar a gaiola, que não é distinguível de outras que estejam próximas.

Como é que esse cão estranho e aparentemente ameaçador fareja nossa apreensão ou medo ao se aproximar de nós? Espontaneamente, suamos quando estamos estressados, e nosso suor carrega um determinado odor com ele: essa é a primeira pista para o cão. A adrenalina, usada pelo corpo para prepará-lo para afastar-se rapidamente de algo perigoso, é inodora para nós, mas não para um cão farejador sensível: ela é outra pista. Até mesmo o simples aumento do fluxo sanguíneo traz substâncias químicas mais rapidamente para a superfície do corpo, de onde podem ser difundidas através da pele. Visto que emitimos odores que refletem essas mudanças fisiológicas que acompanham o medo, e considerando os indícios crescentes da presença de feromônios em humanos, é provável que, se estivermos nervosos, um cão consiga identificar isso. E, como veremos mais adiante, os cães são exímios intérpretes de nosso comportamento. Às vezes, podemos ver o medo nas expressões faciais de outra pessoa; há informações suficientes em nossa postura e em nosso modo de andar para ajudá-los a nos interpretar.

Dessa maneira, o criminoso em fuga que está sendo rastreado é duplamente condenado. Os cães podem ser adestrados para farejar não apenas o odor específico de uma pessoa, mas também um determinado tipo de odor: o cheiro mais recente de uma pessoa na vizinhança (bom para encontrar o esconderijo dela), ou um humano em desespero emocional — amedrontado (como alguém fugindo da polícia), furioso, até mesmo irritado.

O cheiro de doença

Se os cães conseguem detectar quantidades mínimas de substâncias químicas que deixamos para trás — em maçanetas ou pegadas — podem ser capazes de captar substâncias que indiquem doenças? Com sorte, quando você tiver uma doença difícil de ser diagnosticada, terá um médico que reconhecerá — como alguns já fizeram — que o cheiro peculiar de pão recém-assado significa febre tifoide, ou que o odor de algo estragado e azedo sendo exalado por seus pulmões é próprio da tuberculose. De acordo com diversos médicos, foi constatado que existe um cheiro específico para várias infecções, e até mesmo para diabetes, câncer ou esquizofrenia. Esses especialistas não possuem um focinho de cachorro, mas estão mais equipados para identificar doenças. Entretanto, algumas experiências de pequena escala indicam que você pode obter um diagnóstico ainda mais refinado se marcar uma consulta com um cão bem adestrado.

Os pesquisadores começaram a adestrar cães para reconhecer os cheiros das substâncias químicas produzidos por tecidos cancerosos. O treinamento é simples: os animais são recompensados quando sentam ou deitam perto dos cheiros; quando não o fazem, nada de recompensas. Em seguida, os cientistas coletaram os cheiros de pacientes com câncer e pacientes sem câncer em pequenas amostras de urina ou fazendo com que soprassem em tubos capazes de capturar moléculas de hálito. Embora o número de cães adestrados fosse pequeno, os resultados foram excelentes: eles conseguiram detectar quais pacientes tinham câncer. Em um dos estudos, eles erraram apenas 14 em 1.272 tentativas. Em outro pequeno estudo realizado com dois cães, ambos identificaram um melanoma pelo faro em quase todas as vezes. Pesquisas mais recentes mostram que cachorros adestrados conseguem identificar cânceres de pele, seio, bexiga e pulmão com índices muito elevados de acertos.

Isso quer dizer que seu cão o avisará quando um pequeno tumor estiver se desenvolvendo dentro de você? Provavelmente não. O que isso indica é que os cães são *capazes* de fazê-lo. Você pode ter um cheiro diferente para ele, mas a mudança em seu cheiro pode ser gradual. Tanto você quanto seu cão precisariam ser adestrados: o cachorro para prestar atenção ao cheiro, você para prestar atenção aos comportamentos que indicam que ele encontrou algo.*

O cheiro de um cão

Considerando que o odor é tão evidente para um cão, ele tem muito uso social. Enquanto nós humanos inadvertidamente deixamos um rastro de odores atrás de nós, os cães não apenas estão atentos aos nossos cheiros como também espalham o próprio cheiro com abundância. É como se os cachorros, percebendo o quanto o odor de nossos corpos nos representam (até mesmo em nossa ausência), estivessem determinados a usar isso a seu favor. Todos os canídeos

---

* As pesquisas sobre outras doenças estão progredindo rapidamente. De forma instigante, os cães que vivem em casas com epilépticos parecem prever um ataque razoavelmente bem. Dois estudos reportaram que os animais lamberam o rosto ou as mãos da pessoa, choramingaram, ficaram próximos, ou assumiram uma postura protetora — em um deles, o cão sentou *na* criança; em outro, bloqueou o acesso da criança às escadas — antes dos ataques. Se isso é verdade, deve haver pistas olfativas, visuais ou de outra natureza invisíveis (para nós) que os cães percebem. Mas, como esses dados derivam de "autorrelatos" — questionários de famílias e não dados coletados objetivamente — mais testes se fazem necessários. No entanto, é possível parar para admirar a possibilidade de tamanha capacidade.

— cães selvagens ou domésticos e seus parentes — deixam urina espalhada conspicuamente em todo tipo de objeto. A marcação com urina — como é chamado esse método de comunicação — transmite uma mensagem, mas trata-se mais de um recado do que de uma conversação. A mensagem é deixada pela parte traseira de um cão para ser recuperada pela parte dianteira de outro. Todo dono de cachorro está familiarizado com essa marcação, feita com a perna levantada em hidrantes, postes, árvores, arbustos e, às vezes, em um cachorro azarado ou na perna de um transeunte. A maioria dos pontos marcados é alta ou saliente: mais visíveis e melhor para os odores da urina (os feromônios e a mistura associada de substâncias químicas) serem cheirado. As bexigas caninas — bolsas que servem ao único propósito de ser um depósito temporário de urina — permitem liberar apenas uma pequena quantidade dela por vez, favorecendo a marcação repetida e frequente.

Assim, tendo deixado cheiros em seu rastro, os cães logo aparecem para investigar os cheiros dos outros. Segundo as observações do comportamento de cães farejadores, parece que as substâncias químicas da urina fornecem informações sobre a disposição sexual das fêmeas e sobre a confiança social dos machos. O mito comum diz que a mensagem significa "isto é meu": os cães urinam para "marcar território". Essa ideia foi introduzida por Konrad Lorenz, o grande etólogo do início do século XX. Ele formulou uma hipótese razoável: a urina é a bandeira colonial do cão, plantada onde a posse é reivindicada. Porém, pesquisas realizadas nos cinquenta anos seguintes não comprovaram que esse hábito é exclusivo ou mesmo predominante.

Estudos feitos com cães criados soltos na Índia, por exemplo, mostram como eles se comportam quando deixados sozinhos. Ambos os sexos marcam, mas apenas vinte por cento das marcações são "territoriais" — acontecem nos limites de um território. A marcação muda com as estações e ocorre mais frequentemente quando eles cortejam ou catam comida em depósitos de lixo. A noção de "território" é também contrariada pelo simples fato de que poucos cães urinam nos cantos interiores da casa ou do apartamento em que vivem. Ao contrário, marcar parece deixar informações sobre quem urinou, com que frequência passou por esse ponto na vizinhança, suas vitórias mais recentes e seu interesse em acasalar. Dessa forma, a pilha invisível de cheiros no hidrante se torna um quadro de avisos comunitário, com anúncios e avisos velhos e deteriorados aparecendo por baixo de mensagens de atividades ou conquistas mais recentes. Os que fazem visitas mais frequentes acabam ficando no topo da pilha: assim, é revelada uma hierarquia natural. Mas as mensagens antigas são lidas e ainda retêm informações — e um de seus elementos é simplesmente a idade.

Nos anais da marcação de urina animal, os cães não são os atores mais impressionantes. Os hipopótamos balançam os rabos enquanto borrifam urina para melhor espalhá-la, como um tipo de pulverizador, em todas as direções. Há rinocerontes que, após espirrarem sua urina poderosa em arbustos, usam o chifre e os cascos para destruí-los, garantindo assim, presume-se, que sua urina seja espalhada para bem longe e amplamente. Tenha pena do dono do primeiro cão a descobrir a eficiência da urinação estilo ventilador.

Outros animais também pressionam seus traseiros no chão para liberar odores fecais e demais cheiros anais. A fuinha planta uma bananeira e se esfrega em um galho alto; alguns cachorros fazem as acrobacias que podem, aparente e deliberadamente aliviando-se em pedras grandes e em outras formações rochosas. Embora seja secundária em comparação com a marcação pela urina, defecar também possui odores identificadores — não no próprio excremento, mas nas substâncias químicas que o acompanham. Eles vêm de sacos anais do tamanho de uma ervilha, situados dentro do ânus, que retêm as secreções de glândulas próximas: um tipo de secreção extremamente mal cheirosa, com odores aparentemente individuais de peixe podre em meia suada. Esses sacos anais também vazam involuntariamente quando um cão está com medo ou em estado de alarme. Não surpreende que muitos deles tenham medo de ir ao consultório: como parte dos exames de rotina, os veterinários espremem (apertam para liberar os conteúdos) os sacos anais, que podem ficar comprimidos e infeccionados. Embora encoberto para nós pelo aroma familiar de sabão desinfetante, esse odor deve cobrir o veterinário, que fica exalando assim o medo épico dos cães.

Finalmente, se esses cartões de visita mefíticos são insuficientes, vamos a outro artifício no cadastro de marcações dos cães: eles arranham o chão após defecar ou urinar. Os pesquisadores acreditam que isso acrescenta novos odores à mistura — das glândulas das patas —, mas também é possível que sirva como uma pista visual complementar, atraindo cães para a fonte do odor. Assim eles podem realizar um exame mais de perto. Em um dia de vento, os cães podem parecer mais vigorosos, mais dispostos a arranhar o chão; na verdade, eles podem estar orientando outros para uma mensagem que, de outra forma, seria levada pelo vento.

FOLHAS E GRAMA

A ciência, por decoro ou desinteresse, ainda não explicou de maneira definitiva as esfregadas enlouquecidas de Pump na grama. O odor pode ser de um cão em quem ela esteja interessada, ou de um cão que ela reconhece, ou até ser oriundo dos restos de um animal morto nos quais ela se esfrega não tanto para esconder o próprio cheiro, mas por apreciar seu aroma suntuoso.

Respondemos sucintamente e com sabão: dando banhos frequentes em nossos cães. Minha vizinhança não só possui uma abundância de pet shops, como também é visitada por um serviço móvel em uma caminhonete, que vai até sua casa para pegar, banhar, escovar e, portanto, "descachorrar" seu animal para você. Sou solidária com os donos que têm uma tolerância mais baixa do que eu a detritos e poeira em suas casas: um cão bem andado e bem cansado é um eficiente espalhador de sujeira. Porém, ao banhá-los tanto, estamos privando nossos cães de algo — isso só para falar no entusiasmo exagerado de nossa cultura pela limpeza doméstica, inclusive da cama de nossos cães. O que cheira a limpo para nós é um cheiro de limpeza química artificial, algo claramente não biológico. A fragrância mais suave presente nos produtos de limpeza ainda é um insulto olfativo para um cão. E, embora possamos preferir um espaço visualmente limpo, a verdade é que um lugar totalmente livre de cheiros orgânicos seria um ambiente empobrecido para os cachorros. É melhor manter uma camiseta bem velha por perto e não esfregar o chão por um tempo. O próprio cão não tem nenhum impulso para ser o que chamamos de limpo. Não surpreende que, após um banho, ele se apresse a se esfregar vigorosamente em um tapete ou na grama. Ao banhá-lo com xampu de coco e lavanda nós o privamos temporariamente de uma parte importante de sua identidade.

Da mesma forma, pesquisas recentes descobriram que, quando damos aos cães antibióticos em excesso, seus odores corporais mudam, transformando provisoriamente as informações sociais que eles, em geral, emitem. Podemos ficar atentos a isso, mesmo usando esses remédios apropriadamente. Atenção também àqueles engraçados colares elisabetanos, um enorme colar em formato de cone que costuma ser usado para evitar que o cão mastigue os pontos de um ferimento: ele é útil para evitar a automutilação, mas pense em todos os comportamentos interativos comuns que ele impede: desviar o olhar de um cão agressivo; ver a aproximação veloz de alguém pela lateral; esticar e cheirar o traseiro de outro cão.

Tenha pena do cão urbano, sujeito aos resquícios de um velho terror de toda a sociedade: odores causam doenças. O planejamento urbano mudou nos séculos XVIII e XIX na direção de uma elaborada "desodorização" das cidades: pavimentando ruas e cimentando os caminhos para isolar os odores. Em Manhattan, esse planejamento estimulou inclusive a implantação de um sistema de ruas baseado em uma grade que, segundo se acreditava, encorajaria os odores a escoar velozmente da cidade para os rios, em vez de se fixar em refúgios e vielas agradáveis. Esse esquema certamente reduz o possível prazer do cão com os cheiros que emanam das fendas de cada folha caída e de cada grama pavimentada.

BROLONGA E BRALUFETE

No começo, quando sentávamos ao ar livre, a postura imóvel de Pump me enganava. Uma vez, examinando-a mais de perto, vi que ela estava imóvel, exceto por uma parte: suas narinas. Elas reviravam informações em suas cavernas, ruminando sobre a vista diante de seu focinho. O que ela via? O cão desconhecido que acabava de virar a esquina? Um churrasco no fundo do vale, com jogadores de voleibol suados circulando ao redor da carne grelhada? A aproximação de uma tempestade, com explosões fulminantes de ar vindas de regiões distantes? Os hormônios, o suor, a carne — até mesmo as correntes de ar causadas pela chegada de uma tempestade, ventos fortes que se movem para cima, deixam rastros de cheiros invisíveis pelo caminho — todos detectáveis ou entendidos pelo focinho do cachorro. Seja o que for, ela estava muito longe da criatura ociosa que aparentava ser.

Saber da importância do odor no mundo canino mudou minha forma de pensar sobre a maneira alegre com que Pump cumprimentava um visitante em minha casa, dirigindo-se diretamente para a região genital dele. Juntamente com a boca e os sovacos, os genitais são excelentes fontes de informações. Proibir esse cumprimento é equivalente a vendar-se na hora de abrir a porta para um estranho. No entanto, minhas visitas podem não ser grandes entusiastas do *umwelt* canino, por isso aconselho-os a oferecer uma das mãos (sem dúvida alguma cheirosa), ou em vez disso ajoelhar e deixá-la cheirar sua cabeça ou tronco.

É próprio do humano punir um cão por cumprimentar um cão novo na vizinhança cheirando o traseiro dele. Nosso desgosto por esse tipo de cumprimento como uma prática social humana é irrelevante. Para os cães, nenhum problema, quanto mais perto, melhor. Os cães se comunicarão uns com os outros se não estiverem interessados em ser tão intimamente examinados; a interferência pode agitar um deles ou ambos.

Para entender o *umwelt* do cão, devemos pensar em objetos, pessoas, emoções — até mesmo nas horas do dia — como possuidores de odores singulares. O fato de termos tão poucas palavras para designar cheiros restringe nossa imaginação acerca da diversidade existente de brolongas e balufetes. Talvez um cão possa detectar o que um poeta evoca: "o cheiro brilhante da água/o cheiro corajoso da pedra/o cheiro de orvalho e da trovoada..." (e definitivamente "... Os ossos velhos enterrados embaixo..."). Provavelmente, nem todos os cheiros são bons: assim como existe a poluição visual, também existe a poluição olfativa. Definitivamente, os que veem cheiros tem lembranças em cheiros também: quando pensamos em cães sonhando e devaneando, devemos imaginar imagens oníricas constituídas de cheiros.

Desde que comecei a apreciar o mundo odorífico de Pump, passei a sair com ela às vezes só para sentar e fungar. Fazemos passeios de cheiro, parando, ao longo de nosso caminho, em todo marco pelo qual ela mostra interesse. Ela está *olhando*; estar ao ar livre é a parte mais cheirosa e maravilhosa de seu dia. Não vou encerrá-la precipitadamente. Até olho para as fotografias dela de forma diferente: onde ela parecia estar pensativa, fitando a distância, agora parece estar cheirando algum ar novo e excitante oriundo de uma fonte longínqua.

Entretanto, o momento mais feliz para mim é ser cumprimentada com uma fungada que faz o seu rabo balançar. Acaricio sua nuca e retribuo a fungada.

Mudo

Pump senta perto de mim e calmamente arqueja, enquanto me olha; ela deseja algo. Em nossas caminhadas, ela me avisa quando fomos longe demais e está pronta para voltar: salta, gira nas patas traseiras, depois volta exatamente pelo caminho que veio. Abro a água da banheira, sorrio para ela e o rabo abaixa e balança, as orelhas caídas sobre a cabeça. Toda essa conversa e, no entanto, nenhuma palavra foi trocada.

Há um determinado senso de mordacidade quando descrevemos os animais como sendo nossos "amigos mudos"; quando mencionamos o "atordoamento vazio" de um cão; quando acenamos com a cabeça diante da "mudez incomunicável" dele. Essas são formas familiares de falarmos sobre esses animais, que nunca respondem na mesma moeda quando nos dirigimos a eles. Em grande medida, o encanto dos cães deriva da empatia que lhes atribuímos quando simplesmente nos contemplam. Entretanto, essas caracterizações, embora evocativas, me parecem ser completamente equivocadas por duas razões. Primeiro, suspeito que não são os animais que desejam falar e não conseguem; nós é que desejamos que eles falem, mas não conseguimos que eles o façam. Segundo, a maioria dos animais, e os cães em particular, nem são vazios de expressões nem são, a bem da verdade, mudos. Como os lobos, eles se expressam com os olhos, as orelhas, o rabo e a postura. Longe de agradavelmente silenciosos, eles gemem, rosnam, uivam, lamentam, choramingam, latem e bocejam. E tudo isso logo nas primeiras semanas de vida.

Os cães falam. Eles comunicam; declaram; se expressam. Isso não surpreende; o que surpreende é a frequência e a diversidade das maneiras com que se comunicam. Eles falam uns com os outros, com você e com os barulhos vindos do outro lado das portas fechadas ou ocultos em grama alta. Essa sociabilidade nos é familiar: ter uma grande variedade de formas de comunicação é consistente com seres sociais, como os humanos. Tais como as raposas, os canídeos que não vivem em um grupo social parecem ter uma gama muito mais limitada de coisas a dizer. Até mesmo os tipos de sons que as raposas fazem são indicativos de sua natureza mais solitária: elas emitem sons que viajam por longas distâncias. A sólida falta de mudez dos cães se expressa por meio da articulação de sons altos e sussurrados. Vocalizações, cheiros, postura e expressão facial, tudo funciona como forma de comunicação com outros cães e, se soubéssemos como ouvir, conosco.

EM VOZ ALTA

Dois seres humanos passeiam em um parque enquanto conversam. Eles transitam com facilidade entre comentários diversos: o calor do vento, a natureza dos humanos em posições de poder, reflexões sobre expressões anteriores de adoração mútua, avisos para tomar cuidado com a árvore bem à frente. Eles fazem isso principalmente fazendo pequenas e estranhas contorções no formato das cavidades bucais, com a colocação da língua empurrando o ar através do aparelho vocal e apertando ou abrindo os lábios. A comunicação deles não é a única presente. Durante uma caminhada, os cães, ao lado deles, podem repreender e cortejar um ao outro, confirmar amizades, declarar domínio, recusar aproximações, reivindicar posse de um graveto ou afirmar fidelidade às pessoas. Os cães, assim como tantos animais não humanos, desenvolveram métodos inumeráveis e não orientados para a linguagem falada para se comunicarem uns com os outros. A facilidade dos humanos para se comunicar é inquestionável. Conversamos com uma linguagem elaborada e voltada para os símbolos, muito diferente de tudo que existe entre outros animais. Porém, às vezes, esquecemos que até mesmo as criaturas que não usam esse tipo de linguagem podem estar conversando com grande empolgação.

Os animais têm sistemas inteiros de comportamento que transmitem informações de um emissor (falante) a um receptor (ouvinte). É tudo que basta para chamar algo de comunicação. Não é preciso que sejam informações importantes, relevantes ou sequer interessantes, mas, entre os animais, elas frequentemente são. Nem sempre a comunicação acontece ao alcance da nossa audição, ou até mesmo de forma vocal: com frequência, ela é feita através da linguagem corporal — usando os membros, a cabeça, os olhos, o rabo ou o corpo inteiro — ou mesmo por meio de modos surpreendentes, como a mudança de cor, urinação e defecação, ou aumento e diminuição de tamanho.

Podemos identificar uma comunicação observando se, após um animal fazer um barulho ou executar uma ação, o outro muda seu comportamento em resposta. Informações foram transmitidas. O que não seremos capazes de perceber, visto que não conhecemos a linguagem, digamos, das aranhas ou das preguiças (embora haja pesquisadores atualmente tentando aprender esses sistemas de comunicação), são aquelas expressões que caem em ouvidos moucos. No entanto, os animais são tagarelas constantes. As descobertas da ciência natural nos últimos cem anos mostraram a variedade de formas em que essa tagarelice pode se manifestar. Os pássaros gorjeiam, espiam e cantam canções — tal como fazem as baleias jubarte. Os morcegos emitem sons em alta frequência; os elefantes rugem em baixa frequência. A dança rebolada de uma abelha rainha informa a direção, a qualidade e a distância a que está a comida; o bocejo do macaco transmite uma ameaça. O brilho de um vaga-lume indica sua espécie; a coloração do sapo *Dentrobatidae* identifica sua toxicidade.

O tipo que percebemos primeiro é o que mais combina com nossa linguagem: a comunicação em voz alta.

A ORELHA CANINA

Relampeja lá fora. As orelhas de Pump, triângulos equiláteros aveludados que dobram perfeitamente junto às laterais da cabeça, se erguem formando um isóscele comprido. Cabeça levantada, olhos na janela, ela identifica o som: uma tempestade, algo ameaçador. Suas orelhas giram para trás, achatadas junto ao crânio, como se para mantê-las fechadas com o próprio peso delas. Arrulho consoladoramente e observo suas orelhas para obter alguma resposta. As pontas ficam menos rígidas, mas ela descontrai apenas ligeiramente, mantendo-as apertadas para afastar o ruído.

Por não possuirmos orelhas salientes, podemos invejar as orelhas orgulhosas dos cães. Elas estão disponíveis em uma gama deslumbrante de variantes igualmente adoráveis: extremamente longas e lobulares; pequenas, macias e eretas; dobradas elegantemente junto à cara. As orelhas dos cães podem ser móveis ou rígidas, triangulares ou arredondadas, flexíveis ou eretas. Na maioria dos cães, a *pinna* — a parte visível e externa da orelha — gira para melhor abrir um canal a partir da fonte do som até o interior do ouvido. A prática de tosquiar as orelhas, cortando as *pinnae* para tornar eretas as orelhas flexíveis, há muito tempo obrigatória em muitas raças, está ficando menos popular. As tentativas de planejar cachorros, por vezes defendidas pelo fato de reduzir infecções, têm consequências desconhecidas sobre a sensibilidade auditiva.

Por seu desenho natural, as orelhas dos cães se desenvolveram para ouvir determinados tipos de sons. Felizmente, esse conjunto de sons engloba os que podemos ouvir e produzir: qualquer um deles atingirá, pelo menos, o tímpano de um cão próximo. Nossa gama auditiva vai de vinte hertz a vinte quilo-hertz: do som mais grave do mais comprido cano de um órgão a um grito impossivelmente agudo.* Passamos a maior parte do tempo nos esforçando para entender sons entre cem hertz e um quilo-hertz, como o de qualquer conversa interessante acontecendo nas proximidades. Os cães ou-

---

* Na realidade, poucas pessoas ouvem igualmente bem por todo esse espectro. Com a idade, os sons de frequência alta, acima de 11 a 14 quilo-hertz, passam despercebidos pelo ouvido humano. Esse conhecimento gerou o inspirado projeto de um produto tendo o *umwelt* dos adolescentes em mente. O dispositivo emite um som de 17 quilo-hertz — além dos limites da maioria da audição adulta, mas desagradavelmente audível para os jovens. Os donos de lojas o utilizam como repelentes de adolescentes, para desencorajá-los a passar o tempo à toa em seus estabelecimentos.

vem a maior parte do que ouvimos e ainda mais. Eles conseguem detectar sons até 45 quilo-hertz, muito mais altos do que as células capilares de nossos ouvidos. Daí, o poder do apito próprio para cães, um dispositivo aparentemente mágico que não emite nenhum som audível para nós e que, no entanto, atinge os ouvidos caninos há quarteirões de distância. Chamamos esse som de "ultrassônico", visto que ele está além de nosso alcance, mas dentro da amplitude sônica de muitos animais em nosso ambiente. Não pense por um instante que, exceto pelo silvo ocasional desse apito, o mundo lhes é silencioso. Até mesmo um cômodo normal palpita com frequências altas, constantemente detectáveis pelos cães. Você acha que seu quarto é calmo quando levanta de manhã? O ressonador de cristal usado nos relógios despertadores digitais emite um alarme constante de pulsos de alta frequência percebíveis pelos ouvidos caninos. Os cães conseguem ouvir o trinar navegacional dos ratos atrás das paredes e as vibrações corporais dos cupins. Sabe aquela luz fluorescente compacta que você instalou para economizar energia? Você pode não ouvir o zumbido, mas seu cão provavelmente ouve.

A intensidade dos sons que mais nos interessam são os usados na fala. Os cães ouvem todos esses sons e são quase tão bons quanto nós na detecção de uma mudança em sua intensidade — relevante, digamos, para entender afirmações que terminam em intensidades baixas, comparadas a perguntas que na língua inglesa terminam em intensidade alta: "Você quer dar uma volta (?)" Com o ponto de interrogação, essa frase torna-se excitante para o cão com experiência em caminhadas com humanos. Sem o ponto de interrogação, tudo soa simplesmente como ruído. Imagine a confusão gerada pela popularidade crescente do modo de falar, que termina todas as frases com uma intensidade mais alta, como se fossem perguntas.

Se os cães entendem a ênfase e os tons — a prosódia — da fala, isso indica que eles entendem a linguagem falada? Essa é uma questão natural, mas problemática. Visto que o uso da linguagem oral é uma das diferenças mais evidentes entre o animal humano e todos os outros, ela foi proposta como o critério de inteligência definitivo e incomparável. Isso causa reações iradas em alguns pesquisadores que se dedicaram a tentar demonstrar as capacidades linguísticas dos animais. Até mesmo aqueles que concordam com o fato de que a linguagem falada é necessária para a inteligência, acrescentaram inúmeras provas às já abundantemente existentes sobre a capacidade linguística de animais não humanos. No entanto, todas as partes concordam que não houve uma descoberta de uma linguagem semelhante à humana — um *corpus* de palavras infinitamente combináveis que frequentemente possuem definições múltiplas, com regras para a combinação de palavras em sentenças com sentido — entre os animais.

Isso não significa dizer que os animais não podem entender parte do nosso uso da linguagem, ainda que eles próprios não a produzam. Existem, por exemplo, inúmeros casos de animais que tiram vantagem dos sistemas de comunicação das espécies não aparentadas que estejam nas proximidades. Os macacos podem usar o alerta dos pássaros para alertar sobre um predador que esteja por perto e assim agirem para se proteger. Até mesmo um animal que engana outro animal por meio da imitação — o que algumas cobras, traças e mesmo moscas podem fazer — está, de certa forma, usando a linguagem de outra espécie.

As pesquisas com cachorros sugerem que eles entendem a linguagem falada — até certo ponto. Por um lado, dizer que os cães entendem *palavras* é inapropriado. As palavras existem em uma língua que, por sua vez, é produto de uma cultura; os cachorros são participantes dessa cultura em um nível muito diferente. Sua estrutura para entender a aplicação das palavras é inteiramente distinta. Não há dúvida de que há mais nas palavras em seu mundo do que sugerem as tiras de quadrinhos *Far Side*, de Gary Larson: comer, andar e pegar. Mas ele está certo, na medida em que esses são elementos organizadores de sua interação conosco: circunscrevemos o mundo do cão a um conjunto restrito de atividades. Comparados com os bichos de estimação urbanos, os cães trabalhadores parecem miraculosamente responsivos e focados. Mas não é que eles sejam naturalmente assim; seus donos é que acrescentaram a seus vocabulários tipos de atividades a serem feitas.

Um dos fatores para a compreensão de uma palavra é a capacidade de discriminá-la. Devido à sua sensibilidade à prosódia da fala, os cães nem sempre são bons nesse quesito. Tente sugerir a seu cão para *dar uma volta*; na manhã seguinte, pergunte-lhe se ele quer *mar de uma broca* no mesmo tom de voz. Se tudo mais permanecer igual, provavelmente você obterá a mesma reação afirmativa. Os sons iniciais de um enunciado parecem ser importantes para a percepção do cão; então, trocar letras ou alterar sua sonoridade — *sar mesolco?* — poderia estimular a confusão merecida por esse palavreado sem sentido. Claro que os humanos também inferem o sentido por meio da prosódia. A língua inglesa não atribui à prosódia da fala grande importância sintática, mas ainda assim ela faz parte da forma como interpretamos "o que acabou de ser dito".

Se prestássemos mais atenção aos *sons* quando falamos com os cães, poderíamos obter respostas melhores. Os sons agudos significam algo diferente dos graves; sons crescentes contrastam com sons decrescentes. Não por acaso arrulhamos para uma criança em tons tolos e disparatados (a chamada fala de mãe) — e cumprimentamos um cão que abana o rabo com uma fala de bebê semelhante. As crianças conseguem ouvir outros sons falados, mas se interessam mais pela fala da mãe. Os cães também respondem com entusiasmo a esse tipo de fala — em parte porque distinguem a fala que lhes é dirigida do resto do blá-blá-blá contínuo que ocorre em voz alta acima de suas cabeças. Além do mais, eles respondem com mais facilidade às chamadas repetidas e agudas do que àquelas com uma intensidade mais baixa. Que ecologia está por trás disso? Os sons altos são naturalmente interessantes para os cães: eles podem indicar a excitação de uma luta ou o grito de uma presa ferida nas proximidades. Se um cão deixa de responder a seu chamado razoável de que venha *imediatamente*, resista ao desejo de usar um tom mais grave ou enfático. Ele indica seu estado mental e a punição que pode advir pela falta de cooperação prévia. Da mesma forma, é mais fácil fazer um cão *sentar* após um comando em um tom mais longo e descendente do que em notas repetidas e ascendentes. É provável que esse tom induza o relaxamento ou os prepare para o próximo comando daquele humano tagarela.

Há um cão famoso cujo uso da palavra é excepcional. Rico, um border collier alemão, é capaz de identificar mais de duzentos brinquedos pelo nome. Ao lhe ser dada uma enorme pilha de todos os brinquedos e bolas que já viu, ele consegue com confiança achar e pegar exatamente aquele solicitado pelo dono. Bem, sem entrar no mérito de por que um cão precisaria de duzentos brinquedos, essa capacidade é impressionante. As crianças dificilmente conseguem realizar a mesma tarefa (e somente às vezes ajudam a trazer os objetos de volta). Melhor ainda, Rico consegue rapidamente aprender um nome para cada objeto novo por um processo de eliminação.

Os pesquisadores colocaram um brinquedo novo entre os que ele já conhecia e lhe pediram para pegá-lo usando uma palavra que ele nunca ouvira antes. *Vá pegar o snark, Rico.* Compreenderíamos se ele parecesse confuso e voltasse com seu brinquedo favorito na boca. Mas, em vez disso, Rico escolhe o brinquedo novo: com segurança, *nomeando-o.*

É claro que Rico não está usando linguagem, na forma como nós ou mesmo uma criança pequena o faz. Pode-se discutir sobre o quanto ele *entende*, ou se está fazendo algo diferente de mostrar uma preferência por um novo objeto. Por outro lado, Rico demonstra uma capacidade astuta para satisfazer os humanos emitindo vários sons ao identificar os objetos aos quais aqueles sons se referem. É possível que sua habilidade não indique que todos os cães sejam tão capazes: Rico pode ser um usuário de palavras extraordinariamente dotado* — e, de fato, está extraordinariamente motivado pelos elogios recebidos ao pegar o objeto certo. Entretanto, mesmo se ele fosse o único cão a fazer isso, esse fato indicaria que o equipamento cognitivo do cão é suficientemente bom para entender a linguagem no contexto certo.

Não se trata apenas do conteúdo expresso ou do som da fala que transporta sentido. Ser um usuário competente da linguagem significa entender a pragmática do uso: como os sentidos, a forma e o contexto do que é dito também afetam o sentido do que se diz. Paul Grice, um filósofo do século XX, ficou famoso por descrever

---

* Desde a publicação dos sucessos de Rico, em 2004, surgiram relatos de casos de outros cães (também border collies, em sua maioria) com vocabulários que vão de oitenta a mais de trezentas palavras: todos nomes de brinquedos variados. Você talvez tenha um desses prodigiosos vocabularistas em sua casa.

várias "máximas conversacionais", implicitamente conhecidas por nós, que regulam o uso da linguagem. A utilização dessas máximas nos marca como falantes cooperativos; até mesmo sua violação expressa é frequentemente significativa. Elas incluem a encantadora máxima da relação (ser relevante), a do modo (ser breve e claro), a da qualidade (dizer a verdade) e da quantidade (dizer apenas o que é necessário).

Em um dia bom, os cães respeitam todas as máximas de Grice. Considere o caso de um cachorro que espia um homem suspeito andando pela rua. Ele pode latir (relevante: o cara parece suspeito) com estrondo (muito pouco ambíguo), mas apenas enquanto o tipo está por perto (de modo que o latido de aviso seja considerado verdadeiro) e somente poucas vezes (relativamente breve). Embora os cães não se qualifiquem como usuários competentes da linguagem falada, isso não acontece por causa de sua violação da pragmática da comunicação. É apenas a pequenez de seu vocabulário e o uso restrito de combinações de palavras que os desqualificam.

Muitos donos lamentam que, ao contrário de Rico, seus cães não sejam ouvintes exímios — apesar do amplo espectro de audição que possuem. Para sermos justos, a audição não é o principal sentido dos canídeos. Nossa própria capacidade de discriminar a origem de um som — de onde ele vem — é imprecisa. Os cães ouvem os sons desvinculados de suas origens. E, assim como nós, precisam prestar atenção a um ruído a fim de ouvi-lo melhor. O primeiro sinal dessa atenção é a inclinação familiar da cabeça — para dirigir as orelhas ligeiramente na direção da fonte do som — ou nos ajustes tipo radar da parte externa do ouvido. Em vez de ser usado para "ver" a fonte do som, seu sentido auditivo parece servir a uma função secundária: ajudar os cães a encontrar a direção geral de um som, momento em que eles podem acionar um sentido mais acurado, como o olfato ou mesmo a visão, para investigar melhor.

Os próprios cães emitem uma variedade de sons em uma escala de graus de intensidade que diferem apenas em função de alterações sutis no ritmo ou na frequência. Eles são bastante barulhentos.

O OPOSTO DE MUDO

A boca vagarosamente ofegante está entreaberta; a língua é violeta, úmida e perfeita. O ofegar de Pump era uma conversa em si mesmo — sempre senti que ela conversava comigo quando ofegava para mim.

A cacofonia de um cercado cheio de cães inicialmente soa como uma algazarra indiferenciada. Sob um exame mais acurado, no entanto, é possível distinguir ganidos de brados, uivos de latidos e latidos brincalhões de latidos ameaçadores. Os cães fazem sons intencionalmente e sem querer. Os dois tipos podem conter informações — exigência mínima para chamar um distúrbio ruidoso de "comunicação" em vez de simplesmente "barulho". O interessante para os cientistas é determinar o significado dessas mensagens. Tendo em vista a eficácia com que os cães utilizam esses ruídos, não há dúvida de que eles possuem sentidos diferentes.

As horas incontáveis de vida dedicadas pelos pesquisadores a ouvir animais mugir, arrulhar, estalar, gemer, guinchar levaram à descoberta de algumas características universais dos sinais sonoros. Eles expressam algo sobre o mundo — uma descoberta, um perigo — ou algo sobre os próprios sinalizadores — sua identidade, status sexual, classificação, afiliação grupal, medo ou prazer. Eles provocam mudanças: podem diminuir a distância social entre o sinalizador e os outros a seu redor, chamando alguém para se aproximar; ou aumentar essa distância, ameaçando alguém para que se afaste. Além disso, os sons podem servir para reunir um grupo (na defesa contra um predador ou intruso, por exemplo) ou para esclarecer a afiliação materna ou sexual. No fim das contas, todos esses objetivos fazem sentido do ponto de vista evolucionário: os sons auxiliam o animal a assegurar sua sobrevivência e a de seus familiares.

Então, o que os cães estão dizendo e como estão dizendo? Descobrimos o significado do *que* eles dizem examinando o contexto da emissão do som. O contexto inclui não apenas os sons do ambiente, mas também os sentidos: uma palavra gritada acaba por significar algo diferente de uma entoada com um sussurro sedutor. Um som feito por um cão enquanto abana o rabo de felicidade quer dizer algo diferente do mesmo som emitido através de dentes expostos.

O sentido de um som pronunciado pode também ser identificado pelo exame do que fazem aqueles que o ouvem. Embora as respostas humanas a um enunciado (digamos *Como vai você?*) possam variar — de uma apropriada (*Bem, obrigada*) a uma aparentemente disparatada (*Sim, não temos bananas*) —, não há razão para acreditar que os cães, e todos os animais não humanos, respondam ingenuamente. Em muitos casos, um som terá um efeito previsível sob aqueles a nossa volta. Pense em *Fogo!* ou em *Dinheiro de graça!*

Como sinalizar com sons é simples no caso dos cães. A maioria dos ruídos emitidos pelos cachorros é oral: usam a boca ou saem dela. Pelo menos, esses são os sons que conhecemos. Os vocais podem ser vocalizados — com vibrações na laringe, a passagem de ar usada para respirar —, ou expiratórios — parte de uma expiração.

Outros, embora usem a boca, são inteiramente não vocais, como o som mecânico de ranger os dentes. Os sons vocais variam entre si ao longo de quatro dimensões facilmente audíveis. Eles variam em termos de frequência: o choro é quase sempre agudo, enquanto que o rosnado é grave. Tente guinchar um rosnado e ele soará outra coisa. Eles variam em termos de duração: alguns são pronunciados uma vez, rapidamente, durando menos do que meio segundo; outros são prolongados ou repetidos diversas vezes. Variam em termos de formato: alguns são tons puros, outros são fraturados, variáveis ou crescentes e decrescentes. Um uivo tem uma pequena variação por longos períodos, enquanto que os latidos são sons ruidosos e mutáveis. E, finalmente, variam em termos de volume ou intensidade. Os lamentos não são expressos em voz alta, e os uivos não são sussurrados.

LAMÚRIAS, ROSNADOS, GUINCHOS E RISOS

Ela vê que estou quase pronta. Com a cabeça apoiada no chão entre as patas, Pump me segue com os olhos enquanto cruzo o quarto pegando a bolsa, o livro e as chaves. Coço entre as orelhas dela, consolando-a, e vou até a porta. Ela levanta a cabeça e faz um som: um uivo triste. Fico paralisada. Olho para trás, e ela se aproxima, balançando o rabo. Está bem então: acho que ela vem comigo.

O som paradigmático dos cães é o latido, mas os latidos não formam a totalidade dos barulhos que a maioria dos cachorros faz no dia a dia, que incluem sons altos e baixos, incidentais e até mesmo uivos e risos. Os sons de frequência alta — choros, guinchos, lamentos, lamúrias, uivos e gemidos — ocorrem quando o cão sente uma dor repentina ou precisa de atenção. São esses alguns dos primeiros sons que um filhote produzirá, dando-nos pistas sobre seu significado: eles tendem a atrair a atenção da mãe. Um *uivo* pode sair de um filhote que foi pisado, ou que se desgarrou. Surdo e cego, é mais fácil para a mãe encontrar seu filho do que vice-versa. Após serem reunidos, alguns continuam a uivar, diminuindo seu ataque de choro quando carregados pela mãe. Os uivos são diferentes de *gemidos*, que nos lobos incitam a mãe a lamber o filhote, fornecendo o contato necessário ao desenvolvimento normal. *Choros* e *guinchos* podem ser ignorados pela mãe; portanto, um guincho específico pode ser um chamado menos significativo, um som indiferenciado usado simplesmente para ver como os outros reagem.

Choros ou *rosnados* graves também são muito comuns entre os filhotes, e não parecem ser um sinal de dor, mas sim um tipo de ronronar canino. Existem lamentos choramingados e suspirados — que alguns chamam de "rosnados de contentamento" — e todos eles parecem significar a mesma coisa. Os filhotes grunhem quando estão em contato íntimo com outros membros da ninhada, com a mãe, ou com uma pessoa conhecida que cuida deles. O som pode ser simplesmente o resultado de respiração pesada e lenta, indicando que talvez ele não seja produzido intencionalmente: não há provas de que os cães emitem grunhidos de propósito (nem há provas de que eles não o fazem; nenhuma das duas afirmações foi provada). Porém, se eles grunhem ou não, o provável é que os grunhidos funcionem para afirmar o laço entre os membros da família, sejam eles ouvidos como uma vibração baixa ou sentida no contato pele a pele.

O rugido de um *rosnado* e o *ranger de dentes* ameaçador, não é preciso que lhe digam, são sons agressivos. Os filhotes não tendem a produzi-los, assim como não costumam iniciar uma agressão. Parte do que os torna agressivos é sua frequência baixa: eles são o tipo de som que sairia de um animal grande, em vez dos guinchos agudos de um bicho pequeno. Em um encontro antagônico (que na biologia é denominado *agonístico*) com outro animal, um cão deseja se parecer com uma criatura maior e mais poderosa — logo, ele faz um som de cachorro grande. Ao emitir sons mais agudos, um animal soa, simplesmente, menor: o ruído é amigável ou apaziguador. Embora agressivo na intenção, os rosnados ainda são *sociais*, não apenas enunciados produzidos quando um cão sente medo ou raiva: a maioria dos cachorros não rosna para objetos inanimados*, ou mesmo para objetos animados que não estejam à sua frente ou que se dirijam a eles. Também são mais sutis do que pensamos: rosnados distintos, de rugir até quase urrar, são usados em contextos diferentes. O rosnado em uma disputa tipo cabo de guerra pode soar ameaçador, mas não é nada comparado ao ranger de dentes associado a uma disputa pela posse de um osso precioso. Amplie esses rosnados em um alto-falante colocado em frente a um osso desejado e os cães nos arredores o evitarão — mesmo sem nenhum cachorro à vista. No entanto, se o alto-falante reproduzir gravações de rosnados de brincadeira ou de cumprimento a estranhos, os cães próximos se apropriarão do osso desprotegido.

---

* Exceto quando é animado: uma sacola de plástico descartada arrastada pelo vento na calçada pode provocar rosnados, advertência e ataques ocasionais por cães amedrontados. Os cachorros podem ser animistas, tal como os humanos costumam ser na infância; tentando entender o mundo atribuindo uma qualidade familiar (de vida) a objetos desconhecidos. Minha cadela, que rosna para sacolas de plástico, está em boa companhia: Darwin relatou que seu cão tratava uma sombrinha oscilante ao sabor do vento como uma coisa viva, latindo para ela e perseguindo-a. Jane Goodall observou chimpanzés fazendo gestos ameaçadores para nuvens de tempestade. Também eu já fui vista xingando as nuvens de chuva.

Sons caninos casuais são produzidos tão previsivelmente em determinados contextos que se tornaram eficientemente comunicativos. O *tapa brincalhão*, um aterrissar barulhento feito com as duas patas dianteiras ao mesmo tempo, é uma parte inevitável da brincadeira. Ele transmite tanta vivacidade que pode ser usado isoladamente como o pedido de um cão para brincar com você. Alguns cães *estalejam* os dentes de ansiedade, sendo o ranger dos dentes um aviso de que ele está desconfiado. Um *ganido exagerado* ao ser incomodado ou mordido em uma brincadeira pode até se tornar uma trapaça ritualizada, uma forma de escapar de uma interação social que está deixando o cão inseguro. O som de *fungar* criado ao esticar a cabeça verticalmente para cima e cheirar a comida ao redor da boca de um humano pode se revelar não apenas uma busca por comida, mas também um pedido. Até o barulho da respiração causado pelo fato de ele estar deitado tão perto que o seu focinho chega a pressionar o outro corpo pode indicar um estado de relaxamento prazeroso.

Se você convive com um cão, está familiarizado com o *uivo*. De um ladrar intermitente a um lamento triste, o uivo dos cães parece ser um comportamento herdado de seus ancestrais, que viviam em alcateias sociais. Os lobos uivam quando separados do grupo, e também quando saem juntos para uma caçada ou se reúnem posteriormente. Um uivo solitário é uma comunicação que busca companhia; uivar em grupo pode ser simplesmente um convite à reunião ou uma celebração coletiva. Ele tem um componente contagiante, que leva os outros animais próximos a uivarem de improviso. Não sabemos o que eles estão dizendo uns para os outros ou para a lua.

O som humano mais social é a risada barulhenta que se espalha pela sala. Os cães riem? Bem, apenas quando algo é realmente muito engraçado. Sim, os cães têm o que se chama de uma risada. Não é igual à risada humana, o som espontâneo que brota em resposta a algo engraçado, surpreendente ou mesmo ameaçador. Ela também não é variável como as gargalhadas, os risinhos e as risadas que produzimos. O riso do cão é uma exalação respiratória que soa como uma excitada explosão de resfolegar. Podemos chamar a isso de *ofegar social*: um arquejo ouvido apenas quando cães estão brincando ou tentando atrair alguém para brincar com eles. Os cachorros não parecem rir para si mesmos, sentados no canto da sala, recordando como o cão marrom claro ludibriou seu dono esta manhã no parque. Em vez disso, eles riem quando interagem. Se você já brincou com um deles, provavelmente ouviu isso. Na verdade, ofegar socialmente para um cão é uma das formas mais eficazes de começar uma brincadeira.

Assim como nossas risadas são frequentemente respostas despreocupadas e automáticas, as risadas dos cães também podem ser assim: simplesmente o tipo de som ofegante que surge quando você está jogando seu corpo de um lado para outro em uma brincadeira. Embora isso possa estar fora do controle do cão, o ofegar social parece ser um sinal de divertimento. Ele até pode induzir ao prazer — ou, pelo menos, aliviar o estresse — nos outros: descobriu-se que tocar uma gravação com sons de risadas caninas em abrigos de animais reduzia os latidos, as caminhadas compulsivas e outros sinais de estresse dos cães hospedados. Se a felicidade deles é igual à dos humanos, eis uma questão ainda a ser estudada.

AU-AU

Lembro-me da primeira vez em que Pump latiu quando tinha talvez três anos. Ela era muito quieta até que, um dia, após passar algum tempo com seu amigo pastor alemão, um latido surgiu. *Parecia* mais um latido do que *era* realmente um latido, como se fosse um som capaz de substituí-lo, sem ser um latido de fato: um *rurf*! bem articulado e acompanhado por um pequeno salto das patas dianteiras e um abanar de rabo ensandecido. Ao longo dos anos, ela foi refinando essa demonstração esplêndida, mas sempre me pareceu algo novo que ela estava experimentando.

É lamentável que os latidos tendam a ser eventos tão barulhentos. O latido é gritado. Enquanto uma conversação tranquila entre dois passantes no parque pode registrar cerca de sessenta decibéis, os latidos de um cão começam em setenta, sendo que uma série deles pode ser pontuada com picos de cento e trinta decibéis. Os aumentos nos decibéis, a unidade de medida da intensidade dos sons, são exponenciais: um aumento de dez decibéis corresponde a cem vezes mais na experiência da intensidade de um som. Cento e trinta decibéis é a altura do som de uma trovoada e da decolagem de um avião. O latido é momentâneo, mas um momento de desprazer para nossos ouvidos. A razão disso — de acordo com a maioria dos pesquisadores — é que existem muitas informações contidas naqueles latidos. Como há uma relativa escassez de latidos entre os lobos, alguns teorizam que os cães desenvolveram uma linguagem de latidos mais elaborada precisamente para se comunicar com os humanos. Se considerarmos todos os latidos iguais, então é bem provável que eles irritem mais do que comuniquem.

Os pesquisadores podem não chamar os latidos de "irritantes", mas eles os chamam de "caóticos" e "barulhentos". "Caótico" é uma boa descrição para a diversidade dos tipos de sons em cada latido; "barulhento" não significa apenas *desagradavelmente alto*, mas também *possuindo flutuações em sua estrutura*. Eles são altos, e latidos diferentes possuem um número variado de componentes harmônicos, dependendo do contexto no qual ele é empregado.

No entanto, entre os sons emitidos pelos cães, os latidos são os que mais se aproximam da fala. Como os fonemas, o latido canino é produzido por vibrações nas pregas vocais e pelo fluxo de ar que passa ao longo dessas pregas e através da cavidade bucal. Talvez por estarem em frequências sobrepostas aos sons da fala — de 10 hertz a 2 quilo-hertz —, somos tentados a procurar nos latidos sentidos parecidos com os da fala. Costumamos até nomeá-los usando fonemas de nossa linguagem: o cão faz "au-au", "ruf", "arf", ou (embora nenhum cão que eu conheça diga isso) "bau uau". Os franceses ouvem os cães fazerem "ouah-ouah", os cães noruegueses fazem *voff-voff;* os italianos, *bau-bau.*

No entanto, alguns etólogos acreditam que o latido não é algo fundamentalmente comunicativo: ele é "ambíguo" e "sem sentido". Essa visão é encorajada pela dificuldade de decifrar qual seria o significado dos latidos, visto que os cães às vezes latem sem um estímulo óbvio ou uma plateia aparente, e continuam a latir muito depois de qualquer mensagem associada ter sido transmitida. Pense em um cachorro latindo continuamente, inúmeras vezes seguidas, na frente de outro cão: se existe algum sentido naquele latido, uma ou duas repetições não o transmitiriam?

Tudo isso chega ao cerne da questão: determinar a experiência subjetiva de um animal ao qual é impossível fazer perguntas. Cada momento de seu comportamento é escrutinado com o propósito de determinar seu sentido. Certamente, poucas ações humanas poderiam suportar tal escrutínio que resultasse em uma avaliação correta a nosso respeito. Se você me filmasse praticando — em casa e na frente da minha cachorra — um discurso que preciso fazer mais tarde naquele dia, poderia concluir que (a) acredito que o cão é capaz de entender o que estou dizendo; ou (b) estou falando comigo mesma. Em ambos os casos, o (c) é o correto: se os barulhos que faço não parecerem ser classicamente comunicativos é porque não tenho uma plateia capaz de me entender. Da mesma forma, exemplos de comunicação deficiente tentada por um cão podem parecer minar a noção de que os cães são capazes de se comunicar. Contudo, a maioria dos pesquisadores acredita que os latidos têm sentido, embora esse sentido dependa do contexto e até mesmo do indivíduo. Os latidos, sobretudo os de alerta, se caracterizam como uma das diferenças mais claras entre os cães e as outras espécies canídeas. Os lobos latem para transmitir alarme, embora raramente emitindo um som mais de "uuf" do que algo como os latidos persistentes de um cachorro com os quais estamos familiarizados. Os cães não apenas latem mais do que os lobos; eles desenvolveram inúmeras variações sobre o mesmo tema.

Existem diversos latidos reconhecíveis, usados de maneira previsível em várias ocasiões distintas. Os cães latem para chamar atenção, para alertar sobre um perigo, por medo, para cumprimentar, de brincadeira, ou mesmo por solidão, angústia, confusão, agonia ou desconforto. O sentido está no contexto, mas não apenas no contexto: os espectrogramas dos latidos caninos mostram que eles são misturas de tons usados em rosnados, lamúrias e uivos. Ao alterar a predominância de um tom sobre outros, o latido assume um caráter diferente — uma essência diferente.

As primeiras pesquisas sobre as vocalizações caninas concluíram que todos os latidos de cães se destinam a obter atenção. Na verdade, eles atraem atenção, contanto que alguém esteja suficientemente perto para ouvi-los. Porém, estudos recentes fizeram discriminações mais sutis. Da mesma forma que todos os latidos acabam sendo uma forma de "obter atenção", também se poderia dizer que falamos para sermos ouvidos: uma verdade, porém incompleta. Por exemplo, quando pesquisadores analisaram o espectrograma de milhares de latidos de cães durante um dos três contextos — um estranho tocando a campainha, sendo trancado do lado de fora ou brincando — descobriram três tipos diferentes de latido.

Os *latidos para estranhos* foram os mais graves e os mais carrancudos: eles são quase cuspidos. Menos variáveis do que os outros tipos, são bem elaborados para enviar uma mensagem a distância, algo necessário quando se está sozinho em uma situação ameaçadora. Eles também podem ser combinados em "superlatidos", concatenações de latidos que juntos duram muito mais do que aqueles emitidos em outros contextos. O resultado final é um som que a maioria dos ouvintes humanos considera agressivo.

Os *latidos de isolamento* tendem a ser mais agudos e variáveis: alguns sobem, baixam e depois tornam a subir; alguns sobem e depois baixam. Esses latidos são jogados no ar um por um, às vezes com grandes intervalos entre eles. Segundo muitas pessoas, eles soam "temerosos".

Os *latidos de brincadeira* também são agudos, mas acontecem mais seguidamente — um após o outro. Em contraste com os latidos de isolamento, são dirigidos a outro: para um cão ou humano que seja parceiro de brincadeiras. Existem variações individuais consideráveis, claro: nem todo cão late igual. O latido de um cão pequeno dirigido para estranhos pode sair como *rau rau* ou *raoau, raoau*, enquanto o de um cão grande soa *Raum* com *r* maiúsculo.

Essas diferenças fazem sentido do ponto de vista evolucionário: os sons mais graves são usados em situações ameaçadoras (novamente para parecer maior); os sons mais agudos são súplicas — dirigidos a amigos, em busca de companhia — e, como tais, são solicitações submissas, não alertas. As diferenças entre latidos individuais indicam que eles podem ser usados para afirmar a identidade de um cão ou revelar sua associação a um grupo (mesmo se o grupo for *eu, a mulher na outra ponta da coleira* em vez de *esses cães com quem estou brincando*). Latir junto com outros pode ser uma forma de coesão social. Como os uivos, latir pode ser contagioso: um cão ladrando pode despertar um coro de cães, todos reunidos em uma barulheira compartilhada.

CORPO E RABO

Quando nos aproximamos de pessoas na rua, Pump concentra todos os seus sentidos no olhar. Se ela as reconhece, sua cabeça se abaixa muito ligeiramente — olhando para cima de maneira envergonhada, como se o fizesse por cima de óculos de leitura — enquanto ela abana o rabo, baixo. Isso é bem diferente do que acontece quando ela se aproxima de um cão por quem está apaixonada — toda ereta, rabo alto, postura impecável, balançando o rabo ritmicamente — ou de um cão amigo, que ela aborda de forma mais solta e desconjuntada, arriscando até mesmo uma abocanhada na direção da cara dele, ou uma esfregada suave do quadril ao longo de seu corpo.

Você pode estar sentado agora mesmo, enroscado em uma poltrona confortável; ou talvez esteja de pé, em um trem lotado, segurando um livro na mão e imprensado contra as costas de outro passageiro. Muito provavelmente você não *deseja significar* nada por estar sentado ou em pé, ou mesmo quando caminha ou deita de costas: trata-se apenas de uma postura de conveniência ou conforto. Mas, em outros contextos, nossa própria postura transmite informações. Um receptor de beisebol se agacha: ele se prepara para apanhar um arremesso. Um pai se curva e abre os braços: ele está convidando o filho para um abraço. Se estiver correndo e alguém que você conhece se aproxima, você para e cumprimenta; se está parado e alguém que você conhece se aproxima, você se vira e vai correndo ao encontro dele. Pode haver um sentido simplesmente no vigor ou na descontração de seu corpo. Para um animal com repertório vocal limitado, a postura é ainda mais importante. E parece que os cães usam posturas específicas para fazer afirmações igualmente específicas.

Existe uma linguagem corporal composta de fonemas feitos de traseiros, cabeças, orelhas, pernas e rabos. Os cães sabem como traduzir essa linguagem intuitivamente; eu a aprendi após observar centenas de horas de interação entre cachorros. Devemos parecer burros para os cães, que podem expressar tudo — da jovialidade à agressão e à intenção amorosa — mudando a forma e a altura do corpo. Em contrapartida, somos seres inibidos com postura ereta, que passamos a maior parte do tempo parados ou caminhando para a frente com poucos movimentos supérfluos. Ocasionalmente — céus! — viramos a cabeça ou o braço de forma exibicionista para o lado.

> No entanto, por meio de sinais externos, o próprio homem não consegue expressar amor e humildade tão francamente quanto um cão, quando este, com orelhas caídas, lábios suspensos e rabo abanando, encontra o amado dono. — Charles Darwin

Para os cães, a postura pode anunciar uma intenção agressiva ou modéstia recatada. Simplesmente ficar ereto, bem alto, com a cabeça e as orelhas levantadas, significa anunciar prontidão para interagir e, talvez, para ser aquele que inicia a interação. Até mesmo os pelos entre os ombros ou no traseiro podem ficar eriçados, servindo não apenas como um sinal visual de excitação, mas também liberando odor das glândulas cutâneas localizadas na base dos pelos. Para exagerar a performance, um cão pode não somente ficar em pé, mas *em cima* de outro cão, com a cabeça ou as patas em suas costas. Trata-se de uma declaração, como você pode imaginar, de que ele se sente dominante. A postura corporal oposta — agachado, com a cabeça e as orelhas abaixadas e o rabo enfiado entre as pernas — é submissa. Deitar de barriga para cima demonstra uma submissão ainda maior.*

Esse conceito de *antítese* — de que posturas opostas comunicam emoções opostas — descreve grande parte do escopo expressivo dos cães. As expressões faciais, mais visíveis na boca e nas orelhas, também levam em conta esse princípio. A boca se movimenta de fechada a aberta e relaxada, até se abrir com os lábios levantados, focinho enrugado e dentes à mostra. O "riso" canino, com a mandíbula fechada, é submisso; conforme a boca se abre, a excitação aumenta; e, se os dentes estão expostos, o olhar se torna agressivo. Fechando um círculo, uma boca bem aberta com grande parte dos

---

* Surpreendentemente, os cães prestam mais atenção à postura do que ao tamanho uns dos outros: eles não relacionam a altura com domínio ou confiança de forma automática. Como veremos mais tarde, não é muito correto afirmar, como muitas vezes se diz de um cãozinho corajosamente ousado, que *ele acha que é grande*. Na verdade, ele não pensa assim — ele sabe que é a postura que importa.

dentes cobertos — um bocejo — não é sinal de tédio, como muitas vezes presumimos por analogia; ao contrário, ele pode indicar ansiedade, timidez ou estresse, e é usado pelos cães para se acalmarem ou acalmarem outros cães. As orelhas também costumam fazer essa ginástica: elas podem estar eretas, relaxadas e baixas, ou dobradas firmemente contra a cabeça. Examinar outro cão com o olhar fixo pode ser ameaçador ou agressivo; em contrapartida, desviar o olhar significa submissão — uma tentativa de reprimir a própria ansiedade e a excitação do outro cão. Em outras palavras, cada caso varia de um extremo a outro, representando diferenças de intensidade ao longo de um espectro emocional contínuo, que vai do relaxamento à excitação por medo ou alarme.

Nenhum desses é um símbolo estático — ou, se é, trata-se de uma condição significativa. Manter uma postura ereta e imóvel é uma forma tranquila de colocar um ponto de exclamação no corpo. Ela exagera a tensão da comunicação. Na maior parte do tempo, as posturas são assumidas e desfeitas. O rabo, sobretudo, é um membro de movimento. É inacreditável que a ciência ainda não tenha feito uma investigação completa do sentido de cada movimento dele.

Quando filhote, o rabo dela era esbelto, uma flecha de pelo preto macio. Esse não acabou sendo, de forma alguma, o destino de seu rabo:

ele se tornou uma incrível bandeira exuberante, com pelagem abundante que embaraçava e agarrava folhas. Era curvado na ponta por causa de um desentendimento na infância com a porta de um carro. Ela o balançava quando excitada ou alegre, curvando-o em forma de foice com a ponta apontando para o traseiro. Quando deitada, batia com ele no chão, com alegria, sempre que eu me aproximava. O rabo registrava exaustão quando ficava reto e caído; seu desinteresse por um cão abelhudo fazia com que ela o enfiasse entre as pernas. Grande parte do tempo, quando caminhávamos juntas, o rabo ficava solto, pendurado, alegremente curvado na ponta, e também alegremente chicoteando de lado a lado. Eu adorava me aproximar dela devagar, como se a caçasse, estimulando seu rabo a se agitar e balançar.

Uma das dificuldades de decifrar a linguagem dos rabos é a grande variedade existente. A pelagem exibicionista de um golden retriever contrasta fortemente com o saca-rolhas apertado do pug. Os cães exibem rabos longos e rígidos, curtos e enrolados, pendentes ou perpetuamente eretos. O rabo do lobo é, de várias maneiras, uma média dos rabos das diversas raças: um rabo longo, com uma leve pelagem, que se mantém natural e ligeiramente abaixado. Os primeiros etólogos que fizeram um cômputo das posturas dos rabos dos lobos identificaram, ao menos, treze apresentações diferentes, transmitindo treze mensagens distintas. De acordo com a tese da antítese, os rabos levantados indicam confiança, autoafirmação ou excitação devido a interesse ou agressividade, enquanto os rabos mantidos para baixo indicam depressão, estresse ou ansiedade. Um rabo ereto também expõe a região anal, permitindo que um cão corajoso espalhe a sua assinatura odorífera. Em contrapartida, um rabo longo mantido tão baixo a ponto de enrolar entre as pernas, cobrindo o traseiro, é ativamente submisso e temeroso. Quando um cão está apenas em compasso de espera, seu rabo fica relaxado, pendente para baixo, caído, mas não rígido. Um rabo ligeiramente levantado é um sinal de interesse moderado ou de vigilância.

Porém, a questão não se restringe à altura do rabo, uma vez que ele não se mantém em uma só posição, ele também é abanado. Em movimento não pode ser traduzido simplesmente como felicidade. Um rabo balançando alto e espichado pode ser sinal de ameaça, sobretudo quando acompanhado por uma postura ereta. Abanar rapidamente um rabo abaixado e caído é outro sinal de submissão. Esse é o rabo do cão que acabou de ser surpreendido destruindo seu último pé de sapato. O vigor do abano é, grosso modo, um indicador da intensidade das emoções. Um rabo neutro abanando ligeiramente está interessado, mas hesitante. Um rabo solto, varrendo vigorosamente, acompanha a busca, baseada no faro, por uma bola perdida na grama alta ou a descoberta de um rastro odorífico no chão. O abanar feliz e familiar é incrivelmente diferente de todos esses: o rabo é mantido acima ou distante do corpo e vigorosamente descreve arcos toscos no ar atrás dele. Alegria inconfundível. Até o não abanar de rabo é significativo: os cães tendem a ficar com o rabo parado quando prestam atenção a uma bola em sua mão ou enquanto esperam que você lhes diga o que vai acontecer em seguida.

Os pesquisadores interessados nos cérebros caninos descobriram, por acaso, algo sobre o rabo do cão: ele o abana assimetricamente. Em média, esses movimentos tendem mais fortemente para a direita quando eles de repente veem os donos — ou mesmo qualquer coisa que o interesse: outra pessoa, ou um gato. Quando apresentado a um cão desconhecido, o rabo ainda abana — de modo mais hesitante do que feliz —, mas tende para a esquerda. Você pode não ser capaz de enxergar esses sinais em seu cão, a menos que o veja em uma gravação em câmera lenta (o que eu recomendo e muito) — ou a menos que seu cão seja um daqueles que costuma abanar o rabo menos de um lado para outro do que em círculos, inclinando-o totalmente. Considere-se sortudo por ser cumprimentado com um entusiasmo tão explícito.

> Pump balança o corpo inteiro: começa com a cabeça e desce pelo corpo, tremendo até o rabo. É como um sinal de pontuação que ainda espera ser descoberto. Ela o balança para encerrar um episódio, quando está insegura e, às vezes, quando apenas caminha vagarosamente.

O cão usa o corpo expressivamente: comunicação escrita por meio do movimento. Até mesmo os momentos entre as interações são marcados por movimentos: por exemplo, quando um cão balança o corpo inteiro, a pele se contorcendo sobre a ossatura, para indicar que terminou uma atividade e começou outra. Nem todos eles têm pelos que eriçam, rabos longos para balançar pomposamente ou orelhas que levantam para mostrar interesse. O komondor, com pelo fabulosamente ondulado, se aproxima de outros cães com o que devemos presumir ser sua cabeça, mas nem os olhos nem as orelhas são visíveis por baixo de suas longas madeixas. Ao criar cães de raça com uma aparência específica que consideramos agradável, estamos limitando suas possibilidades de comunicação. Como era de se esperar, mas preferimos não confrontar, um cão de rabo cortado tem, por essa razão, um repertório pequeno de coisas a dizer.

As pesquisas que examinam a gama e a velocidade de sinais usados por dez raças fisicamente diferentes descobriram exatamente o mesmo. Comparando o comportamento de cães, desde o Cavalier King Charles spaniel ao buldogue francês e o husky siberiano, foi encontrada uma relação direta entre a aparência da raça e o número de sinais usados. Aqueles animais que mais mudaram fisicamente após serem domesticados e passaram de lobos a cães — os King Charles, no extremo — enviavam menos sinais. Esses cães *pedomórficos* ou *neotéricos,* que retêm na idade adulta mais características dos membros juvenis da espécie canídea, são os que menos se parecem com lobos adultos. Do ponto de vista genético, os huskies, que possuem mais características de lobo e estão mais próximos do *Canis lupus,* fazem os sinais mais parecidos com os dos seus ancestrais.

Considerando que muitos sinais corporais fornecem informações sobre o status, a força ou a intenção de alguém, a necessidade dos cães de enviar esses sinais é presumivelmente reduzida em um mundo no qual os humanos cuidam dos cães a vida inteira. Mas os mesmos sinais usados para convencer um animal dominante de uma intenção benigna podem também ser usados para comunicar informações a humanos. Caminhando pela cidade, dobro uma esquina e quase piso em uma cadela desconhecida puxando uma coleira longa. Ao me ver, ela se agacha, balança o rabo furiosamente entre as pernas e dá lambidas na direção do meu rosto. Pode ter começado como um gesto de submissão, mas agora é adorável.

ACIDENTAL E INTENCIONAL

Após ter ido dormir tarde e aguentado o passo lento de meus rituais matutinos, o primeiro movimento de Pump quando saímos nunca varia. Ela dá dois passos para fora da porta e se agacha sem qualquer cerimônia. Agacha bastante, completamente comprometida com a pose, só com o rabo — curvado para cima e fora do caminho — puxando o corpo para cima. A torrente de urina liberada (certamente quebrando o recorde dessa vez) parece acompanhada por um relaxamento dos músculos da cara — e por minha culpa crescente por tê-la feito esperar tanto tempo. Ela olha o jorro de sua urina à medida que ele passa a seu lado em busca de rachaduras na calçada pelas quais se desvia para escoar sem impedimentos.

Não importa o quanto é dito por meio de latidos, rangidos de dentes ou balanços de rabo, a vocalização e a postura não são os únicos meios de comunicação dos cães. Tampouco podem se comparar com as possibilidades informativas dos cheiros. Urinar, como vimos anteriormente, é o meio odorífico de comunicação mais evidente para nós. Pode ser difícil acreditar que a liberação da bexiga seja um "ato comunicativo" equivalente a uma conversação educada entre amigos ou ao discurso de um político diante de seus eleitores. Em algum nível, é ambos: parte normal da sociabilidade do cão e também uma autopromoção flagrante escrita em um hidrante.

Você pode se negar a considerar que a mensagem molhada deixada no alto de um humilde hidrante seja o mesmo tipo de comunicação usada pelos humanos — e não apenas porque ela está saindo dos traseiros deles e não de suas bocas. Crucialmente, comunicamos (a maioria das vezes) com *intenção*: em vez de reclamarmos em voz alta para nossa mão esquerda, tendemos a dirigir nossas comunicações para outras pessoas — as que estão próximas o suficiente para nos ouvir, as que não estão distraídas, as que conhecem a língua e conseguem entender o que estamos dizendo. A intenção diferencia a comunicação destinada a outros do *ai!* automático pronunciado quando se leva um soco na barriga, do enrubescer por causa de um cumprimento, do zumbido constante do mosquito ou da informação impessoal transmitida pelos sinais de trânsito e pelas bandeiras a meio pau.

Marcar com urina é intencional. O contente alívio matinal alivia a tensão na bexiga, mas a maior parte do tempo uma porção é reservada para uso posterior como marcação. Aparentemente, a urina é a mesma: não há indícios de um canal independente ou de um meio pelo qual o cão modificaria o odor que ela exala. Porém, a marcação se distingue de algumas maneiras importantes. Primeiro, na maioria dos machos adultos, e em algumas fêmeas transgressoras do gênero, ela é caracterizada por um levantamento acentuado da pata. Há variações individuais e contextuais na assim chamada "demonstração da pata levantada", desde uma retração modesta da pata traseira em direção ao corpo até o levantamento da pata acima da altura da pélvis, acima do ângulo vertical — certamente, também uma demonstração visual para qualquer outro cão na vizinhança. Ambos permitem um fluxo direcional da urina, dirigido de modo a pousar em um lugar claramente visível. (Pode também haver agachamento e marcação, embora esse seja um evento mais tranquilo, talvez para as mensagens que são mais bem transmitidas com sussurros do que com gritos.)

Segundo, a bexiga não é esvaziada durante a marcação; a urina é distribuída aos poucos, permitindo uma maior distribuição do cheiro ao longo do percurso do cão. Se você deixou seu cachorro dentro de casa por tempo suficiente para que ele corra e agache, essa urgência pode sobrepor-se à sua capacidade de armazenar alguma urina para marcação posterior. Assim, você pode testemunhar demonstrações de levantamento de pata infrutíferas, tais como acenos secos para arbustos, postes e latas de lixo.

Finalmente, em geral os cães marcam com urina somente após passarem algum tempo cheirando a área. Isso é o que eleva a troca de odores acima da noção de Lorenz a respeito do fincamento de uma bandeira para um tipo de conversação. Os pesquisadores que mantêm um cuidadoso registro do comportamento de marcação de um cão ao longo do tempo descobriram que aquele que marcou antes dele, a época do ano e quem está nas proximidades, tudo isso afeta o lugar e o momento em que ele fará sua marcação.

Curiosamente, essas mensagens perfumadas não são deixadas indiscriminadamente: nem toda superfície é marcada. Observe um cão farejar enquanto passeia pela rua: ele vai cheirar mais do que urinar. Esse comportamento indica que nem toda mensagem é igual — e que a mensagem que esse cão deixará pode ser dirigida apenas a determinadas plateias. A contramarcação — cobrir urina velha com nova — é um comportamento comum entre os machos, quando a urina anterior pertence a machos menos dominantes. A marcação de todos aumenta quando há um novo cão na área.

Se não é territorial, qual é a mensagem da marca? A primeira pista é que os filhotes não marcam com urina: a comunicação deve ter a ver com preocupações adultas. Por causa do posicionamento das glândulas anais e dos compostos na urina, sabemos que eles estão, pelo menos, dizendo algo sobre quem são: seu odor é sua identidade. Essa é uma mensagem interessante, mas provavelmente não é muito intencional. Posso comunicar algo sobre quem sou simplesmente entrando em uma sala e sendo vista, mas a própria presença da minha pessoa não é uma comunicação contínua e intencional a respeito da minha identidade (exceto quando era criança e me vestia para ser vista).

O que parece intencional nessa comunicação é que os cães não se importam em dizer algo se não há alguém por perto. Os cachorros que são mantidos presos em isolamento passam muito pouco tempo marcando. Os machos raramente levantam a pata para urinar, e nenhum dos sexos se preocupa em depositar apenas uma quantidade pequena. Os cães mantidos em cercados de tamanhos semelhantes junto com outros cães marcam com bem mais frequência e regularmente, todos os dias. Os cães selvagens indianos marcam para plateias do sexo oposto. Isso faz sentido se a mensagem transmitida versa sobre sexo: buscando-o ou declarando-se pronto para ser procurado. Eles fazem mais demonstrações de levantamento de pata (mesmo sem urinar) quando outros cães estão presentes. Uma pata mantida no alto apenas atrairá a atenção de alguém se esse alguém estiver lá para prestar atenção.

Da mesma forma, faz sentido se a marca é uma comunicação pela comunicação: um comentário, uma opinião, uma crença fortemente mantida. Não há provas científicas de que isso seja verdade, mas é consistente com a comunicação feita apenas para uma plateia. Os pesquisadores descobriram que os cães criados em isolamento fazem muito menos barulhos comunicativos do que aqueles criados com outros cães. Quando finalmente misturados com outros, no entanto, eles começam a produzir vocalizações no mesmo nível que os cães socializados. Em outras palavras, eles falam quando existe alguém *a* quem dirigir a fala.

Assim como marcam com intenção, os cães também interpretam intenções em nossas marcações: em nossos gestos. Como veremos nos próximos capítulos, eles interpretam a linguagem corporal dos humanos com a mesma atenção dirigida à leitura uns dos outros. Da mesma forma que um bebê cambaleia em direção a um brinquedo desejado, um cão consegue ver onde ele está indo e chega lá antes. Uma virada reflexiva de cabeça atrai pouca atenção, mas uma virada de cabeça que olha para a porta — existe intenção naquela virada. E os cães sabem disso. Eles percebem que existe uma diferença entre olhar para a porta e virar para olhar o relógio na parede; eles conseguem distinguir o apontar de um dedo na direção da comida escondida e o apontar enquanto levantamos o braço para verificar a hora no relógio de pulso. Falamos em voz alta com nossos corpos.

Uma confissão: uma cadela ditou esse capítulo inteiro para mim. Ela sentou perto de minha cadeira, cabeça sobre meu pé, e pacientemente esperou enquanto eu lutava para traduzir e escrever suas palavras. É dela que surgem os insights registrados neste livro, é dela que brotam as citações, é dela que emergem as cenas, imagens e *umwelt*.

Lamentavelmente, não chega a tanto. Contudo, basta apenas constatar o número extraordinário de livros aparentemente escritos por cães, para imaginar que isso é o que todos nós desejamos: a história originada diretamente da boca do cão — mas em nossa língua nativa, é claro. No fim do século XIX, um tipo específico de autobiografia começou a aparecer nas livrarias: era a "memória" de seu gato, do seu velho cão, ou do animal que desapareceu naquela tempestade invernal. Narrada por animais falantes, essa forma poderia ser considerada a primeira tentativa em prosa de obter o ponto de vista do cão. Quando leio uma dessas narrativas — e há muitas para escolher, entre elas as de Rudyard Kipling e Virginia Woolf —, um estranho descontentamento me invade. É um blefe: não existe a perspectiva do cão. Ao contrário: trata-se de um cão com a caixa vocal humana transplantada para o focinho. Imaginar que os pensamentos caninos são formas rudimentares do discurso humano presta um desserviço ao cão. E, apesar da maravilhosa gama e extensão de sua comunicação, é o próprio fato de eles não usarem a linguagem falada que me faz apreciá-los de forma muito especial. Seu silêncio pode ser um de seus traços mais atraentes. Não a mudez: a ausência do burburinho linguístico. Não existe mal-estar em um momento de silêncio compartilhado com um cão: um olhar que ele dirige para o outro lado da sala; nós dois deitados sonolentamente um ao lado do outro. É quando a linguagem cessa que nos conectamos mais completamente.

O olhar do cão

Demora apenas seis segundos para Pump passar do sublime ao ridículo. Nos primeiros cinco, ela navega perfeitamente entre os arbustos, moitas e árvores de troncos grossos que emolduram a abertura da floresta para o campo aberto, correndo atrás de uma bola de tênis que passa voando. A bola bate numa árvore e Pump está lá, pronta a quase aspirá-la com a boca. Um cão aparece do nada, um raio de pelo branco e latidos. Pump o vê e dispara em retirada, esquivando-se desse ladrão de bolas de tênis. Naquele sexto segundo, ela para, subitamente desnorteada. Ela me perdeu de vista. Vejo-a me procurar: corpo ereto, cabeça altiva. Estou em seu campo de visão, sorrio para ela. Pump olha em minha direção, mas não me vê. Em vez disso, identifica o homem grande, manco e vestido com um casaco pesado, que chegou junto com o raio branco. Ela o segue. Preciso correr para pegá-la. Um segundo atrás, Pump era todo-poderosa; agora é uma boba.

Existe uma classificação intrínseca dos modos pelos quais nós humanos sentimos o mundo — e a visão ocupa o primeiríssimo lugar.

Os olhos despertam grande interesse nos psicólogos humanos; eles mostram muito mais do que se pode imaginar apenas pela forma física. Por mais bonito que um nariz possa ser, por mais perto que a testa esteja do cérebro, nossos narizes, testas, bochechas ou ouvidos não possuem tanta importância.

Somos animais visuais. Não há desafiantes sérios para o segundo lugar também: a audição faz parte de quase todas as experiências que temos. O olfato e o tato disputam a terceira posição e o paladar ocupa um distante quinto lugar. Também não se trata de dizer que cada um desses sentidos não seja importante para nós em uma ocasião específica. A beleza da apresentação de um, digamos, bolo de casamento com andares múltiplos perderia seu encanto se substituíssemos o esperado gosto de absoluta doçura pelo vinagre. Ou se qualquer outro odor, a não ser o de massa assada, emanasse do bolo — ou ainda a primeira mordida não fosse macia e derretesse na boca, mas sim crocante ou viscosa. No entanto, na maioria das vezes, primeiro dirigimos nosso olhar para um novo cenário ou objeto. Quando percebemos algo incomum ou inesperado na manga de nosso casaco, nós nos viramos para examiná-lo com os olhos. A visão teria que realmente deixar de nos fornecer qualquer informação antes de decidirmos aprender sobre essa coisa inalando-a ou lambendo-a.

A ordem das operações é inversa para os cães. O focinho vence os olhos e a boca vence as orelhas. Devido à acuidade do olfato canino, faz sentido que a visão desempenhe um papel coadjuvante. Quando um cachorro vira a cabeça em nossa direção, não é tanto para nos olhar com os olhos, mas sim para deixar que seu nariz nos olhe. Os olhos simplesmente fazem parte do conjunto. Você pode ser o alvo de um olhar suplicante de um cão que está do outro lado da sala nesse exato momento. Mas será que os cães conseguem realmente ver o que fazemos?

De muitas formas, o sistema visual canino — um meio subsidiário de olhar o mundo — é muito parecido com o nosso. Seu rebaixamento de posto em relação aos outros sentidos, pode na realidade, permitir aos cães enxergar detalhes que nós não conseguimos ver.

Caberia até perguntar por que um cão precisa de olhos. Eles conseguem se deslocar e encontrar comida com seus focinhos extraordinários. Qualquer objeto que exija um exame mais detalhado é logo abocanhado. E eles conseguem identificar uns aos outros por intermédio do aparelho sensorial espremido entre a boca e o nariz, o órgão vomeronasal. Como descobrimos, eles têm, pelo menos, dois usos cruciais para os olhos: complementar os outros sentidos e nos ver. A história natural do olho canino, visto sob a perspectiva de seus antepassados, os lobos, explica o contexto no qual sua visão se desenvolveu. É um efeito colateral positivo e transformador que a visão os tenha tornado bons observadores dos seres humanos.

Um único elemento da vida dos lobos ajuda muito a explicar os olhos que desenvolveram: comer. A maior parte de sua comida foge. E não é só isso. A comida é frequentemente camuflada ou vive na relativa segurança de rebanhos. Ela é ativa — e, portanto, encontrável — ao anoitecer, ao amanhecer ou de noite. Logo, os lobos, como todos os predadores, evoluíram em resposta às suas presas. Por mais importante que seja o cheiro, ele não pode ser o único indicador da presença delas, uma vez que as correntes de ar transportam odores por caminhos tortuosos antes de atingirem o nariz. Os odores são voláteis: se o cheiro permanece sobre uma superfície, um nariz sensível consegue rastreá-lo; mas se ele está no vento, é como uma nuvem, que poderia ter vindo de milhares de lugares. Uma presa em movimento corre mais rápido que seu odor. As ondas de luz, em contrapartida, são transmitidas de forma estável ao ar livre. Assim, após sentirem um cheiro suave, os lobos usam a visão para localizar a presa. Muitas dessas presas se camuflam para se misturarem ao meio ambiente. No entanto, essa camuflagem é traída pelo movimento. Portanto, os lobos se tornaram peritos em identificar uma mudança na cena visual que indique que algo está em movimento. Finalmente, as presas são muitas vezes ativas ao anoitecer ou ao amanhecer, um meio termo em relação à luz: mais fácil de esconder, mais difícil de ver. Em resposta, os lobos desenvolveram olhos especialmente sensíveis à pouca luz e eficientes na percepção de movimentos nesse tipo de iluminação.

Os olhos dela são poços profundos marrons e pretos. Por serem tão escuros, é difícil ver para onde estão olhando, mas tornam encantador qualquer vislumbre de suas íris, como se olhássemos dentro de sua alma. Os cílios só se tornaram aparentes quando ficaram grisalhos. As sobrancelhas também são essencialmente invisíveis, mas o efeito de seus movimentos — como quando coloca a cabeça no chão para me seguir andando pela sala — é visível. Ao dormir, durante os sonhos, os olhos vasculham o mundo sob suas pálpebras. Mesmo fechadas, as pálpebras revelam um pouco de rosa espiando, como se ela estivesse se mantendo preparada para abrir os olhos imediatamente caso algo importante aconteça por ali.

À primeira vista, esses olhos de rastreamento de presa são muito parecidos com os nossos: esferas viscosas instaladas em buracos. Nossos olhos são aproximadamente do mesmo tamanho dos olhos do cão. Apesar de a cabeça deles variar tão significativamente em tamanho (quatro cabeças de chihuahua cabem na boca de um wolfhound — não que alguém vá conferir esse dado), as dimensões dos olhos variam muito pouco entre as raças. Os cachorros de porte menor, como os filhotes e as crianças, possuem olhos grandes em comparação com o tamanho de suas cabeças.

Porém, pequenas diferenças entre os olhos de humanos e os dos cães tornam-se imediatamente aparentes. Primeiro, os nossos estão localizados bem no meio do rosto. Olhamos para a frente, e as imagens da periferia desaparecem gradualmente na escuridão dos arredores das nossas orelhas. Embora existam variações, a maioria dos olhos caninos está situada mais para a lateral de suas cabeças, da mesma forma que os dos outros quadrúpedes, o que permite uma visão panorâmica do ambiente: 250 a 270 graus, em contraste com os 180 graus dos humanos.

Se examinarmos com mais atenção, descobriremos outra diferença importante. A anatomia superficial de nossos olhos é reveladora: ela mostra para onde olhamos, como nos sentimos, nosso nível de atenção. Embora os olhos caninos e humanos sejam semelhantes em tamanho, nossas pupilas — o centro negro do olho que deixa a luz entrar — variam consideravelmente quando estamos em uma sala escura, excitados, amedrontados (expandindo em até nove milímetros de largura), na luz brilhante do sol, ou extremamente descontraídos (contraindo para um milímetro). As pupilas caninas, em contrapartida, são relativamente fixas, medindo aproximadamente de três a quatro milímetros, qualquer que seja a luz ou o nível de excitação do cão. Nossas íris, os músculos que controlam o tamanho da pupila, tendem a ser coloridas para contrastar com a pupila, azul, marrom ou verde. Não é o caso da maioria dos cães, cujos olhos são com frequência tão monocromaticamente escuros que nos lembram lagos profundos, depósitos de todas as formas de pureza ou desolação que podemos atribuir a eles. E a íris humana fica no meio da esclera — o branco — do olho, enquanto muitos (mas nem todos) os cães possuem muito pouca esclera. O efeito anatômico geral é que sempre conseguimos ver para onde outra pessoa está olhando: a pupila e a íris apontam o caminho, e a quantidade de esclera revelada o enfatiza. Sem uma esclera proeminente ou uma pupila distinta, os olhos de um cão não indicam a direção de sua atenção tal como fazem os nossos.

Mais perto, começamos a ver diferenças significativas entre espécies. Os cães conseguem captar *mais* luz do que nós. Quando a luz entra no olho do cão, ela passa pela massa gelatinosa que detém as células nervosas na retina (voltaremos a essa questão mais tarde), depois atravessa a retina na direção de um triângulo de tecido, que a reflete de volta. Esse *tapetum lucidum*, "tapete de luz" em latim, é responsável por todas as fotografias que temos de nosso cão com uma luz brilhante no lugar onde seus olhos deveriam estar. A luz que entra no olho do cão bate na retina, pelo menos duas vezes, resultando não em uma duplicação da imagem, mas em uma duplicação da luz que torna visíveis as imagens. Tudo isso faz parte de um sistema que permite aos cães ter uma melhor visão noturna e sob pouca luminosidade. Nós conseguimos identificar claramente um fósforo sendo aceso a distância em um noite escura; já o cão consegue detectar a chama efêmera de uma vela acesa. Os lobos árticos passam metade do ano vivendo em total escuridão; se aparecer uma chama no horizonte, eles possuem olhos capazes de localizá-la.

OS OLHOS DO APANHADOR DE BOLAS

É dentro do olho — naquela retina que recebe a luz duas vezes — que, um a um, os hábitos característicos dos cachorros podem ser ligados à sua anatomia. A retina, uma folha de células no fundo do globo ocular, transforma a energia da luz em sinais elétricos emitidos para o cérebro, o que nos leva a sentir que vimos algo. Muito do que vemos tem sentido apenas para nossos cérebros, claro — a retina apenas registra a luz —, mas sem ela, a retina, experimentaríamos apenas a escuridão. Até mesmo mudanças muito sutis na configuração da retina podem mudar a visão radicalmente.

Há duas mudanças pequenas na retina canina: a distribuição das células fotorreceptoras e a velocidade com que elas operam. A primeira propicia a capacidade dos cães de perseguir uma presa, pegar uma bola de tênis em movimento, a sua indiferença à maioria das cores e a incapacidade de verem algo bem à frente de seus focinhos. A última leva ao desinteresse deles por novelas que são forçados a assistir quando os donos deixam a televisão propositalmente ligada ao sair de casa. Examinaremos essas questões em seguida.

Pega a bola!

Algumas das coisas mais importantes para os humanos verem são todos os outros humanos situados a uma pequena distância de seus rostos. Nossos olhos olham para a frente, e nossas retinas possuem fóveas: áreas centrais com uma abundância descomunal de fotorreceptores. Ter tantas células no centro da retina faz com que sejamos muito bons em enxergar objetos bem à nossa frente em grandes detalhes, foco e cores fortes. Perfeito para identificar a massa colorida e disforme vindo em sua direção como o namorado ou um inimigo mortal.

Somente os primatas possuem fóveas. Em contrapartida, os cães possuem o que é denominado *area centralis*: uma região central ampla com menos receptores do que a fóvea, mas com mais receptores do que as partes periféricas do olho. O que está diretamente na frente da cara do cão é visível para ele, mas do ponto de vista do foco aquilo não fica tão nítido quanto o seria para nós. O cristalino, que ajusta sua curvatura de modo a focar a luz que entra na retina, não se ajusta às fontes de luz próximas. Na realidade, os cães podem não enxergar objetos pequenos que estejam logo diante de seus focinhos (entre vinte e cinco a quarenta centímetros), porque possuem menos células retinais dedicadas ao recebimento de luz daquela parte do mundo visual. Você não precisa mais ficar intrigado com a incapacidade de seu cão para encontrar um brinquedo em que ele está quase pisando: ele não tem a visão para percebê-lo, a não ser que dê um passo atrás.

As raças de cachorro diferem tanto com relação às suas retinas que eles veem o mundo de forma diferente. A *area centralis* é mais pronunciada nas raças de focinho curto. Os pugs, por exemplo, possuem *areas centralis* fortes — quase como uma fóvea. Porém, não possuem uma "faixa visual", o que os cães com focinhos longos (e os lobos) têm. Nos afegães e retrievers, por exemplo, a *area centralis* é menos pronunciada, e os fotorreceptores da retina são mais densos ao longo de uma faixa horizontal que atravessa o meio do olho. Quanto mais curto o focinho, menos faixa visual; quanto mais longo, mais faixa visual. Os cães com faixas visuais têm uma visão panorâmica maior e de qualidade mais alta, assim como uma visão periférica mais ampla que a dos humanos. Os cães com *area centralis* pronunciada focam melhor o que está na frente de suas caras.

De uma forma pequena, porém significativa, essa diferença explica algumas tendências comportamentais das raças. Os pugs não são, em geral, conhecidos como "cães de bola", mas os labradores de focinhos compridos são. Não por causa de seus focinhos compridos. Além da capacidade deles para usar bem milhões de células olfativas, os labradores são visualmente equipados para notar, digamos, uma bola de tênis passando na altura do horizonte, sem precisar mudar o olhar. Para um cão com focinho curto (assim como para todos os humanos com qualquer tamanho de nariz), uma bola atirada para o lado simplesmente desaparece na periferia se não for seguida com a cabeça. Em contraste, os pugs provavelmente são melhores em focar objetos próximos — digamos, as caras dos donos em cujos colos eles sentam. Alguns pesquisadores especulam que essa visão relativamente restrita os tornam mais atentos a nossas expressões e os faz parecer serem mais sociáveis.

Pega a bola verde!

Os cães não são daltônicos, ao contrário do que muitos acreditam. No entanto, as cores desempenham um papel menos importante do que têm para nós, e a razão disso são as retinas. Os humanos possuem três tipos de cones, os fotorreceptores responsáveis por nossa percepção de detalhes e de cores: cada um é disparado por comprimentos de ondas vermelhas, azuis ou verdes. Os cães possuem apenas dois: um é sensível ao azul e o outro ao amarelo esverdeado. E eles possuem menos destes dois do que os humanos. Então, experimentam uma cor com muito mais intensidade quando ela está no espectro do azul ou verde. Ah, então uma piscina bem limpa deve parecer reluzente para um cão.

Como resultado dessa diferença nas células dos cones, qualquer luz que nos pareça amarela, vermelha ou laranja simplesmente não parece igual para um cão. Consequentemente, eles não estão nem aí quando lhes pedimos para trazer grapefruits do mercado e ficamos irritados quando trazem tangerinas. Mesmo assim, objetos laranjas, vermelhos e amarelos ainda podem parecer diferentes para eles: as cores possuem luminosidades diferentes. O vermelho pode ser visto como um verde; o amarelo, como uma cor mais forte. Se parecem capazes de discernir o vermelho do amarelo, é porque estão observando uma diferença na *quantidade* de luz que essas cores refletem na direção deles.

Para imaginar como tudo isso ocorre, considere a hora do dia em que nosso sistema de cores se decompõe: ao pôr do sol, logo antes do anoitecer. Se você estiver ao ar livre — em um parque, no pátio, ou em qualquer lugar em contato com natureza —, dê uma olhada ao redor. É possível observar a aquarela natural exuberante de tons de verde acima de você sutilmente assumindo uma tonalidade mais modesta. Você ainda consegue enxergar o chão, mas os detalhes — as lâminas de grama, as camadas das pétalas — ficam reduzidos. A profundidade do campo visual fica de alguma maneira encurtada. Tenho tendência a tropeçar mais do que o normal em pedras cinzas protuberantes que se misturam com a terra. A razão para a perda das informações visuais é anatômica. Os cones, agrupados próximo ao centro da retina, não são sensíveis à luz baixa, logo não disparam com tanta frequência ao pôr do sol ou à noite. Como resultado, nossos cérebros captam sinais de menos células que detectam cores. E o mundo próximo fica um pouco mais nivelado: ainda podemos ver que há cor e ainda podemos detectar claros e escuros, mas a riqueza das cores gradualmente desaparece; as cores são granulosas, menos detalhadas. É possível que também seja assim para os cães, mesmo no meio do dia.

Como não distinguem uma grande variedade de cores distintas, os cães raramente mostram preferências por elas. Uma guia vermelha e uma coleira azul não afetam seu cão de forma alguma. Porém, uma cor profundamente saturada pode atrair mais atenção de um cão, assim como um objeto colocado contra um fundo de cores contrastantes. Pode ser significativo que seu cão ataque e estoure todos os balões azuis ou vermelhos abandonados ao final de uma festa de aniversário: eles são mais visíveis em um mar de cores pastéis.

Pega a bola verde balançando... na televisão!

Os cães compensam sua falta de cones com uma bateria de bastonetes, o outro tipo de fotorreceptor na retina. Os bastonetes disparam mais em situações de luz baixa e quando há mudanças na densidade da luz, que são vistas como movimentos. Nos olhos humanos, os bastonetes se agrupam na periferia, nos ajudando a observar algo se movimentando no canto de nossa visão, ou quando os cones diminuem seus disparos ao pôr do sol ou à noite. A densidade dos bastonetes nos olhos dos cães varia, mas eles possuem até três vezes mais bastonetes do que nós. Você pode fazer com que aquela bola que seu cão não está vendo bem na frente dele apareça magicamente dando-lhe um pequeno empurrão. A acuidade com relação aos objetos próximos melhora muito quando eles estão quicando.

Todas essas diferenças no comportamento, na percepção e na experiência do cão resultam de algumas pequenas mudanças na distribuição das células no fundo do globo ocular canino. E há outra pequena alteração que resulta em uma grande diferença — potencialmente mais importante do que uma mudança na área focal ou na capacidade de ver cores. Nos olhos de todos os mamíferos, bastonetes e cones transformam ondas luminosas em atividade elétrica por meio de uma mudança na pigmentação das células. A mudança leva tempo — muito pouco tempo. Porém, nesse intervalo, uma célula que processa luz oriunda do mundo não pode receber mais luz para processar. O ritmo no qual as células realizam essa atividade leva ao que é chamado de frequência crítica de fusão, o número de instantâneos fotográficos do mundo que os olhos conseguem captar em cada segundo.

Na maioria das vezes, experimentamos o mundo se relevando suavemente, não como uma série de sessenta imagens estáticas a cada segundo — que é a nossa frequência crítica de fusão. Dada a rapidez com que os eventos que importam para nós acontecem, em geral esse ritmo é suficientemente rápido. Uma porta que fecha pode ser agarrada antes que bata; um aperto de mão pode ser retribuído antes de ser retirado em sinal de contrariedade. Para criar um simulacro de realidade, os filmes — conhecidos na língua inglesa como *moving pictures*, literalmente "imagens em movimento" — devem exceder nossa frequência crítica de fusão apenas ligeiramente. Só assim não perceberemos que eles são apenas uma série de imagens estáticas projetadas em sequência. Entretanto, *perceberemos* se um rolo de filme antigo (pré-digital) diminui de velocidade no projetor. Embora as imagens, em geral, estejam sendo mostradas mais rápido do que conseguimos processá-las, quando o ritmo diminui, vemos o filme hesitar, com intervalos escuros entre os quadros.

Eis porque as luzes fluorescentes são tão perturbadoras: elas operam muito próximas da frequência crítica de fusão humana. Os dispositivos elétricos usados para regular a corrente da luz funcionam exatamente a sessenta ciclos por segundo, o que aqueles de nós com frequências críticas de fusão ligeiramente mais rápidas conseguem ver como uma centelha (e ouvir como um zumbido). Todas as luzes domésticas tremeluzem fluorescentemente para as moscas, que possuem olhos extremamente diferentes dos nossos.

Os cães também possuem uma frequência crítica de fusão mais alta do que os humanos; setenta ou mesmo oitenta ciclos por segundo. Essa condição fornece uma pista da razão pela qual eles não aderiram a um hábito característico dos humanos: nosso fascínio constante pela tela da televisão. Como nos filmes, a imagem de sua televisão (não digital) é, na verdade, uma sequência de imagens estáticas enviadas rápido o suficiente para enganar nossos olhos de modo que vejam um fluxo contínuo. Porém, não é suficientemente rápido para a visão canina. Eles veem os quadros individuais e também o espaço escuro entre eles como se através de um estroboscópio. Essa situação — aliada à falta de odores emanando da televisão — talvez explique por que a maioria dos cachorros não pode ser plantada em frente a uma televisão para distraí-lo. Nada daquilo parece real.*

Pode-se dizer que os cães veem o mundo mais rapidamente do que nós, mas o que eles realmente fazem é ver apenas um pouco *mais* do mundo a cada segundo. Ficamos maravilhados com a habilidade aparentemente mágica dos cães de pegar um frisbee em voo, ou de seguirem uma bola que está quicando rapidamente. O procedimento para pegar o frisbee, conforme documentado em análises

---

* A conversão para a televisão inteiramente digital eliminará o problema da frequência crítica de fusão, tornando o programa mais viável (mas não mais interessante do ponto de vista olfativo) para os cães — que, sem dúvida, são ambivalentes a esse respeito.

de trajetória e gravação de vídeos, combina perfeitamente com a estratégia navegacional naturalmente usada pelos jogadores de beisebol para se alinhar com a trajetória de uma bola que vem em sua direção. Com exceção de alguns jogadores fenomenais, os cães realmente conseguem ver a nova localização do frisbee, ou da bola, uma fração de segundo antes que nós. Nossos olhos estão piscando internamente naqueles milissegundos que um frisbee em voo se move em seu rumo na direção de nossas cabeças.

Os neurocientistas identificaram uma enfermidade cerebral incomum em alguns humanos denominada "akinetopsia". Os akinetópsicos possuem uma espécie de cegueira para movimentos: eles têm dificuldades em integrar uma sequência de imagens em uma percepção normal do movimento. Uma pessoa com akinetopsia pode começar a encher uma xícara de chá e depois não registrar uma mudança até muitas imagens mais tarde, quando então a xícara já estará transbordando. Da mesma forma que as pessoas sem danos cerebrais estão para os akinetópsicos, os cães estão para nós: eles veem as frestas entre nossos momentos. Devemos sempre parecer um pouco lentos. Nossas respostas para o mundo são um infinitésimo de segundo mais lentas do que as dos cães.

UMWELT VISUAL

Com a idade, de repente Pump começou a relutar em entrar no elevador; talvez não enxergasse bem na escuridão após voltar da rua. Eu a motivava, ou pulava para dentro primeiro, ou jogava algo levemente colorido no chão do elevador para atraí-la. Então, finalmente, todas as vezes ela se animava e pulava para dentro, como se cruzando um grande abismo, menina corajosa.

Então, os cães conseguem enxergar uma parte daquilo que nós enxergamos, mas não conseguem ver da forma como vemos. A própria construção de sua capacidade visual explica uma ampla gama de comportamentos caninos. Primeiro, com um campo visual amplo, eles veem bem o que está ao seu redor, mas menos bem o que está logo diante deles. As próprias patas provavelmente não estão em um foco ideal. Que prodígio então usarem tão pouco as patas, comparados à nossa confiança nas extremidades de nossos membros dianteiros para podermos manipular o mundo. Uma pequena mudança na visão leva a alcançar, agarrar e manipular menos.

Da mesma forma, os cães conseguem focar nossos rostos, mas não detectam os olhos tão bem. Isso significa que eles enxergam melhor uma expressão facial completa do que um olhar significativo e que eles seguirão um ponto ou um giro no olhar melhor do que uma olhada sub-reptícia do canto do olho. A visão deles complementa seus outros sentidos. Embora possam localizar um som no espaço sem grande exatidão, sua audição é suficientemente boa para que virem os olhos na direção correta de modo a permitir uma busca visual mais acurada... e depois examinar mais de perto com o focinho.

Por exemplo, os cães nos reconhecem pelo cheiro, mas também é claro que eles nos olham. O que estão vendo? Se nosso cheiro não está disponível — você está a favor do vento ou ensopada de perfume —, eles só podem usar pistas visuais. Eles hesitarão se ouvirem sua voz os chamando, mas não é seu rosto na pessoa que se aproxima, ou sua forma característica de andar, ou sua boca se mexendo ao chamar o nome dele. Pesquisas recentes confirmaram tudo isso ao examinar o comportamento dos cães quando ouvem a voz do dono ou a de um estranho, acompanhada por uma imagem (em um monitor grande) do rosto do dono ou do rosto do estranho. Os cães olharam mais tempo para os rostos incongruentes: o rosto do dono, quando acompanhado pela voz do estranho, e o rosto do estranho, quando acompanhado pela voz do dono. Se fosse apenas o fato de que o cão preferisse o rosto do dono, eles teriam sempre olhado para aquele rosto por mais tempo. Em vez disso, eles olhavam por mais tempo quando havia algo surpreendente: uma combinação incompatível.

Os elementos físicos da visão definem e circunscrevem as experiências caninas. Há um elemento a mais nessa experiência: o papel da visão na hierarquia dos sentidos. Para criaturas visuais, como nós, existe um prazer peculiar quando primeiro encontramos algo através de um de nossos sentidos não visuais. Chegar à porta de meu apartamento e cheirar algo maravilhoso — abrir a porta e ouvir os sons de fritura nas panelas, o tinir dos talheres; ser intimada a provar uma garfada do conteúdo da panela com os olhos fechados — torna uma experiência familiar uma novidade. Apareço apenas para conferir a cena com os olhos: meu namorado à minha frente preparando o jantar e fazendo uma bagunça.

Chegar a algo através dos sentidos secundários é primeiro desconcertante, depois introduz um sentimento de novidade ao cotidiano. Como os cães possuem sua própria hierarquia de sentidos, imagino que eles também possam sentir o mistério de chegar a algo por outro meio que não o do focinho. Essa situação pode explicar a dificuldade deles em entender alguns de nossos primeiros pedidos (*Sai do sofá!* — disse para minha cadelinha nova, enquanto ela me olhava de forma penetrante), e o orgulho que parecem ter ao aprender um detalhe do nosso mundo visual.

Embora nossos mundos visuais se sobreponham, os cães atribuem sentidos diferentes aos objetos vistos. Um cão-guia precisa aprender o *umwelt* do humano: os objetos que são importantes para um cego, não aqueles do interesse dos cachorros. Tente fazer seu cão reconhecer a existência do meio-fio. O que significa um meio-fio para um cão? Com persistência, os cães conseguem aprender, mas a maioria deles simplesmente não o *vê* como sendo um meio-fio: não se trata de ser invisível, mas de não haver qualquer significado importante no meio-fio para eles. A superfície embaixo de suas patas pode ser áspera ou macia, escorregadia ou pedregosa, pode ter cheiro de cães ou de homens; mas a distinção entre calçada e rua é uma distinção humana. Um meio-fio é apenas uma variação pequena da altura da massa endurecida que cobrimos de sujeira e que apenas tem sentido para os que se preocupam com conceitos tais como *ruas, pedestres* e *trânsito*. O cão-guia precisa aprender a importância do meio-fio para seu companheiro. Ele precisa aprender o significado de um carro veloz, uma caixa de correio, outra pessoa se aproximando, uma maçaneta. E ele aprenderá: ele pode começar a associar o meio-fio com o listrado distintivo de uma passagem de pedestres, com as galerias pluviais fedorentas que correm ao longo dele, ou com a mudança de claridade do concreto para o asfalto. Os cães são muito melhores em aprender o que importa para nós em nosso mundo visual do que nós para entendermos o que importa para eles. Ainda não consigo entender por que Pump ficava excitada com a mera visão de um cão tipo husky que aparecia na esquina. No entanto, após uma década, comecei a perceber que ela ficava, sim, excitada. Por outro lado, ela foi mais rápida em reconhecer a importância que eu atribuía a certos objetos — a distinção entre o sofá gasto e minha poltrona favorita com relação à sua chance de sentar nela; o ato de pegar os chinelos, que me faz rir, *versus* pegar os tênis de corrida, cuja entrega provoca a minha censura.

Há uma última faceta inesperada da experiência visual do cão: eles enxergam detalhes que nós não vemos. O fato de a capacidade visual canina ser relativamente fraca acaba sendo uma vantagem para eles. Por não tentarem captar o mundo inteiro apenas com os olhos, eles conseguem enxergar detalhes que nós não percebemos. Os humanos são observadores gestálticos: todas as vezes que entramos em uma sala, captamos tudo em pinceladas grandes: se algo está mais ou menos onde esperávamos que estivesse... sim... paramos de olhar. Não examinamos a cena procurando mudanças pequenas, ou até mesmo radicais; podemos deixar de ver um buraco escancarado na parede. Não acredita nisso? Em todos os momentos de nossas vidas, não percebemos um espaço em branco: aquele em nosso campo visual causado pela própria construção de nossos olhos. O nervo ótico, a rota neural que transmite informações das células da retina para as do cérebro, transpassa a retina no caminho de volta para o cérebro. Assim, se mantivermos nossos olhos parados, existe uma parte do campo visual à nossa frente que não é capturada pela retina, pois lá não há retina para capturá-la. É o ponto cego.

Nunca notamos essa lacuna escancarada à nossa frente porque nossa imaginação preenche esse ponto com o que esperamos que esteja lá. Nossos olhos se movimentam para um lado e para outro de forma inconsciente e constante — movimentos denominados *saccades* — para completar a cena visual. Nunca sentimos ponto que falta. Da mesma forma, também temos um ponto cego para aquilo que é ligeiramente diferente, porém suficientemente parecido com o que esperamos ver. Como criaturas visualmente bem adaptadas, nossos cérebros estão equipados para encontrar sentido nas informações visuais enviadas, apesar das lacunas e das informações incompletas.

Talvez estejamos bem adaptados demais. Os animais conseguem ver boa parte do que deixamos de ver. A famosa cientista autista Temple Grandin demonstrou essa realidade com as vacas. Muitas vezes, as vacas guiadas ao longo de rampas ziguezagueantes em direção ao abatedouro empacam, começam a dar coices e se recusam a ir adiante. Na medida de nosso conhecimento, elas não compreendem o que acontecerá no abatedouro. Em contrapartida, há pequenos detalhes visuais que as surpreendem ou ameaçam. O reflexo da luz em uma poça; uma capa de chuva amarela isolada; uma sombra repentina; uma bandeira ondulante na brisa: detalhes aparentemente insignificantes. Certamente, somos capazes de enxergar esses elementos visuais, mas não os percebemos como as vacas.

Nesses aspectos os cães estão mais próximos das vacas do que de nós. Os humanos rapidamente rotulam e categorizam as cenas. Andando para o trabalho ao longo de uma rua de Manhattan, o trabalhador típico se isola totalmente do mundo a seu redor. Ele não vê mendigos nem celebridades; não se assusta com ambulâncias ou passeatas; simplesmente sai do caminho de uma multidão reunida olhando boquiaberta para... bem, seja lá para o que olham as multidões boquiabertas: raramente paro para ver. Na maioria das manhãs, a rota é reduzida a seus marcos; nada mais precisa ser percebido. Há uma boa razão para acreditar que não seja essa a forma como pensam os cães. A caminhada no parque se torna familiar com o tempo, mas eles não param de olhar. Eles ficam muito mais impressionados pelo que realmente veem — os detalhes imediatos — do que o que eles esperam ver.

Tendo em mente a maneira dos cães enxergarem, como será que eles aplicam sua capacidade visual? De forma inteligente: eles nos olham. Uma vez que um cão tenha aberto os olhos e nos visto, algo extraordinário acontece. Ele passa a nos observar. Os cães nos veem, mas as diferenças em sua visão também parecem lhes permitir enxergar algo sobre nós que nem mesmo nós enxergamos. Em pouco tempo, temos a impressão de que eles conseguem ver o interior de nossas mentes.

Visto por um cão

Fico assustada e um pouco confusa ao tirar os olhos de meu trabalho e ver Pump me fitando, seus olhos fixos em mim. Um cão que olha você nos olhos exerce uma influência poderosa. Estou no radar dela: parece que ela não está apenas me olhando, mas olhando para dentro de mim.

Olhe um cão nos olhos e você sentirá claramente que ele também olha de volta. Os cães retribuem nosso olhar. Seu olhar é mais do que apenas olhar para nós; eles nos olham da mesma forma como nós os olhamos. A importância do olhar do cão, quando ele é dirigido a nossos rostos, é que esse olhar denota uma postura mental. Ele envolve atenção. Um olhar significa prestar atenção a você e, possivelmente, prestar atenção ao que está chamando a sua atenção.

Em seu nível mais básico, a *atenção* é um processo de dar prioridade a determinados aspectos entre todos os estímulos que bombardeiam um indivíduo em um dado momento. A atenção visual começa com *olhar*; a atenção auditiva com *ouvir*; ambas as ações são possíveis para todos os animais com olhos e ouvidos. Entretanto, simplesmente possuir o aparelho sensorial não é suficiente para fazer aquilo que, em geral, queremos dizer com *prestar atenção*: considerar aquilo para o qual nos voltamos para olhar ou ouvir.

Quando usada pelos psicólogos, a atenção é tratada não apenas como girar a cabeça na direção de um estímulo, mas como algo além disso: um estado mental que indica interesse, intenção. Ao prestarmos atenção ao giro de cabeça de alguém, podemos estar demonstrando um entendimento do estado psicológico de outras pessoas — uma capacidade especificamente humana. Prestamos atenção àquilo que atrai a atenção de outros porque isso ajuda a prever o que o outro fará em seguida, o que ele pode ver e o que talvez saiba. Um dos problemas de muitos autistas é a incapacidade, ou a falta de inclinação, para olhar nos olhos de outra pessoa. Como consequência, eles não são instintivamente capazes de entender quando outra pessoa está prestando atenção — ou como manipular a atenção dos outros.

A simples capacidade para focar em certas coisas, enquanto ignora outras, é crucial para qualquer animal: os objetos que vemos, cheiramos ou ouvimos podem ser mais ou menos relevantes para nossa sobrevivência. Preste atenção àqueles mais importantes, ignore o resto da paisagem visual ou a confusão de sons. Mesmo que a sobrevivência não seja mais uma preocupação premente, os humanos estão constantemente tentando dirigir, desviar ou atrair a atenção. Algum mecanismo de atenção é necessário para realizarmos nossas tarefas cotidianas: ouvir alguém falando conosco, planejar o caminho até o trabalho, até mesmo lembrar o que se pensava havia um minuto.

Os cães, animais sociais como nós, e que também estão mais ou menos livres das pressões da sobrevivência, certamente possuem alguns mecanismos interessantes com os quais observam o mundo.

Em função de suas capacidades sensoriais diferentes, no entanto, eles são capazes de prestar atenção a coisas que nunca percebemos, tais como as mudanças em nosso odor ao longo do dia. Da mesma forma, focamos cuidadosamente em coisas que os cães nem sequer percebem, tais como diferenças sutis no uso da linguagem.

Entretanto, o que distingue os cães dos outros mamíferos, até mesmo de outros mamíferos domésticos, é a forma com que sua atenção se assemelha à nossa. Como nós, eles prestam atenção aos *humanos*: à nossa localização, aos movimentos sutis, aos humores, e, mais avidamente, aos nossos rostos. Uma maneira popular de ver os animais é achar que, se eles nos olham, nos olham por medo ou fome, monitorando-nos como possíveis predadores ou presas. Não é verdade; o cão olha de uma forma muito específica para os humanos.

O grau de tal especificidade é objeto de uma louca arrancada nas pesquisas contemporâneas sobre as capacidades cognitivas do cão. Tais pesquisas usam como referências os marcos no desenvolvimento das crianças, o que é bem documentado e cujo resultado é óbvio: ao chegar à idade adulta, todos nós entendemos o que significa prestar atenção. O que as pesquisas sobre cães revelam é que eles possuem algumas das mesmas habilidades que nós.

OS OLHOS DE UMA CRIANÇA

Para cães e humanos, tudo começa com algumas tendências comportamentais inatas. Prestar atenção e entender não são atividades automáticas, mas se desenvolvem naturalmente a partir desses instintos. As crianças, como a maioria dos animais, possuem um reflexo orientador básico: movimentam-se, da melhor maneira ou na medida máxima possível, na direção de uma fonte de calor, comida ou segurança. Os recém-nascidos viram o rosto para o calor e para sugar: o reflexo de busca. Nessa idade, as crianças não conseguem fazer muito mais. Os patinhos mais precoces perseguem incansavelmente qualquer adulto que veem.* Tanto nos patinhos quanto nas criancinhas, esse reflexo se baseia em uma das primeiras capacidades perceptuais: conseguir, pelo menos, *perceber* a presença de outros. É uma capacidade que, já em nossos primeiros anos, nos ajuda a aprender sobre o importante fato que é a atenção dos outros.

Para os humanos, ao longo da infância, há uma sequência previsível do desenvolvimento de determinados comportamentos associados a esse entendimento crescente das outras pessoas. Trata-se de aprender a prestar atenção a determinadas coisas — humanos — no mundo e começar a entender que os outros também prestam atenção. E essa postura começa assim que abrem os olhos. Os recém-nascidos são capazes de enxergar, embora não muito bem. Eles são incrivelmente míopes: rostos observadores e balbuciantes colocados a centímetros do seu podem ser nítidos, mas o nível de nitidez do mundo acaba por aí. Um dos primeiros objetos que as crianças observam é qualquer rosto nas proximidades. Na verdade, nossos cérebros possuem neurônios especializados que disparam quando vemos um rosto. As crianças conseguem perceber e preferem olhar para um rosto ou algo parecido com ele — até mesmo três pontos formando um V — em vez de outras cenas visuais. Desde cedo na

---

* O etólogo Konrad Lorenz demonstrou, de forma espetacular, essa tendência da jovem ave aquática na década de 1930, ao posicionar-se como a primeira criatura adulta vista por um punhado de gansinhos cinzentos. Eles o seguiram prontamente, e Lorenz acabou por criar a ninhada como se fossem seus filhos.

vida, elas fitam por mais tempo* aquilo que lhes interessa, estando o rosto da mãe entre os primeiros itens de interesse. Em pouco tempo, elas também aprendem a distinguir um rosto que olha em sua direção daquele que olha em outra direção. Essa é uma habilidade simples, mas nada trivial: em meio a toda a cacofonia visual do mundo, as crianças precisam começar a notar a existência de objetos, que alguns deles estão vivos, que alguns dos objetos vivos são mais interessantes que outros e que alguns dos objetos vivos interessantes prestam atenção a elas quando as olham.

Após tudo isso ter sido estabelecido e já com sua acuidade visual aprimorada, as crianças focam nos detalhes daquele rosto. Elas adoram brincar de esconde-esconde: uma brincadeira simples que envolve a importância dos olhos. Como os psicólogos demonstraram ao mostrar a língua e fazer caretas para crianças, as muito jovens conseguem imitar expressões simples. Claro, essas expressões não possuem o significado que terão mais tarde (devemos presumir que as crianças não estão realmente mostrando a língua de forma irreverente para os psicólogos, embora talvez desejássemos que esse fosse o caso). Simplesmente, as crianças estão aprendendo a usar os músculos faciais. Aos três meses, elas aprendem e começam a reagir aos outros fazendo caretas e sorrindo socialmente. Elas movimentam a cabeça para olhar outros rostos próximos. Aos nove meses, seguem o olhar de outra pessoa e veem onde ele para. Elas podem usar esse

---

* Os psicólogos que estudam o desenvolvimento baseiam-se no fato de que, embora as crianças não consigam relatar o que pensam, sempre olham por mais tempo na direção daquilo que as interessa. Usando essa característica do comportamento infantil, os especialistas coletam dados sobre o que as crianças conseguem ver, distinguir e entender, bem como sobre suas preferências.

olhar para encontrar algum objeto que pediram ou que foi escondido delas. Com o tempo, elas expandem a linha de visão ao designar um ponto com o dedo, pulso ou braço, para pedir um objeto; e, em seu primeiro aniversário, para mostrar ou compartilhar.

Esses comportamentos refletem o entendimento crescente da criança em relação ao fato de que as outras pessoas prestam atenção, a qual pode ser dirigida a objetos de interesse: uma mamadeira, um brinquedo ou eles mesmos. Entre 12 e 18 meses, elas começam a se envolver em disputas de *atenção conjunta* com outras crianças: olhar nos olhos, depois olhar para outro objeto e, em seguida, voltar ao contato visual. Tudo isso marca um progresso: para atingir uma "conjunção" completa, a criança precisa, em algum nível, entender que não apenas elas duas olham junto, mas estão *prestando atenção* juntas. Elas entendem que existe alguma conexão invisível, porém real, entre as outras pessoas e os objetos que estão em seu campo visual. Ao fazerem isso, a confusão pode se instaurar. As crianças podem começar a manipular a atenção dé outros simplesmente olhando para algum lugar. Elas seguem a direção do olhar dos adultos, apontam e começam a observar se eles estão olhando para elas enquanto fazem atividades que desejem compartilhar (ou esconder). Elas lançarão um olhar esperançoso para os adultos antes de apontarem para si mesmos ou se mostrarem. Elas trabalham com afinco para receber atenção olhando para eles. E podem começar saindo de uma sala em momentos importantes ou escondendo objetos da visão de um adulto. (Esse comportamento os deixa bem preparados para se tornarem adolescentes difíceis.)

Tornamo-nos caracteristicamente humanos através dessas mesmas fases do desenvolvimento. Em poucos anos, uma criança passa do olhar despropositado, através de olhos virgens, para o olhar significativo, olhando para os outros, seguindo o olhar de outros. Alegres, elas mantêm contato visual. Em pouco tempo, usam o olhar para obter informações, para manipular o olhar de outros — por meio da distração, evitando o olhar ou apontando — e para obter atenção. Em algum momento, elas percebem que existe uma mente por trás desse olhar.

A ATENÇÃO DOS ANIMAIS

> Ela se aproxima, fica a um palmo de mim e começa a ofegar, olhos abertos e sem piscar, para indicar que precisa de algo.

Passo a passo, os pesquisadores cognitivos têm mapeado essas fases do desenvolvimento com um novo sujeito: os animais não humanos. Em que medida a trajetória da criança é acompanhada pelos animais? Após abrirem os olhos, eles olham com intenção? Percebem os olhos dos outros? Entendem a importância da atenção?

Essa é uma faceta do estudo da cognição animal que investiga o que um sujeito animal entende sobre os "estados mentais" de outros. A maioria desses experimentos é do tipo que os humanos dominam bem: testes de cognição física e social. Animais cativos — de caracóis a pombos, cães de savana, chimpanzés — foram colocados em labirintos; apresentados a tarefas de contagem, categorização e nomeação; solicitados a discriminar, aprender e lembrar séries de números e imagens. Tarefas são projetadas para verificar se eles reconhecem, imitam ou enganam outros — ou até mesmo se reconhecem a si mesmos. E, em alguns testes, a questão é ainda mais caracteristicamente humana: o tipo de pensamento social presente quando os animais interagem — com membros de sua própria espécie e com os de outras espécies. Quando um chimpanzé enjaulado olha para um tratador, ele está pensando algo sobre esse acompanhante? Ele se pergunta como convencê-lo a abrir o portão (ele se pergunta qualquer coisa que seja?) ou está simplesmente esperando para ver o que esse objeto colorido e animado próximo a ele faz que pode ser relevante ou interessante? Um gato considera um rato como sendo um agente, um animal com vida, ou vê o rato como uma refeição móvel que precisa ser detida e destroçada?

Como já mencionamos, a experiência subjetiva dos animais é notoriamente difícil de investigar cientificamente. Como nenhum animal pode ser solicitado a relatar suas experiências oralmente ou por escrito*, o comportamento deve ser nosso guia. Claro que ele também tem suas deficiências, visto que não podemos afirmar que quaisquer comportamentos semelhantes de dois indivíduos indicam estados psicológicos semelhantes. Por exemplo, sorrio quando estou feliz... mas posso também sorrir de preocupação, incerteza ou surpresa. Você sorri de volta para mim: também pode ser de felici-

---

* Bem, na maior parte das vezes. Kanzi, o bonobo, e Alex, o papagaio africano cinzento, estão entre aqueles que foram perguntados e responderam: Alex foi capaz de criar e pronunciar sentenças de três palavras novas e coerentes baseadas em um vocabulário construído ao ouvir às escondidas os pesquisadores; Kanzi possui um vocabulário de centenas de palavras de lexigramas (figuras simbólicas) que ele consegue apontar para se comunicar. E uma única cadela, Sofia, foi treinada para usar um teclado simples de oito teclas relacionadas a eventos aprendidos, como dar um passeio, entrar em uma cesta e obter comida ou um brinquedo. Ela aprendeu a pressionar a tecla apropriada para fazer um pedido. Como uma forma de comunicação, esse comportamento está mais próximo de pedir pelo jantar ao trazer o prato vazio até o dono do que dominar o uso de uma língua plenamente. Enunciados mais abstratos não foram relatados (nem foram projetados teclados abstratos).

dade — ou por irônica indiferença. Para não falar da quase impossibilidade de determinar se sua "felicidade" é igual à minha.

Assim, mesmo sem ter uma verificação constante dos estados mentais dos outros, o comportamento é um guia bom o suficiente para nos permitir prever o comportamento futuro do animal a ponto de interagir pacífica e produtivamente com ele. Dessa maneira, estudamos o que os animais fazem — sobretudo o que eles fazem que seja semelhante ao que os humanos fazem. Uma vez que usar e seguir a atenção é tão importante na interação social humana, os pesquisadores da cognição animal buscam comportamentos capazes de indicar se um animal usa a atenção.

Em anos recentes, os cães marcharam corajosamente para dentro de laboratórios experimentais, instalações ao ar livre controladas, e para as planilhas de dados que buscam reunir informações sobre sua capacidade de usar a atenção. Os animais são colocados em ambientes mantidos sob controle, em geral com um ou mais pesquisadores presentes, e um objeto desejável oculto: um brinquedo ou uma guloseima. Ao variar as pistas utilizadas para informar aos cães sobre a localização do petisco, os estudiosos procuram determinar quais delas são significativas para os animais.

A questão é simplesmente determinar até que fase do desenvolvimento da atenção infantil os cães conseguem chegar. A atenção começa com um olhar, e olhar exige capacidade visual. Já estabelecemos o que os cachorros conseguem enxergar; sabemos o que eles veem. Eles entendem a atenção?

O olhar mútuo

Um olhar é mais do que parece: quando olhamos para alguém é quase como se *agíssemos* sobre essa pessoa. Conforme meus alunos descobriram em suas experiências de campo, o contato visual chega muito perto da sensação de um contato tátil real. Existem regras tácitas e, no entanto, amplamente compartilhadas que governam o contato visual com os outros — a violação dessas regras pode ser considerada um ato de agressão ou de intimidade. Podemos encarar um indivíduo com desdém numa tentativa de subjugá-lo; ou, ao contrário, manter um olhar longo e firme para mostrar um interesse mais cobiçoso.

Com pequenas variações, essa situação poderia descrever com a mesma facilidade a forma com que os animais não humanos usam o contato visual. Entre os macacos, o contato visual é impregnado de importância: ele pode ser usado como uma ação agressiva e será evitado por um membro submisso de um grupo. Encarar um animal dominante significa convidar-se a ser atacado. Os chimpanzés não somente evitam olhar, eles evitam ser olhados. Os subordinados andam com desânimo, olhando para baixo, para o chão, ou para os próprios pés; apenas furtivamente eles olham ao redor. Também nos lobos, um olhar fixo pode ser considerado uma ameaça. Logo, o elemento "agressivo" do contato visual é igual ao dos humanos. A variação é a seguinte: todos os animais não humanos com uma capacidade visual significativa irão dirigir o olhar para algo interessante, mas, se o objeto que despertou seu interesse é um membro de sua própria espécie, a pressão social do olhar em geral desvia o olhar de interesse.

Assim, seria de se esperar que os cães agissem um tanto diferentemente de nós em relação ao olhar mútuo. Uma vez que eles evoluíram de uma espécie em que um olhar significa, na maioria das vezes, uma ameaça, talvez seja melhor considerar o fato de eles evitarem o contato visual menos como uma falta de capacidade do que o resultado de sua história evolucionária. Mas... espere um momento! Os cães nos encaram. Eles olham uns para os outros bem de frente: no nível dos olhos. A maioria dos donos relata que seus cães os olham diretamente nos olhos.*

Portanto, algo mudou nos cães. A ameaça de agressão evita o olhar mútuo entre lobos, chimpanzés e macacos; já em relação aos cães, a informação que eles podem obter ao nos olhar nos olhos faz valer a pena enfrentar qualquer medo atávico residual de que um olhar possa provocar um ataque. O fato de os humanos responderem bem ao olhar profundo de um cão é uma circunstância feliz — e, por causa disso, nosso vínculo com eles é reforçado.

Para dizer a verdade, pode ser menos "contato visual" do que "contato facial".** Em função da anatomia superficial do olho ca-

---

* É possível defender o argumento de que esse comportamento foi reforçado por causa do valor que o olhar tem para a sobrevivência humana. Assim como acontece com as crianças bem jovens, o rosto de um adulto contém muita informação, inclusive dados importantes sobre a origem da próxima refeição. Um etólogo do início do século XX, Niko Tinbergen, descobriu que os filhotes de gaivota são fortemente atraídos para os bicos com manchas vermelhas das gaivotas adultas (e também para qualquer graveto com manchas vermelhas que um etólogo tinha colocado lá).

** Os cães mostram uma tendência adicional — que as pessoas também possuem — quando olham para os rostos: eles olham primeiro para o lado esquerdo (ou seja,

nino — a falta de distinção entre a íris e a parte branca do olho — a direção específica do olhar muitas vezes só pode ser confirmada de uma distância mais próxima do que as câmeras de vídeo dos cientistas conseguem se posicionar. Gerações de criadores caninos deram preferência ao traço de olhos escuros em suas crias. Os cães com íris de cor clara são muitas vezes considerados aparentemente instáveis ou dissimulados — o que é irônico, visto que podemos ver com clareza quando eles evitam o contato visual. Porém, apesar de eliminarmos as íris claras através do cruzamento, não conseguimos eliminar a dissimulação, apenas nossa *consciência* do fato de que os cães mudam o olhar. Os olhos em movimento rápido se tornam menos evidentes. Dormimos melhor à noite tendo um cão de feições tranquilas ao pé da cama do que um de olhos nervosos e agitados. Para todos os propósitos, no entanto, podemos dizer que um cão e um humano "se olham mutuamente" quando ficam cara a cara.

A atração elementar do olhar ainda afeta o comportamento do cão. Se você encara seu animal sem piscar, ele pode olhar em outra direção. Ao ser abordado por um cachorro que parece agressivo ou interessado demais, um cão pode desviar parte dessa excitação olhando para o lado. Castigar ou acusar seu cachorro e ao mes-

---

para o lado direito do rosto). Até mesmo as crianças mostram esse "olhar enviezado", olhando primeiro e por mais tempo para o lado direito de um rosto examinado. Ao observar mais atentamente os cães, os pesquisadores descobriram que eles compartilham esse olhar — quando olham para rostos humanos. Quando olham para outros cães, eles não mostram esse tipo de olhar. A razão disso continua sendo uma questão não respondida: talvez expressemos emoções de forma diferente em cada metade do rosto; e talvez os cães expressem emoções de uma forma mais simétrica (orelhas tortas à parte). Os cães aprenderam a olhar os humanos da mesma forma como os humanos olham seus semelhantes.

mo tempo encará-lo pode também provocar um recatado desvio do olhar. Considerando o olhar evasivo facilmente reconhecível do homem culpado confrontado com seu acusador, não surpreende que os humanos atribuam o mesmo sentimento ao cão. A recusa a sustentar nosso olhar contribui para uma aparência de culpa, sobretudo quando já estamos certos de que algo foi feito para inspirá-la. Se eles sentem culpa ou atavismo, isso não é óbvio.

Porém, o fato de os cães estarem dispostos a nos olhar nos olhos nos permite tratá-los um pouco mais como humanos. Aplicamos a eles as regras implícitas que acompanham as conversas humanas. É comum ver um dono interromper a repreensão a um "cão travesso" para virar a cabeça dele na direção de seu rosto. Queremos que os cães olhem para nós quando falamos com eles — assim como acontece na conversação humana, na qual os ouvintes olham para o rosto do falante mais do que o inverso. (É interessante não olharmos um para o outro sem parar quando conversamos; causaria desconforto se alguém o fizesse.) Há mais contato visual direto entre humanos que falam íntima ou honestamente, e tendemos a estender essa dinâmica conversacional a nossos cães. Chamamos seus nomes antes de falar com eles, tratando-os como interlocutores voluntários, embora taciturnos.

Acompanhando o olhar

Não acontece de repente, mas pouco tempo após levar o cão ou o filhote para casa pela primeira vez, você vai notar algo: nada na casa é seguro. Os cães treinam os humanos a repentinamente se tornarem organizados: guardar sapatos e meias quase imediatamente após serem retirados; levar o lixo para fora antes que acumule; não deixar nada no chão que possa se encaixar na boca de um filhote excitado e irrefreável cujos dentes estão despontando. É provável que ocorra uma paz temporária. Afinal, você pode esconder coisas atrás de portas fechadas, em armários trancados e sobre prateleiras altas. Os cães olham, desnorteados, na direção da área em que o (sapato, pacote de comida, chapéu) sumiu misteriosamente. Mas logo você perceberá que o cão aprendeu algo novo: *você* é a fonte das mudanças misteriosas — e você tem uma tendência a se delatar.

Como? Você olha. Quando pegamos uma meia e a colocamos em outro lugar, não estamos ligados a ela apenas pela mão; a ação é acompanhada de um olhar. Olhamos na direção que vamos seguir. Mais tarde, quando discutimos o roubo feito mais cedo pelo cão, podemos tornar a olhar para o abrigo seguro. De novo, nosso olhar revela a localização da meia; o olhar por si mesmo constitui informação. Já fomos apresentados a essa capacidade de usar a direção do olhar de outra pessoa, o assim chamado *acompanhamento do olhar*, que as crianças aprendem antes de completar o primeiro ano de vida. Os cães fazem isso mais cedo ainda.

Um olhar que pretende compartilhar informações é simplesmente um ponto marcado sem as mãos. Acompanhar um ponto é uma capacidade ligeiramente mais simples. Claro que os cães veem uma porção de apontamentos e gestos ao observar os membros humanos de suas famílias. Essa pode ser a fonte que alimenta sua capacidade de acompanhar o olhar ou pode simplesmente ser responsável por trazer à tona uma capacidade inata de extrair todas as informações possíveis de nosso comportamento. Os pesquisadores testam os limites da capacidade dos cães, natural ou aprendida, em várias experiências, colocando-os em um contexto em que podem extrair informações do gesto que uma pessoa faz quando aponta. Por exemplo, uma guloseima ou qualquer outra comida desejada pode ser escondida sob um de dois baldes colocados de cabeça para baixo enquanto o sujeito-cão não está na sala. Após as pistas odoríferas terem sido mascaradas, o cachorro precisa escolher um dos dois. Se escolher corretamente, ele é recompensado com comida; caso contrário, não. Uma pessoa que sabe qual balde deve ser escolhido fica em pé nas proximidades. Os chimpanzés receberam variações dessa tarefa em ambientes de pesquisa em cativeiro. Surpreendentemente, embora pareçam ser capazes de seguir um apontamento, eles nem sempre se saem bem acompanhando apenas o olhar.

Os cães se saem admiravelmente bem. Eles conseguem acompanhar alguém que aponta, apontamentos feitos ao lado e por trás do corpo do apontador, e se saem ainda melhor se o apontamento incluir um dedo direcionado ao balde com comida.* Eles não aprenderam apenas sobre a importância de um braço estendido. Apontar com o cotovelo, o joelho e as pernas também serve como informação. Se lhes for dado até mesmo um apontamento momentâneo — um vislumbre de um apontamento —, ainda assim a informação é captada. Eles conseguem seguir uma pista apontada pela imagem dos donos em tamanho real projetada em vídeo. Embora não tenham braços para apontar, eles superam os chimpanzés que

---

* Vale frisar que essa capacidade é confirmada pelo fato de o cão acompanhar uma das mãos apontada para um de dois baldes com comida a taxas "significantemente acima do acaso". Isso quer dizer que eles não escolhem aleatoriamente o primeiro balde. Ao contrário, escolhem o balde apontado entre setenta a oitenta e cinco por cento das vezes. O que é bom, embora ainda avaliem erroneamente de quinze a trinta por cento das vezes! As crianças de três anos acertam o balde todas as vezes. Isso nos sugere que o sucesso dos cães provavelmente resulta de um processo de entendimento diferente do nosso.

fizeram o mesmo teste. Melhor ainda, os cães conseguem extrair informações simplesmente usando a direção da cabeça da pessoa — seu olhar — como fonte. Você pode até esconder aquela meia de um chimpanzé, mas um cão a encontrará.

O uso da atenção pelos cães fica ainda mais interessante em casos menos óbvios. Não apenas quando apontamos e eles olham, mas também quando decidem nos informar que precisam sair para passear, ou querem que uma bola seja lançada para eles pegarem. Ou quando precisam nos contar uma novidade muito importante a respeito do lugar onde uma comida gostosa caiu e ficou fora do alcance deles enquanto estávamos fora da sala. Brincar com humanos é um contexto rico para o possível surgimento de algumas dessas habilidades; paradigmas experimentais também manipulam as informações possíveis de serem extraídas da atenção de outras pessoas. Todos os sinais indicam que os cães parecem entender como atrair atenção, como fazer pedidos usando a atenção e que tipo de desatenção lhes permite escapar impunes quando se comportam mal.

Atraindo atenção

A primeira dessas capacidades, quando observada nas crianças, é chamada de "atração de atenção". Informalmente, você pode conhecê-la como qualquer coisa que seu cão faz para interferir no que você está tentando fazer no momento. Mais formalmente, esses são comportamentos capazes de mudar o foco da atenção de alguém ao entrar no campo visual dessa pessoa, provocar barulhos discerníveis ou fazer contato. Pular subitamente em cima de você é uma conduta familiar dos cachorros para atrair atenção, embora não seja tão apreciada. Latir é outra. No entanto, seus meios de atrair atenção não estão restritos ao cotidiano. Meios menos reconhecidos incluem cutucar, arranhar ou simplesmente se plantar bem na frente de alguém: que chamei de *na sua cara* em meus dados sobre as brincadeiras caninas. Os cães-guia usam "lambidas sonoras" — mastigadas audíveis — para despertar a atenção do deficiente visual quando necessário. Por vezes, a excitação da brincadeira os leva a inventar técnicas novas também. Minhas sessões favoritas para observá-los são aquelas em que um cão bem-disposto, porém frustrado, imita o comportamento do objeto de seu interesse de brincadeira não correspondido: aproximar-se e beber da tigela da qual o outro cão está bebendo — e usando isso como um meio para lamber o rosto dele; ou agarrar um graveto encontrado por outro cão que não deseja dividi-lo com ninguém.

Em geral, os cães usam regularmente formas de atrair nossa atenção e são frequentemente recompensados com ela. No entanto, a menos que demonstrem alguma sutileza na aplicação desses comportamentos, usá-los não comprova uma compreensão plena de nossa atenção. Pode ser que eles estejam simplesmente utilizando todas as ferramentas sua disposição para resolver o problema de atrair nosso olhar. Uma criança grita, você corre para perto dela: uma forma de atrair atenção acaba de surgir. As observações das brincadeiras de cães com humanos demonstram o quanto grosseiro ou sutil é o uso desses comportamentos. Existem cães que latirão continuamente para uma bola de tênis resgatada enquanto os donos socializam com os membros de sua própria espécie. Embora latir seja uma boa forma de atrair atenção, não estará sendo bem aplicada se continua mesmo após não ter atingido seu objetivo. Por outro lado, também existem indícios de maneiras muito sutis de atrair atenção visual em resposta à atenção dividida de seus donos. Ao mudar a postura — se estava sentado fica em pé, se estava em pé se aproxima —, os cães conseguem de novo envolver os donos pelo menos o bastante para que joguem a bola ou voltem à brincadeira.

Exemplos da flexibilidade dos esforços caninos para atrair a atenção são vistos com uma frequência muito grande. Se seu cão não consegue fazer com que abandone o romance que está lendo e levante da cadeira simplesmente se aproximando de você, ele pode desaparecer e voltar carregando um sapato ou outro item proibido. Provavelmente, isso o fará castigá-lo com delicadeza e voltar para seu livro. Ele então entenderá que táticas mais drásticas são necessárias. A próxima pode ser um choramingo ou um latido experimental; uma intervenção tátil — um empurrão leve com o focinho molhado, uma fuçada ou um salto; ou até mesmo desabar ruidosamente no chão a seus pés dando um suspiro. Eles estão tentando atrair sua atenção e, nesse caso, do melhor jeito possível.

Mostrando o que desejam

Até agora, os cães acompanharam o desenvolvimento infantil: olhando, acompanhando um apontamento e usando formas de atrair atenção. Mas será que eles também apontam, do melhor jeito possível, utilizando seus corpos? Eles apontam com a cabeça para *mostrar* algo a você?

Uma vez mais, pesquisadores estabeleceram uma situação pressupondo que ele acionaria essa conduta, se tal capacidade existisse. A cena é a tarefa de seguir o olhar, agora invertida. Aqui, em vez de serem os ingênuos, os cães são bem informados, porém impotentes: sozinhos, assistem a um pesquisador esconder uma guloseima deploravelmente longe de seu alcance. Em seguida, seus donos entram na sala e os pesquisadores apontam suas câmeras para os cães: eles veem os donos como ferramentas capazes de ajudá-los? Caso positivo, eles comunicam aos donos o lugar da guloseima?

Nesses casos, parece que os únicos animais obtusos na sala são os humanos, que podem não enxergar no comportamento do cão uma tentativa de lhes mostrar algo. Esse comportamento consiste em uma variedade de formas de atrair atenção (tais como latir), seguidas, crucialmente, por olhares insistentes que vão do dono ao local onde a guloseima se encontra. Em outras palavras, apontar com o olhar: mostrar.

Esse comportamento é diariamente visível em ambientes não experimentais. Os cães que adoram pegar bolas costumam devolve-las babadas na frente — diante do rosto — do atirador da bola, não pelas suas costas. E, se a bola é erroneamente largada do lado que o dono responde, o cão possui um arsenal de formas de despertar a atenção dele, seguido por alterações de olhar incessantes — olhar para o rosto do humano que segura a bola e rapidamente voltar a olhar para a bola. O cão inquieto e faminto por atenção nunca fica satisfeito em deixar cair as meias encontradas atrás de você; elas são deixadas dentro de seu campo visual — ou largadas bem em cima de seu colo.

Manipulando a atenção

Finalmente, os cães usam a atenção dos outros como uma fonte de informação, tanto para obter algo que desejam, como, mais extraordinariamente, para saber quando podem fazer algo e escapar impunes.

As pesquisas confirmaram esse comportamento ao investigar se os cães fazem escolhas inteligentes quando lhes é oferecida a chance de escolher a pessoa a quem solicitar comida. Se todas elas fossem fontes boas e equivalentes de comida, seria de esperar que os cães abordassem todas as pessoas com a mesma expressão implorante — meio súplica, meio expectativa. Existem cães que se comportam assim, claro,* e existem os que guardam suas súplicas para os açougueiros, ou para os donos que enchem os bolsos com pedacinhos de carne de fígado. Mas a maioria dos cães faz uma distinção que é importante para nós quando desejamos algo: distinguem colaboradores possíveis e impossíveis. Fazemos pedidos apropriados de acordo com o conhecimento e a capacidade de nossa plateia. Você não pede ao padeiro para explicar a teoria das cordas, nem solicita a um físico um pão de forma de sete grãos fatiado.

Nos ambientes experimentais que examinam os mesmos quatro elementos — cão, pesquisador, comida e conhecimento —, os cachorros parecem distinguir entre os humanos que podem lhes ser úteis e aqueles que provavelmente não podem. Quando uma pessoa com um sanduíche é vendada, ou está olhando em outra direção, os cães inibem o máximo possível a compulsão de se aproximar do

---

* Cães que frequentemente acabam sendo chamados de *cães de gente* devido ao seu interesse entusiasmado pelos donos, e não por outros cachorros.

sanduíche. Em vez disso, se houver uma pessoa sem venda por perto, eles dirigirão suas súplicas a ela. Que essa seja uma lição: implorar por comida durante as refeições pode ser motivado pelo contato visual com o cão — mesmo que seja por um tempo suficiente para dizer a ele *não adianta pedir!* Alternativamente, encarregue uma pessoa para ser receptiva aos pedidos do cão, e toda a atenção dele fluirá para ela. (As crianças são excelentes nessa função.)

Os cães também abordam pessoas vendadas com cautela — como é apropriado em uma situação em que se desconhece que se é o sujeito de uma experiência. Esses experimentos que usam personagens não receptivos e estranhamente vestidos são típicos dos testes psicológicos. Em algum nível, eles são úteis para evitar a possibilidade de o sujeito ter experimentado o ambiente que está prestes a encontrar. Em outras palavras, os testes procuram descobrir o que os cães entendem intuitivamente sobre os estados de conhecimento dos humanos, não o que eles podem ter aprendido sobre o que fazer quando se deparam com uma pessoa vendada. Mesmo assim, o cão é confrontado com o que devem ser algumas horas bastante bizarras.

Variações dessas experiências foram realizadas primeiramente com chimpanzés. Naquele contexto, o estado de atenção do humano foi considerado como indicativo de algo que ele conhece. Alguém que vê comida sendo escondida em uma cesta é um "conhecedor"; alguém que fica parado na mesma sala, mas tem um balde sobre a cabeça, não é. Os chimpanzés pediram ajuda à pessoa conhecedora ou aquele que adivinha a localização da comida (adivinhando corretamente por acaso e de vez em quando)? Ao longo do tempo, os chimpanzés aprendem a pedir ao informante conhecedor, mas apenas quando o adivinhador tenha saído da sala ou ficado de costas enquanto o balde é enchido. Quando o adivinhador simplesmente tem o olhar bloqueado — com um balde, saco de papel ou venda — os chimpanzés pedem a ele da mesma forma.

Os cães passaram por experiências com humanos estranhos vestindo baldes, vendados ou que seguravam livros na frente dos olhos, o que lhes bloqueava a visão. Eles superam os chimpanzés: escolhem pedir aos que podem ver — aqueles cujos olhos não estão bloqueados. É exatamente assim que agimos: preferimos falar, lisonjear, convidar ou aliciar os que têm os olhos visíveis. Os olhos significam atenção, que significa conhecimento.

Melhor, os cães usam esse conhecimento com fins manipuladores. Os pesquisadores descobriram que os cachorros não apenas entendem que estamos atentos, mas são sensíveis ao que podem fazer impunemente de acordo com os diferentes níveis de atenção dos donos. Em uma das experiências, após serem instruídos a se *deitar* (e obedientemente fazê-lo), os cães foram observados em três testes. Na primeira condição, o dono levanta e olha para seu animal. O resultado? O cão permanece deitado: perfeitamente obediente. Na segunda, o dono se senta e passa a assistir à televisão: nesse caso o cão faz uma pausa, mas logo desobedece e se levanta. E, na terceira condição, o dono não apenas ignora o cão, mas sai da sala, deixando-o sozinho com o comando ainda ecoando em seus ouvidos.

Aparentemente, o eco não dura muito, pois nesses testes os cães foram mais rápidos e mais propensos a desobedecer ao comando tão bem obedecido quando o dono estava por perto. O surpreendente não é que os cães tenham desobedecido quando o dono saiu. Ao contrário, o que surpreende é que os cães façam o que as crianças de dois anos, os chimpanzés, os macacos e nenhum outro animal parecem fazer: simplesmente perceber o grau exato de atenção de alguém e variar seus comportamentos de acordo com ele. Metodicamente, os cães usaram o nível de atenção de seus donos para saber em que circunstâncias eles poderiam infringir as regras — da mesma forma que usaram as informações de outros cães para atrair a atenção deles em momentos de brincadeira.

No entanto, a leitura da atenção feita pelo cão é extremamente contextual. Quando a mesma experiência foi realizada usando comida — aquele grande motivador para obter o melhor desempenho possível —, o limite da desobediência diminuiu: os cachorros desobedeceram mais rapidamente e em níveis mais baixos de distração do dono. Quando a atenção do dono era mais difícil de ser avaliada — quando ele falava com alguém ou estava calmamente sentado com os olhos fechados — o comportamento canino variou. Alguns sentaram pacientemente, mas foram ficando cada vez mais impacientes e se preparando para ficar em pé assim que o dono deixava a sala. Outros cães levavam ainda mais tempo para desobedecer quando os donos deixavam a sala do que quando permaneciam nela, mas fazendo outras coisas. Essa falta de lógica pode ser explicada pelo grau de desenvolvimento, que varia de cão para cão. Alguns donos estabelecem uma rotina com uma sequência de comandos: *Senta! Fica!* (pausa longa e torturante), *Ok!*. Nesse processo, pode-se ter passado um tempo muito longo antes de a autorização para pegar a comida ser dada. Os cães aguentam esse nosso jogo com um autocontrole admirável. Porém, se o dono começa a conversar com alguém na sala — ocupado em obter a atenção de outrem —, céus, o jogo acaba.

Caso você pense que pode usar essa sabedoria para fazer seu cão obedecer enquanto está no trabalho simplesmente fingindo estar em casa com ele — usando alto-falantes ou vídeos —, uma das experiências mostra resultados muito decepcionantes. Quando uma imagem de vídeo em tamanho real (e bem visível) do dono foi mostrada para cães, eles a desobedeceram em níveis compatíveis com sua permanência em casa sozinhos, sem supervisão. Embora pudessem usar as dicas apontadas pelos donos nos vídeos para ajudá-los a encontrar comida, não deram a menor bola para muitos de seus comandos verbais. Os cães são obedientes, porém mais seletivamente obedientes quando o dono é reduzido a uma imagem de vídeo. Você não pode esperar diminuir o lamento solitário dele simplesmente dizendo-lhe para ficar perto da secretária eletrônica, mas pode dizer-lhe onde encontrar aquela guloseima que você deixou para ele.

Na sua próxima visita ao zoológico, dê uma olhada nas jaulas de macacos. Talvez haja macacos capuchinhos, animais de rabo alto que se movem muito rápido, saltam com facilidade e gritam agudamente. Ou macacos colobus, comedores de folhas, que se movem lentamente e cujo pelo preto e branco frequentemente esconde um pequeno colobus agarrado nele. Observe os macacos-da-neve machos enquanto perseguem as fêmeas de rabo vermelho. Há muito a ser reconhecido aqui em nossos distantes primos evolucionários. Vemos seus interesses, medos e desejos. E a maioria perceberá e reagirá a você — mais provavelmente se distanciando ou virando a cabeça para evitar seu olhar. O que é surpreendente é que os cães, muito menos humanos do que os primatas, são muito melhores em perceber o que está por trás do nosso olhar, como usá-lo para obter informações ou para tirar vantagem. Os cães conseguem nos ver, o que não acontece com nossos primos primatas.

Antropólogos caninos

Eu sou eu porque meu cãozinho me conhece.
— Gertrude Stein

O olhar do cão é um exame, uma consideração: um olhar para outra criatura viva. Ele nos vê, o que pode indicar que ele pensa em nós — e gostamos de ser considerados. Naturalmente, naquele momento em que trocamos olhares, nós nos perguntamos: será que ele está pensando em nós da forma como pensamos nele? O que ele sabe sobre nós?

Nossos cães nos conhecem — provavelmente muito melhor do que nós os conhecemos. Eles são *voyeurs* exímios e curiosos: introduzidos na privacidade de nossos lares, serenamente espionam todos os nossos movimentos. Eles sabem sobre nossas idas e vindas. Acabam por conhecer nossos hábitos: quanto tempo passamos no banheiro, quantas horas passamos assistindo à televisão. Sabem com quem dormimos; o que comemos; com quem dormimos demais; o que comemos demais. Eles nos observam como nenhum outro animal. Compartilhamos nossas casas com inúmeros bichos e insetos: nenhum deles se importa conosco. Abrimos a porta e vemos pombos, esquilos e variados insetos voadores; eles raramente nos percebem. Os cães, ao contrário, nos observam lá do outro lado da sala, da janela e com o canto dos olhos. A observação deles é possibilitada por uma capacidade sutil, porém poderosa, que começa com a visão simples. A visão é usada para prestar atenção visual, que por sua vez é usada para ver em que *prestamos* atenção. De algumas formas, esse comportamento é semelhante ao nosso, mas de outras, ele supera a capacidade humana.

Os cegos e os surdos às vezes mantém cães para verem ou ouvirem o mundo para eles. Para alguns deficientes, um cão pode possibilitar o movimento através de um mundo pelo qual não conseguem circular sozinhos. Assim como os cães podem agir como olhos, ouvidos e pés dos deficientes físicos, eles também podem agir como leitores do comportamento humano para alguns autistas. As pessoas com qualquer tipo de desordem autística estão unidas pela incapacidade compartilhada de entender as expressões, emoções e perspectivas alheias. Como descreve o neurologista Oliver Sacks, os cães podem parecer leitores de mentes humanas para a pessoa autista que os mantém. Embora um autista não consiga interpretar a sobrancelha franzida como a demonstração de preocupação de uma pessoa ou entender o tom elevado da voz dela como sinal de medo ou angústia, o cão é sensível aos sentimentos dela.

Os cães são antropólogos entre nós. São estudiosos do comportamento. Eles nos observam do jeito que a ciência da antropologia ensina seus praticantes a olhar os humanos. Na idade adulta, andamos entre outros humanos, na maior parte do tempo, sem os examinarmos de perto, socialmente treinados para sermos reservados. Até mesmo em relação àqueles que conhecemos bem, podemos parar de prestar atenção a pequenas mudanças em suas expressões, seus humores, suas percepções. O psicólogo suíço Jean Piaget afirmou que, na infância, somos pequenos cientistas, formando teorias sobre o mundo e as testando por meio de ações. Se for assim, somos cientistas que aperfeiçoam suas habilidades apenas para as desprezarmos mais tarde. Amadurecemos ao aprender como as pessoas se comportam, mas posteriormente prestamos cada vez menos atenção ao comportamento delas. Deixamos de lado o hábito de olhar. Uma criança curiosa fita com fascinação um estranho mancando na rua; ela aprenderá que isso não é educado. Uma criança pode ficar extasiada com as folhas na calçada dispersas pelo vento; na vida adulta, fará vista grossa para o mesmo acontecimento. A criança se inquieta com nosso choro, monitora nossos sorrisos; ela olha para onde olhamos. Com o passar do tempo, ainda somos capazes de fazer tudo isso, mas perdemos o hábito.

Os cães não param de olhar — para o deficiente físico andando, para as folhas que caem das árvores, para nossos rostos. O cão urbano pode ser privado de imagens naturais, mas é confrontado por uma abundância de imagens bizarras: o bêbado cambaleando em meio à multidão, o pregador gritando na calçada, os mancos e os mendigos. Todos atraem longos olhares dos cães que passam por eles. O que os torna bons antropólogos é o fato de eles estarem antenados com os humanos: eles percebem o que é típico e o que é diferente. E, igualmente importante, eles não se acostumam conosco, como nós o fazemos — nem crescem para se tornarem como nós.

A DESCONSTRUÇÃO DOS PODERES
PSÍQUICOS DOS CÃES

Essa capacidade de se ligar em nós é encantadora. Os cães são capazes de nos antecipar — e, parece, saber algo essencial sobre nós e os outros. Trata-se de clarividência? De um sexto sentido?

Lembro a história de um cavalo. Na virada do século XX, as ações do cavalo Hans — cuja alcunha irônica, "Hans Esperto", veio a representar tanto o que ele não conseguia fazer quanto um alerta contra a excessiva atribuição de habilidades a animais — contribuíram para moldar o rumo das pesquisas sobre a cognição animal pelos cem anos seguintes.

Segundo seu proprietário, Hans sabia contar. Apresentado a um problema aritmético em um quadro negro, Hans mostrava o resultado raspando os cascos na terra. Embora tivesse sido motivado e reforçado, por meio de condicionamento direto, a bater com o casco, essa não era uma resposta maquinal a perguntas pré-determinadas: ele era excelente em fazer somas e em resolver novos problemas, até mesmo quando aquele que o questionava não era seu adestrador.

Tal era a maneira de pensar naquela época que essa capacidade cognitiva presumidamente latente descoberta nos cavalos criou um pequeno furor. Os adestradores de animais, assim como os acadêmicos, ficaram intrigados com a forma como Hans fazia aquilo. Parecia que não havia outra explicação a não ser que ele realmente era capaz de praticar a aritmética.

Finalmente, o truque — um truque não intencional, desconhecido até pelo dono — foi descoberto pelo psicólogo Oskar Pfungst. Quando impediram que o próprio inquiridor soubesse a resposta do problema, a matemática de Hans tornava-se totalmente equivocada. Hans não fazia contas e não tinha poderes psíquicos; ele simplesmente lia o comportamento do perguntador. Inconscientemente, este sugeria a resposta por meio de pequenos movimentos corporais: inclinando-se para a frente ou afastando-se do cavalo quando ele batia a resposta correta; descontraindo os ombros e os músculos do rosto; inclinando-se muito sutilmente para a frente até a resposta ser obtida.

O Hans Esperto foi e continua sendo uma advertência ao costume de atribuir aos animais capacidades que podem ser explicadas por mecanismos mais simples. Contudo, pensar sobre o uso da atenção pelo cão me faz lembrar o dom de Hans. Embora ele não fosse tão inteligente quanto foi divulgado, sabia muito bem ler os sinais inadvertidamente transmitidos pelas pessoas que o questionavam. Diante de uma plateia com centenas de pessoas, apenas Hans observava o corpo de seu adestrador se curvar para a frente, ficar mais tenso e mais relaxado, fazendo-o supor que deveria parar de raspar o casco no chão. Ele prestava atenção àquelas pistas que continham informações: uma atenção muito maior do que os espectadores humanos traziam para o evento.

A sensibilidade extraordinária de Hans pode ter se originado, paradoxalmente, em outras deficiências. Visto que presumivelmente ele não tinha qualquer noção de números ou de aritmética, não se distraía com aqueles estímulos. Em contrapartida, nossa atenção aos detalhes aparentemente salientes nos levaria a ignorar a única indicação clara da resposta.

Um pesquisador da área de psicologia que conheci, e que faz experiências com pombos, demonstrou esse fenômeno quando ensinava uma turma de universitários. Ele mostrou aos estudantes uma série de imagens de gráficos com barras azuis de vários comprimentos sobre um fundo branco. As imagens se encaixavam em duas categorias, dizia ele: aquelas que possuíam uma característica "x" não especificada e as que não possuíam esse traço. Ele destacou quais imagens continham elementos da categoria x. Em seguida, solicitou aos estudantes que usassem as amostras de imagens para descobrir que condições caracterizavam x.

Após alguns minutos de tentativas frustrantes e infrutíferas, ele revelou que pombos treinados conseguiam, sem qualquer erro, apontar se um novo gráfico satisfazia ou não esse critério ilusório. Os alunos se remexeram constrangidos nas cadeiras. Mesmo assim, ninguém soube responder. Finalmente, o professor deu a resposta: as imagens predominantemente azuis pertenciam à categoria x; as que eram mais brancas, não.

Os alunos ficaram indignados: eles tinham sido superados por pombos. Ao aplicar esse teste em minhas aulas de psicologia, descobri que os estudantes também reclamam da tarefa. Embora nenhum aluno jamais tenha surgido com a solução certa, todos se queixam mais tarde de que a resposta é injusta. Eles procuravam relações mais complexas entre as barras — consistentes com os tipos de relações entre características que os gráficos de barra em geral representam. Mas não existe nenhuma dessas relações; x é simplesmente "mais azul". Apenas os pombos, felizmente ignorantes do que representam os gráficos de barra, enxergaram neles suas cores e perceberam as categorias verdadeiras.

O que os cães fazem é uma versão do que fazem Hans e os pombos. Existem inúmeros relatos anedóticos desse tipo de fenômeno. Um adestrador de cães de resgate coloca as mãos nos quadris exasperadamente quando o cão toma o caminho errado. Outro esfrega o queixo nervosamente. Nos dois casos, os cães aprenderam a usar esses sinais como informações de que estavam na pista errada. (Os adestradores precisaram ser adestrados para não demonstrar tantas pistas.) Enquanto procuramos por explicações mais complexas para um determinado evento, ou para o comportamento dos outros, corremos o risco de desprezar pistas que os cães naturalmente veem. Trata-se menos de percepção extrassensorial do que de uma soma bem elaborada de seus sentidos comuns. Os cães usam suas habilidades sensoriais em combinação com a atenção que prestam em nós. Sem seu interesse em nossa atenção, eles não perceberiam as diferenças sutis em nosso jeito de caminhar, nossas posturas corporais e nossos níveis de estresse como itens importantes de informação. Tudo isso lhes permite prever o que faremos e revelar o que somos.

ELES NOS LEEM

Os cães nos observam, pensam em nós, nos *conhecem*. Quer dizer então que eles possuem algum conhecimento especial a nosso respeito, resultante da atenção focada em nós e na nossa atenção? A resposta é positiva.

De uma maneira não verbal, eles sabem quem somos, o que fazemos e algumas coisas sobre nós que desconhecemos. Somos reconhecíveis pelo olhar e mais ainda por nossos cheiros. Acima de tudo, a maneira como agimos define quem somos. Parte de meu reconhecimento de Pump não deriva apenas da cara dela; é o andar, o caminhar ligeiramente desajeitado e alegre com as orelhas baixas balançando ao ritmo dos passos. Também para os cães, a identidade de uma pessoa não provém apenas de seu cheiro e aparência; é a maneira como ela se movimenta. Somos reconhecíveis por nosso comportamento.

Até mesmo nosso comportamento mais comum — o estilo característico de andar pela sala — está repleto de informações possíveis de serem extraídas pelo cão. Todos os donos de cachorros observam a sensibilidade crescente de seus filhotes aos rituais que precedem aquilo que em muitas casas onde vivem pessoas e cães é chamado de P-A-S-S-E-A-R.* Claro que os cães logo aprendem a reconhecer o ato de calçar sapatos. Daí acabamos esperando que, ao pegar a coleira ou o casaco, estejamos dando pistas a eles. Um horário regular para a caminhada explica sua presciência; mas e se tudo que você fez para que ele entendesse o que você faria em seguida foi apenas tirar os olhos de seu trabalho ou levantar da poltrona?

Se o fizer repentinamente, ou se você cruzar a sala com um andar decidido, um cão atento terá todas as informações de que precisa. Observador habitual de seu comportamento, ele enxerga suas intenções mesmo quando você pensa que não está revelando nada. Como vimos, os cães são mais sensíveis ao olhar e, portanto, às mudanças em nosso olhar. A diferença entre uma cabeça erguida ou abaixada, voltada para longe dele ou em sua direção, é enorme para um animal especialmente sensível ao contato visual. Até mesmo os menores movimentos das mãos ou os ajustes do corpo atraem a atenção. Passe três horas olhando para a tela de um computador, mãos grudadas no teclado, depois olhe para cima e alongue os braços por cima da cabeça — é uma metamorfose! A mudança de

---

* Lógico que soletrar a palavra em vez de dizê-la por inteiro é, em geral, inútil. Os cães também conseguem aprender a conexão entre a cadência de uma palavra soletrada e um passeio subsequente, mesmo se o último não ocorrer imediatamente após o primeiro. Por outro lado, usada em um contexto improvável — digamos, com você imerso na banheira — a palavra soletrada não desperta tanto interesse. Não é muito provável que uma pessoa nua e toda ensaboada se levante e vá passear com ele.

direção de sua atenção é clara — e um cão otimista pode facilmente interpretá-la como o prelúdio de um passeio. Um observador humano competente também perceberia esses sinais, mas raramente permitimos que outras pessoas nos supervisionem tão de perto em nossas atividades diárias. (Nem consideramos isso algo interessante.)

Sua facilidade em antecipar nossas ações é em parte anatômica e em parte psicológica. A anatomia deles — todos aqueles bastonetes fotorreceptores — lhes confere uma vantagem de milissegundos na percepção de movimentos. Eles reagem antes que vejamos que existe algo ao qual reagir. A parte psicológica mais importante é a capacidade de antecipar — prever o futuro a partir do passado — e de associar. A familiaridade com seus movimentos típicos é necessária para antecipar-se a você: um novo filhote pode não se enganar quando fingimos jogar uma bola de tênis, mas com o tempo isso pode vir a acontecer. Mesmo sem essa familiaridade, os cães conseguem fazer associações entre eventos: a chegada da mãe do dono e a colocação de comida na tigela; uma mudança no foco de sua atenção e a promessa de um passeio.

Os cães captam o tema de nossos hábitos cotidianos e, portanto, são especialmente sensíveis às variações desses padrões. Costumamos percorrer o mesmo trajeto quando nos dirigimos a nossos carros, ao nosso trabalho, ao metrô; isso também acontece quando levamos nosso cão para passear. Ao longo do tempo, eles próprios aprendem a rota e conseguem antecipar que vamos virar à esquerda, perto da cerca viva, e à direita, na esquina do hidrante. Se introduzimos um desvio novo no caminho para casa, mesmo que seja desnecessário — dando uma volta a mais no quarteirão —, os cães se ajustam a essa nova rota apenas depois de um pequeno número de saídas. Então eles até começam a se encaminhar para o desvio antes que o dono faça qualquer movimento naquela direção. Essa conduta os transforma em companheiros bons e cooperativos de caminhada — melhor do que muitos humanos com quem já perambulei pela cidade e com os quais esbarro constantemente quando os conduzo por uma rota preferida.

O complemento dessa proeza — a habilidade de se antecipar — é sua suposta capacidade de leitura de caráter. Muitas pessoas deixam seus cães escolherem os potenciais parceiros românticos. Outras afirmam que eles possuem uma boa percepção para julgar caráter, sendo capazes de identificar uma pessoa de má fé, um tipo ruim, no primeiro encontro. Eles podem parecer reconhecer alguém que não é digno de confiança.* O fundamento dessa aptidão talvez seja sua atenção minuciosa ao nosso olhar. Se você se sente hesitante a respeito da aproximação de um estranho, isso transparece, por mais que você não queira. Os cães são, como vimos, sensíveis às mudanças olfativas que surgem com o estresse; também podem notar músculos tensos e mudanças audíveis de respiração rápida ou arfante. (Essas mudanças fisiológicas estão entre aquelas medidas pelos detectores de mentiras: é possível imaginar que um cão treinado possa substituir tanto a máquina quanto o técnico.) Mas eles deixarão sua capacidade visual suplantar esse trunfo ao avaliar uma pessoa estranha ou tentar resolver um problema. Todos nós exigi-

---

* Embora os cães possam de fato perceber diferenças sutis no comportamento das pessoas, suspeita-se que qualquer um que se utilize de um cão dessa maneira possa ser suscetível ao que os psicólogos denominam "*viés de confirmação*": perceber apenas aquela parte da resposta que confirma suas próprias teorias. Aquele homem lhe parece um tanto suspeito? Sim, veja como seu cão rosnou para ele uma vez: confirmado. Os cães se tornam amplificadores de nossas crenças; podemos atribuir-lhes nossos pensamentos.

mos comportamentos característicos quando estamos raivosos, nervosos ou excitados. As pessoas "pouco confiáveis" muitas vezes lançam olhares furtivos enquanto conversam. Os cães percebem esses olhares. Um estranho agressivo pode fazer contato visual arrogante, movimentar-se de forma pouco natural em termos de lentidão ou velocidade, ou mudar estranhamente de direção antes de iniciar a agressão de fato. Os cães percebem o comportamento; eles reagem visceralmente ao encontro de olhares.

Certo fim de ano, quando viajamos para o norte rumo a um lugar onde o inverno era agressivo e verdadeiramente frio, fomos atingidos por uma grande nevasca. Pegamos nossos trenós, encontramos um morro enorme e começamos a descer caprichosamente ladeira abaixo. De repente, Pump se entusiasma e ferozmente nos persegue morro abaixo, mordendo, agarrando e rosnando nas nossas caras. Quando meu rosto coberto de neve foi atacado, não consegui detê-la porque não conseguia parar de rir. Ela estava brincando, mas era uma brincadeira que nunca vira antes: tingida de agressão verdadeira. Quando consegui levantar e remover a cobertura de neve que acumulei na descida, ela se acalmou imediatamente.

Essa clarividência demonstra que os cães não podem ser enganados? Não. Eles são observadores astutos, mas não leem mentes, nem estão imunes a serem ludibriados. Para Pump, eu estava *transformada* quando montei no trenó: na horizontal, coberta de neve, e, mais importante, me movimentando de forma inteiramente diferente. De repente, eu era uma presa, me movendo sem solavancos e em alta velocidade, não uma companheira ereta que caminha devagar.

Minha cadela pode ter um interesse especial em condutores de trenó, mas seu comportamento é semelhante aos padrões de perseguição de muitos outros cães. Os cachorros costumam perseguir bicicletas, skatistas, patinadores, carros ou corredores. A resposta genérica para essa pergunta — por que eles costumam se comportar assim? — está no instinto que eles possuem para perseguir presas. Essa resposta não está inteiramente equivocada, mas é bastante incompleta. Não se trata dos cães pensarem que esses objetos ou pessoas são "presas" em si mesmos. Seus movimentos revelam outra dimensão sua: *Você está rolando! Rapidamente!* Esse é um atributo que altera você aos olhos do cão, que reagem de maneira especial a determinados tipos de movimento. Montar e andar em uma bicicleta não o torna uma presa — conforme indicado pelo fato de que seu cão o cumprimenta, e não o morde, ao desmontar. Essa sensibilidade responsiva provavelmente evoluiu de uma tática de apreensão de presas, mas é aplicada de diversas maneiras. Ela confere à experiência canina uma forma adicional de interpretar os objetos e animais no ambiente. Essa forma tem a ver com a qualidade de seus movimentos.

Existem componentes comuns entre um passeio de trenó, uma volta de bicicleta ou uma corrida: a pessoa se move de uma determinada forma — constante e rapidamente. Os caminhantes se movem, mas não rapidamente: eles não são perseguidos. Pump não me reconheceu ao deslizar de trenó porque, em geral, ao contrário do que eu gostaria, não sou particularmente suave nem rápida em meus movimentos. Existe um excesso de impulsos verticais em meu andar: vou para a frente e para trás; gesticulo bastante — toda frívola ao avançar.

Para que um cão pare de perseguir uma bicicleta com aquele brilho predatório no olhar, basta simplesmente interromper a ilusão: parando de pedalar. O impulso de perseguição acionado pelas células visuais que detectam o movimento diminuirá. (Entretanto, os hormônios envolvidos na excitação de latir e perseguir um objeto que se move suave e rapidamente podem ainda fluir através de seu sistema durante alguns minutos.)

A ciência confirmou a importância do comportamento na construção da identidade. Como nossas identidades — quem somos — são definidas em parte por nossas ações, podemos examinar como nossas ações afetam o reconhecimento do indivíduo que somos. Em uma experiência, os cães demonstraram que não têm qualquer dificuldade em distinguir os estranhos amigáveis dos hostis, os que demonstram identidades diferentes. Para comprovar isso, os pesquisadores dividiram os participantes em dois grupos e pediram aos membros de cada um deles para se comportarem de uma maneira pré-determinada. O comportamento amigável incluía andar a uma velocidade normal, falar com o cão com voz animada e acariciá-lo carinhosamente. O comportamento hostil se caracterizava por ações que poderiam ser interpretadas como ameaçadoras: uma abordagem instável e hesitante combinada com o gesto de encarar o cão sem falar com ele.

O principal resultado desse estudo não é de forma alguma surpreendente: os cães se aproximaram das pessoas amigáveis e evitaram as hostis. Porém, há um tesouro oculto aqui. A questão mais importante é: como os cães reagiam quando uma pessoa anteriormente amigável de repente agia ameaçadoramente? De várias formas: para alguns, a pessoa agora era um tipo totalmente diferente — hostil, de identidade alterada. Para outros, o reconhecimento olfativo do estranho que havia sido amigável sobrepujou o novo comportamento hostil.

No início, essas pessoas eram estranhos para os cães, mas ao longo das várias sessões eles se familiarizaram com elas, que se tornaram "menos estranhas". A identidade delas foi definida em parte pelo cheiro e em parte pelo comportamento.

TUDO SOBRE VOCÊ

A combinação da atenção que nosso cão nos dedica com sua proeza sensorial é explosiva. Vimos que ele percebe o estado de nossa saúde, pura verdade, até mesmo nossa relação com outros humanos. Neste preciso momento ele sabe coisas sobre nós que possivelmente não conseguimos articular.

Os resultados de um estudo indicam que os cães captam os nossos níveis hormonais na interação com eles. Observando donos e cães em atividades que exigiam agilidade, os pesquisadores descobriram uma correlação entre dois hormônios: os níveis de testosterona masculina e os de cortisol canino. O cortisol é o hormônio do estresse — útil para mobilizar sua resposta, digamos, de fuga frente a um leão voraz —, mas também é produzido em condições que são mais psicológicas do que mortalmente urgentes. Os aumentos no nível da testosterona estão vinculados a muitos elementos vigorosos do comportamento, como impulso sexual, agressão e demonstrações de domínio. Quanto mais altos os níveis hormonais dos homens antes da competição de agilidade, maior o aumento do nível de estresse nos cães (quando a equipe perdia). Nesse sentido, os cães de alguma forma sabiam que o nível hormonal de seus donos estava elevado — pela observação do comportamento, através do cheiro ou por ambos, "captando" assim a emoção. Em outro estudo, os níveis de cortisol canino revelaram que os cães eram ainda mais sensíveis ao *estilo* de brincar dos companheiros humanos. Aqueles que brincavam com pessoas que usavam comandos durante a brincadeira — mandando o cão sentar, deitar, ou escutar — acabavam tendo níveis de cortisol pós-brincadeira mais altos; os que brincavam com pessoas que agiam mais livremente e com entusiasmo tinham um nível de cortisol pós-brincadeira menor. Os cães conhecem nossas intenções e são afetados por elas, até quando brincam.

Nosso apego a um cão é, em grande parte, motivado pelo sentimento de que somos reconhecidos e de que nossos comportamentos são previsíveis para eles. Se você já experimentou o primeiro sorriso de uma criança ao se aproximar dela, conhece a emoção de ser reconhecido. Os cães são antropólogos porque estudam e aprendem sobre nós. Eles observam uma parte significativa de nossas interações uns com os outros — nossa atenção, nosso foco, nosso olhar; o resultado dessas observações não é a leitura de nossas mentes, mas a capacidade de nos reconhecer e prever o que faremos. Essa situação transforma uma criança em um ser humano e torna os cães seres ligeiramente humanos também.

Mente nobre

Está amanhecendo e tento sair sorrateiramente do quarto sem acordar Pump. Não consigo ver seus olhos, tão escuros que são camuflados pela pelagem preta. A cabeça repousa tranquilamente entre as patas. Já na porta, penso que consegui — na ponta dos pés e com a respiração suspensa para evitar o radar dela. Mas, então, vejo a protuberância de suas pálpebras elevadas rastreando meu caminho. Ela está de olho em mim.

O cão, como já vimos, é um exímio observador, um usuário hábil da atenção. Existe uma mente pensante, conspiradora, reflexiva, por trás daquele olhar? O desenvolvimento do olhar infantil humano em um olhar atento marca o florescimento da mente humana madura. O que o olhar do cão nos revela sobre a mente canina? Eles pensam em outros cães, neles mesmos, em você? E, a pergunta que não quer calar, mas ainda sem resposta sobre as mentes dos cães: eles são inteligentes?

A INTELIGÊNCIA CANINA

Os donos de cachorros, do mesmo jeito que os pais de primeira viagem, parecem ter sempre um punhado de histórias prontas para descrever o nível de inteligência de seus cães. Afirma-se que sabem quando os donos vão sair e quando retornarão; que sabem como nos enganar e como nos seduzir. Os noticiários estão cheios das últimas descobertas sobre a inteligência canina: sua capacidade para usar palavras, contar ou ligar para um telefone de emergência.

Para verificar essa impressão baseada em histórias isoladas, algumas pessoas desenvolveram os chamados *testes de inteligência* para cães. Estamos todos familiarizados com esses testes para humanos: criações usando papel e caneta que exigem que você solucione problemas do tipo "teste de avaliação de conhecimentos" de escolha de palavras, relacionamentos espaciais e raciocínio. Há perguntas que testam a memória, o vocabulário, as habilidades matemáticas em declínio e a capacidade de discernir padrões e de prestar atenção a detalhes. Mesmo pondo de lado a legitimidade da avaliação da inteligência, o projeto não serve automaticamente para testar cães. Portanto, mudanças foram feitas. Em vez de testes de vocabulário avançado, testes simples de reconhecimento de comandos. Em vez de repetir uma lista de dígitos lidos em voz alta, um cão pode ser solicitado a lembrar-se do esconderijo de uma guloseima. A propensão para aprender a fazer algo novo pode substituir a capacidade de calcular somas complexas. Certas perguntas imitam vagamente paradigmas psicológicos experimentais: a permanência dos objetos (se uma xícara é colocada sobre uma guloseima, ela ainda está lá?), aprendizagem (o seu cão percebe de fato a façanha tola que você deseja que ele faça?) e resolução de problemas (como ele consegue pegar a comida que você trouxe?).

Estudos formais desses tipos de capacidades em grupos de cães — quase todos de cognição sobre objetos físicos e sobre o ambiente — produzem o que a princípio parecem ser resultados previsíveis. Ao levar os cães a um campo cheio de guloseimas e cronometrar a velocidade necessária para encontrá-las, os pesquisadores confirmaram que eles usam pontos de referência para se orientar e encontrar atalhos. Esse comportamento é consistente com o que seus ancestrais lobos provavelmente fizeram para encontrar comida e se orientar. Os cães são, certamente, muito bons em todas as tarefas que envolvem encontrar comida. Se lhes derem duas pilhas de comida para escolher, eles não têm dificuldade em escolher a maior, sobretudo se a diferença entre elas é grande. Cubra um pouco de comida com uma xícara, e os cães vão direto para ela, batendo na xícara e revelando a guloseima. Os cães testados já aprenderam até a usar uma ferramenta simples — puxar uma corda — para pegar um biscoito que de outra forma estaria fora de alcance.

Mas os cães não passam em todos os testes. Eles normalmente cometem muitos erros quando apresentados a pilhas com três e quatro biscoitos, ou com cinco e sete: eles escolhem as quantidades menores tão frequentemente quanto as maiores. E desenvolvem preferências por pilhas à esquerda ou à direita, o que os leva a cometer erros mais grosseiros ainda. Da mesma forma, a capacidade de encontrar comida escondida piora à medida que o esconderijo fica mais complicado. E à medida que os testes se tornam mais difíceis, o uso de ferramentas também começa a parecer menos impressionante. Quando há duas cordas, e somente a mais distante tem um biscoito atraente amarrado nela, os cães dirigem-se à corda mais próxima — a que não tem nada amarrado nela. Eles parecem não perceber que a corda é uma ferramenta: um meio para um fim. De fato, eles podem ter obtido sucesso no caso original simplesmente porque atacaram o problema com a pata ou com a boca até que acidentalmente o resolveram.

O proprietário de um cão que compilar as notas de seu animal nesses testes de inteligência pode descobrir que ele tem uma pontuação mais próxima de *Bobo porém feliz* do que *Primeiro da turma em obediência*. É isso mesmo, então? Ele não é inteligente, afinal?

Um olhar mais inquisitivo para os testes de inteligência e para as experiências psicológicas revelam uma falha: eles têm uma trapaça involuntária contra os cães. A falha está no método experimental, não no cão experimentado. Tem a ver com a presença em si de pessoas — os pesquisadores ou seus donos. Vamos olhar mais atentamente para uma típica armadilha experimental. Poderia começar da seguinte forma: um cão está sentado e atento, contido por uma coleira. Um pesquisador chega diante dele e lhe mostra um belo brinquedo novo. Esse cão adora brinquedos novos.* O brinquedo e um balde são claramente mostrados ao cão; o brinquedo é colocado dentro do balde e, em seguida, o pesquisador desaparece com a preciosidade atrás de duas telas. Ele retorna com o balde — vazio. Isso não é um trote cruel, mas um teste padrão de *deslocamento invisível*: um objeto é *deslocado* — transferido para outro local — *invisivelmente*, fora do alcance da visão. Esse teste tem sido realizado regu-

---

* Os cães têm preferência por objetos novos — a neofilia. Um estudo descobriu que quando solicitado a retirar um brinquedo qualquer de uma pilha de brinquedos novos e familiares, eles espontaneamente escolhem os novos em três quartos das vezes. Essa inclinação para o novo poderia explicar porque, ao se encontrarem em um parque, dois cães que estejam carregando gravetos muitas vezes larguem o que orgulhosamente carregavam até então para tentar arrebatar o orgulho do cão que se aproxima.

larmente com crianças pequenas desde que Piaget o propôs como representante de um dos saltos conceituais que as crianças fazem no caminho para se tornarem adolescentes incorrigíveis e, posteriormente, adultos capazes de terem seus próprios filhos. Neste caso, os entendimentos conceituais têm a ver com a existência contínua dos objetos quando estão fora do alcance da visão — denominada *permanência do objeto* — e com alguma noção da trajetória e da existência continuada desse objeto no mundo. Se alguém desaparece por trás de uma porta, entendemos que ele continua existindo, ainda que não o possamos ver, e que podemos encontrá-lo se olharmos atrás daquela porta. As crianças dominam a permanência do objeto antes do primeiro ano de vida e o deslocamento invisível antes do segundo. Desde que Piaget estabeleceu essa compreensão representacional como uma etapa no desenvolvimento cognitivo infantil, esse se tornou um teste padrão aplicado a outros animais para verificar como eles se comparam às crianças. Hamsters, golfinhos, gatos, chimpanzés (que sempre passam) e galinhas foram todos testados. E cães.

O desempenho dos cães varia. Ah, claro, se o teste é realizado simplesmente conforme descrito acima, eles não têm problema algum em procurar o brinquedo atrás da tela. Parece que eles passaram no teste. Mas, complicando um pouco o cenário — levando o recipiente para trás de duas telas diferentes, retirando rapidamente o brinquedo após a primeira tela *e mostrando a eles que você assim o fez* antes de ir para trás da segunda tela —, os cães fracassam: eles correm para a segunda tela primeiro, onde o brinquedo evidentemente não está. Outras variações do teste também fizeram os cães repentinamente parecerem menos inteligentes em suas buscas. Poderíamos concluir que aqui também eles parecem estar longe da genialidade. Uma vez fora do alcance da visão, o brinquedo pode rapidamente sair da mente.

Mas o simples fato de que os cães às vezes são bem-sucedidos torna suspeita essa conclusão. Em vez disso, o comportamento deles aponta para duas explicações. Primeiro, é provável que os cães se lembrem do brinquedo, mas não teçam considerações detalhadas sobre qual seria o caminho pelo qual desapareceu. Embora alguns cachorros fiquem indiscutivelmente motivados a rastrear um brinquedo, eles pensam sobre os objetos em seu ambiente de uma forma muito diferente dos humanos. É importante observar que lobos e cães agem de forma limitada com os objetos: alguns servem para comer e outros para brincar. Nenhuma das interações exige reflexão complexa sobre o objeto. Os cães percebem quando um objeto anteriormente apreciado está ausente, mas não precisam cogitar sobre possíveis hipóteses a respeito do que aconteceu a ele. Ao contrário, eles simplesmente começam a procurá-lo ou esperam que ele apareça.

A segunda explicação é mais abrangente. Parece que a própria habilidade para a cognição social, que é seu ponto forte para ser um companheiro dos humanos, contribui para o fracasso dos cães nessa e em outras tarefas de cognição física. Mostre a seu cão uma bolinha; em seguida, oculte-a ao colocá-la sob uma de duas xícaras emborcadas. Diante das xícaras, e supondo que não consiga resolver a tarefa pelo cheiro, um cão olhará por baixo de ambas aleatoriamente: uma abordagem razoável quando ele não tem nada mais em que se basear. Levante um pouco uma xícara de modo a permitir um vislumbre da bola, e você não se surpreenderá com o fato de que, quando a busca é permitida, o cão não terá dificuldades em olhar embaixo daquela xícara. Mas ao permitir um vislumbre embaixo da xícara que não contém nada, os pesquisadores descobriram que os cães repentinamente perdem a lógica. Eles buscam primeiro debaixo da xícara vazia.

Esses animais foram logrados pela própria capacidade. Ao serem confrontados com um problema de qualquer tipo, os cães inteligentemente olham para nós. Nossas atividades são fontes de informações. Eles acabam acreditando que nossas ações são relevantes — muitas vezes levando a alguma recompensa interessante ou até mesmo a obtenção de comida. Portanto, se um experimentador se esconde atrás de uma segunda tela, como acontece nas tarefas de deslocamento invisível mais complexas, ora, pode ser que haja algo interessante por trás daquela tela. Se ele levanta uma xícara vazia, essa xícara se torna mais interessante simplesmente por causa da atenção que o pesquisador dirigiu a ela.

Se as pistas sociais são diminuídas nos testes, os cães apresentam um desempenho muito melhor. Quando os pesquisadores seguram ambas as xícaras e mostram a vazia, os cães recuperam a lógica. Eles veem a vazia e, por dedução, procuram embaixo da outra, que contém a bola. Da mesma forma, os cães que não são tão bem socializados — tais como os *cães de jardim* mantidos ao ar livre na maior parte do tempo — também enfrentam logo o problema, enquanto aqueles que vivem dentro de casa mais frequentemente imploram ajuda em silêncio aos seus donos.

Se revisitarmos alguns dos testes de solução de problemas nos quais os lobos se saíram muito melhor que os cães, verificaremos que, nesses casos, o desempenho fraco dos cães pode também ser explicado pela propensão a olhar para os humanos. Testados em suas capacidades de, digamos, conseguir pegar um pouco de comida em um recipiente bem fechado, os lobos continuam tentando vezes seguidas, e se o teste não tiver elementos arbitrários, com o passar do tempo eles são bem-sucedidos por meio de tentativa e erro. Os cães, em contrapartida, tendem a tentar abrir o recipiente somente até parecer que ele não pode ser facilmente aberto. Então, eles olham para qualquer pessoa no ambiente e começam a apresentar uma série de comportamentos para solicitar e atrair a atenção até que a pessoa ceda e os ajude a abrir a caixa.

De acordo com os testes de inteligência padrão, os cães fracassaram diante do exame. Acredito, em contrapartida, que eles tenham sido magnificamente bem-sucedidos. Eles utilizaram uma ferramenta inusitada na tarefa. Nós. Os cães aprenderam isso e nos veem como excelentes ferramentas de uso geral: úteis para fins de proteção, aquisição de comida, companheirismo. Resolvemos os enigmas de portas fechadas e tigelas de água vazias. Na psicologia popular dos cães, nós humanos somos suficientemente brilhantes para conseguir retirar coleiras irremediavelmente enroladas em árvores; fazer aparecer uma infinidade de dádivas de comida e objetos mastigáveis. Somos muito espertos aos olhos dos cães! No fim das contas, dirigir-se a nós constitui uma estratégia inteligente. Com isso, a questão relativa às capacidades cognitivas dos cães se transforma: eles são excelentes no uso dos humanos para resolver problemas, mas não tão bons na solução de problemas quando não estamos por perto.

APRENDENDO COM OS OUTROS

Ontem, por cortesia das portas automáticas de uma loja para animais, Pump aprendeu que quando você anda na direção de paredes, elas se abrem e deixam você passar. Hoje, ela desaprendeu tudo, em uma exibição espetacularmente comovente.

Uma vez que um problema seja solucionado — uma guloseima oculta é descoberta; uma porta inesperadamente fechada é aberta —, com ou sem a ajuda de uma pessoa, o cão se torna rapidamente capacitado para aplicar aqueles mesmos meios para solucioná-lo repetidamente. Ele identificou o que estava acontecendo, criou uma resposta e percebeu a conexão entre aquele problema e aquela solução. Trata-se do triunfo dele e, às vezes, de nosso infortúnio. Um momento de sucesso ao saltar para cima da pia da cozinha para chegar à origem daquele aroma prazeroso de queijo será seguido por muitos saltos em pias. Se você dá a um cão sentado um biscoito para que ele se sente educadamente, espere ser inundada por esse comportamento. Com isso em mente, é fácil compreender o conselho de que, no adestramento de um cão, ele só deve ser recompensado por aquilo que se deseja que ele repita continuamente.

Tal é a perícia do cão naquilo que os círculos psicológicos denominam *aprendizado*. Não há dúvidas de que os cães são capazes de aprender. Faz parte do funcionamento natural de qualquer sistema nervoso ajustar as ações, no decorrer do tempo, em resposta à experiência, como também o fazem todos os animais que possuem um sistema nervoso. O termo "aprendizagem" inclui de tudo, desde a aprendizagem associativa usada no adestramento animal à memorização de um monólogo shakespeariano e, finalmente, à compreensão da mecânica quântica.

A capacidade natural dos cães de dominar novos procedimentos e conceitos aparentemente cessa antes de ele entender o que é um quark. O que eles aprendem não é acadêmico nem instrutivo. Além disso, a maior parte do que pedimos que os cães aprendam só pode ser descrita como repleta de caprichos e arbitrariedade. Certamente qualquer animal recém-domesticado aprenderá como colocar a boca na comida. Mas normalmente o que desejamos que os cães aprendam — a obedecer — tem pouca conexão com a comida. Pedimos aos cães para mudar a postura (sentar, saltar, levantar, deitar, rolar), agir de uma forma muito específica com relação a um objeto (pegar meus sapatos, descer da cama), começar ou interromper uma ação em andamento (espera; não; continua), mudar o humor (calma; pega!), virem em nossa direção ou se distanciarem (vai; sai; fica). Tudo isso pode não ser mecânica quântica, mas é quase tão bizarro quanto essa ciência para os distantes caçadores de alces. Nada na vida de um animal selvagem o prepara para ser solicitado a manter o traseiro no chão e ficar imóvel até ser liberado por seu *Ok!* animado. É notável por si só que os cães consigam aprender essas coisas aparentemente arbitrárias.

FILHOTES VEEM, FILHOTES FAZEM

Certa manhã, ao acordar de bruços, coloquei os braços sobre a cabeça, alonguei as pernas até a ponta dos dedos e me apoiei nos cotovelos. Ao meu lado, Pump despertou, acompanhando cada movimento: esticou as patas dianteiras e alongou-as bem para a frente; em seguida, endireitou as patas traseiras também, esticando-se para a frente verticalmente. Agora, nos cumprimentamos todas as manhãs com alongamentos matutinos paralelos. Apenas uma de nós abana o rabo.

Até mesmo mais interessante do que aprender comandos seria a capacidade de aprender simplesmente observando os outros — cães ou até pessoas. Sabemos que os cachorros conseguem aprender com nossas instruções, mas será que conseguem aprender com nossos exemplos? Pode ser que seja conveniente a um animal social como o cão olhar para outros em busca de informações sobre como lidar melhor com o mundo. Em muitos casos, no entanto, a resposta para essa pergunta é claramente *não*. Os cães têm inúmeras oportunidades de nos ver comendo educadamente à mesa, mas nunca pegam garfo e faca espontaneamente e se juntam a nós. Ouvir-nos falando não é suficiente para fazê-los falar. O único interesse que eles têm nas roupas parece ser o de mastigá-las, não o de vesti-las. Amplamente expostos às nossas atividades, os cães parecem não saber como nos imitar.

Tudo isso não constitui uma deficiência, embora possa distingui-los dos membros de nossa espécie, imitadores exímios que somos. Quando crianças e na idade adulta, observamos atentamente uns aos outros para saber o que vestir, o que fazer, como agir, e como reagir. Nossa cultura se baseia na perspicácia: observarmos os outros agindo para aprendermos a como nos comportar. Preciso ver apenas uma vez como você faz para abrir uma lata com um abridor para que eu também consiga fazê-lo (esperamos!). O que está em jogo é mais importante do que poderia parecer a princípio, pois o sucesso na imitação, além de dar a você os conteúdos da lata aberta, é uma indicação de uma capacidade cognitiva complexa. A verdadeira imitação exige que você não apenas possa ver o que a outra pessoa está fazendo, não simplesmente se limite a ver como os meios levam a um fim, mas também que reproduza as ações dos outros.

Nesse caso, os cães não são imitadores legítimos, pois mesmo após testemunhar centenas de demonstrações com o abridor de latas, nenhum deles demonstrou interesse em abri-las: o tom funcional desse objeto é obscuro para eles. Porém — você poderá se queixar — essa não é uma comparação justa: os cães simplesmente não possuem polegares, nem a destreza que eles fornecem, necessários para lidar com abridores de latas ou talheres. Da mesma forma, eles não têm uma laringe para falar nem precisam de roupas. E sua queixa seria justa: a questão é realmente saber se os cães podem ser ensinados, pela demonstração, a fazer algo novo — não se eles são mini-humanos.

Observe os cães interagirem durante dez minutos e verá o que parece ser uma imitação: um deles exibe um graveto imenso; o outro encontra seu graveto e o exibe também. Se um cão encontrar um lugar para cavar, outros logo se juntarão a ele no buraco cada vez maior. A descoberta de um cão de que ele sabe nadar leva outro cão a se autobatizar, de repente se descobrindo nadando também. Ao observar os outros, os cães aprendem os prazeres especiais das poças de lama e de abrir caminho pelo mato. Pump não emitia nenhum som até que um de seus companheiros começou a latir para os esquilos. Subitamente, Pump também passou a latir para os esquilos.

A questão, então, é se esses são casos de imitação verdadeira ou de algo diferente. O que poderia ser algo diferente é obscuramente denominado *aumento de estímulo*. Um pequeno incidente envolvendo pássaros e leite entregue a domicílio na Grã-Bretanha em meados do século XX ilustra melhor esse fenômeno. Naquela época, entregar o leite na porta de casa era lugar-comum naquele país, mas a pasteurização não era. Portanto, o amanhecer era marcado por garrafas de leite de tampa metálica deixadas sem qualquer supervisão nas portas das casas, com o creme no topo da garrafa. Grande parte da população de pássaros da Grã Bretanha acordava cedo, junto com os entregadores, uma vez que o amanhecer é um momento propício para cantar. Um desses pássaros, o pequeno chapim azul, fez uma descoberta: a tampa metálica das garrafas afundava facilmente com bicadas, revelando uma deliciosa bebida cremosa que se encontrava imediatamente abaixo dela. Surgiram algumas queixas sobre garrafas de leite danificadas; em pouco tempo, esse número aumentou; logo, uma quantidade imensa de reclamações veio à tona. Centenas de pássaros haviam aprendido o golpe da garrafa de leite. Atormentados com o leite agora desnatado, os britânicos não demoraram muito para encontrar os culpados. Para nós, a questão não é quem, mas como: como essa descoberta se espalhou entre os chapins azuis? Devido à rapidez com que isso aconteceu, parecia provável que alguns pássaros, depois de observar outros pegando o creme, passaram a imitá-los. Espertos passarinhos gorduchos.

Ao fornecer a uma população cativa de chapins norte-americanos um conjunto de elementos semelhantes, um grupo de pesquisadores observou o fenômeno ocorrer novamente, passo a passo. Esse estudo sugere uma explicação mais provável do que a imitação. Em vez de observar e assimilar cuidadosamente todos os movimentos do primeiro pássaro furtador de creme, os outros pássaros simplesmente o viram no topo da garrafa. Isso pode tê-los atraído em direção a elas. Uma vez pousados em seu topo, e graças a um comportamento natural — bicar —, descobriram sozinhos a possibilidade de furar a tampa metálica. Em outras palavras, eles foram atraídos a um *estímulo* — a garrafa — pela presença do primeiro pássaro. Tal presença aumentou a probabilidade de eles também se tornarem ladrões de creme, mas não demonstrava como fazê-lo.

Tudo isso pode parecer uma discussão de minúcias, mas aqui há uma diferença importante em ação. No caso do aumento de estímulo, vejo você agir de uma forma pouco clara na porta e, logo em seguida, ela se abre. Se me dirigir até a porta e chutá-la, golpeá-la, marretá-la, é possível que eu também a abra. No caso de imitação, observo exatamente o que você está fazendo e simplesmente reproduzo aquelas ações — o ato de pegar e girar a maçaneta da porta; a aplicação de pressão após o giro, e assim por diante — que levam ao resultado desejado. Posso fazê-lo porque consigo imaginar que o que você está fazendo de alguma forma se relaciona com seu objetivo, com seu desiderato: sair da sala pela porta. O chapim azul, por outro lado, não precisou ficar pensando sobre o que as tampas das garrafas de leite desejavam — e provavelmente não pensou.

MAIS HUMANOS DO QUE OS PÁSSAROS

Os pesquisadores quiseram testar se os cães carregadores de gravetos agiam mais como um chapim azul ou mais como um ser humano. O primeiro experimento foi projetado para determinar se os cães imitariam os humanos em uma situação na qual as pessoas agiam para obter algum objeto desejado. Em última instância, os estudiosos investigavam se os cães conseguiam entender que as ações de uma pessoa funcionam como uma demonstração que pode ser seguida se o cão estiver de alguma forma inseguro a respeito de como conquistar sozinho aquele objeto desejado.

Eles montaram um experimento simples no qual um brinquedo ou um pouco de comida era colocado na junção de uma cerca em

230

forma de V. O cão ficava sentado do lado de fora da ponta do V, e tinha de tentar pegar a comida. Ele não podia atravessar a cerca diretamente ou passar por cima dela, mas ambas as rotas em torno — tanto do segmento esquerdo quanto do segmento direito — eram igualmente longas, portanto, igualmente boas. Quando não lhes era fornecida nenhuma demonstração de como dar a volta na cerca, os cães fizeram escolhas aleatórias, não dando preferência a qualquer dos lados e, por fim, conseguiam chegar ao interior do V. Porém, quando lhes era oferecida a oportunidade de observar uma pessoa dando a volta pelo lado *esquerdo* da cerca na direção da recompensa — alguém que falava ativamente com eles durante o trajeto — os cães observadores mudavam o comportamento imediatamente: eles também escolhiam o lado esquerdo.

Parece que esses cães estavam praticando a imitação. E o que eles aprenderam pela imitação permaneceu: quando mais tarde um atalho atravessando a cerca foi introduzido, eles mantiveram a rota aprendida pela observação, ignorando o atalho. Várias outras experiências foram realizadas a fim de esclarecer o que exatamente os cães faziam. Eles não estavam simplesmente seguindo o cheiro: marcar uma trilha odorífera ao longo do segmento esquerdo da cerca não induzia os cães a segui-la.* Em vez disso, seu comportamento tinha algo a ver com a compreensão das ações dos outros. Simplesmente observar alguém dar a volta em torno da cerca silenciosamente

---

* A ambivalência dos cães com relação à trilha odorífera pode, a princípio, parecer surpreendente, levando-se em conta todos os nossos comentários sobre suas habilidades olfativas. Porém, simplesmente ser capaz de rastrear uma trilha não significa que eles *usem* essa capacidade o tempo inteiro. Muitas vezes, os cães precisam ser adestrados para ficarem atentos a determinados cheiros.

não era suficiente para fazer os cães seguirem o trajeto da pessoa: ela precisava chamar o cão pelo nome, atrair sua atenção, gritar. Observar outro *cão* que fora adestrado para resgatar a recompensa pelo caminho do lado esquerdo também fazia os cães observadores irem pela esquerda.

Esse resultado mostrou que os cães são capazes de interpretar o comportamento de outros como uma demonstração da maneira de alcançar um objetivo. Porém, sabemos pela experiência com nossos cães que nem todos os comportamentos relevantes que manifestamos são vistos como uma "demonstração". Pump pode me observar dando voltas em torno de cadeiras, livros e pilhas de roupas espalhadas no caminho em direção à cozinha, mas ela passará diretamente por cima de tudo para pegar a rota mais rápida. Outros testes são necessários para demonstrar se os cães estão realmente se colocando em nosso lugar e não apenas propensos a *seguir aquele humano,* aonde quer que ele vá.

Dois experimentos testaram justamente essa compreensão imitativa. O primeiro investigou o que exatamente os cães veem no comportamento dos outros: os meios ou o fim. Um bom imitador veria ambos, mas também calcularia se o meio específico não seria a forma mais expediente de atingir o fim. Desde cedo, as crianças conseguem fazer exatamente isso. Elas imitarão religiosamente — às vezes até em demasia* —, mas também podem mostrar

---

* Meu exemplo favorito do modelo de imitação exagerada das crianças vem de um experimento que o psicólogo Andrew Whiten e seus colegas realizaram usando uma caixa lacrada com um doce apetitoso em seu interior. Eles estavam curiosos para saber se as crianças de três a cinco anos imitariam os meios específicos que os pesquisadores demonstraram para abrir a caixa (envolvendo a remoção de hastes inseridas em aberturas cilíndricas). As crianças observaram, ficaram fascinadas e, em seguida,

astúcia. Por exemplo, em um clássico experimento, após observar um adulto acender uma luz de forma inusitada — com a cabeça — as crianças testadas conseguiram imitar essa nova ação quando solicitadas a fazê-lo. Mas, se o adulto estivesse segurando algo nas mãos, o que o tornava incapaz de usá-las para ligar a luz, elas não reproduziam a mesma ação espontaneamente: usavam as mãos de forma bastante racional. Se o adulto não estivesse segurando nada nas mãos, as crianças ficavam mais propensas a ligar a luz com a cabeça também — inferindo, talvez, a existência de boas razões, além das mãos ocupadas, para realizar essa nova manobra. É como se elas tivessem percebido que as ações do adulto *poderiam* ser imitadas, reproduzindo-as seletivamente somente na medida em que parecia ser necessário fazê-lo.

Na variação canina desse paradigma, com um bastão de madeira substituindo a luz, um cão "demonstrador" foi ensinado a pressionar o bastão com a pata para liberar uma guloseima de um dispositivo distribuidor acionado por uma mola. Os pesquisadores então fizeram o cão demonstrador desempenhar sua habilidade recém-adquirida na frente de outros cães que foram forçados a observar. Em um teste, o demonstrador pressionava o bastão enquanto segurava uma bola na boca; no outro, ele não pegava a bola. Finalmente, foi permitido aos cães observadores acessar o dispositivo.

Vale frisar que os cachorros não são naturalmente atraídos por dispositivos mecânicos, sobretudo os com bastões de madeira. E

---

receberam a caixa novamente trancada. Whiten descobriu que quase todas as crianças os imitaram — e as mais jovens *exageradamente* —, torcendo a haste não duas ou três vezes, mas até centenas de vezes antes de retirá-la. O que elas não compreenderam foi exatamente qual parte dos meios (torcer) era necessária para chegar ao fim (pegar o doce).

pressionar não é a primeira forma de abordagem da maior parte dos cães ao enfrentarem um problema: eles podem usar as patas com destreza, mas, em geral, experimentam o mundo com a boca primeiro e com as patas depois. Embora possam ser adestrados para empurrar ou pressionar, a primeira abordagem dos cães em relação a um objeto, conforme mencionado, não é a de compreensão intuitiva. Eles irão empurrá-lo; abocanhá-lo; golpeá-lo. Se puderem, eles o pressionarão, cavarão e pularão em cima dele. Mas decerto não irão avaliar a cena por um determinado tempo e, em seguida, com calma, pressionar o bastão. Dessa forma, a primeira abordagem dos cães observadores seria especialmente interessante: a demonstração mudaria o comportamento deles?

Esses cães testados comportaram-se exatamente como as crianças humanas com os interruptores de luz: o grupo que viu a demonstração sem a bola fez uma imitação fiel, pressionando o bastão para liberar a guloseima. O grupo que viu o demonstrador agir enquanto segurava a bola na boca também aprendeu como pegar a guloseima, mas usou a boca (sem a bola) em vez das patas.

O fato de os cães terem reproduzido a mesma ação é incrível. Não se trata de simples mímica, copiar por copiar. Tampouco se trata apenas de uma atração pela fonte de atividade. Parece mais o comportamento de um animal que está contemplando o que outro animal está fazendo: qual é sua intenção e como — ou quanto — reproduzir aquele comportamento sozinho, se ele tem a mesma intenção.

Se esses experimentos são representativos do desempenho de todos os cães, poderíamos dizer que os cães são, pelo menos, capazes de aprender pela observação dos outros em determinados contextos sociais — quando a comida está em jogo, por exemplo. Um experimento final sugere algo até mais impressionante: os cães podem, de fato, ser capazes de compreender o *conceito* de imitação. O único animal testado — um cão-guia treinado para trabalhar com cegos — já havia aprendido por condicionamento operante a fazer uma série de ações pouco óbvias quando solicitado: deitar-se; girar em círculos; colocar uma garrafa em uma caixa. O que os pesquisadores desejavam saber era se ele faria essas ações não apenas em resposta a um comando, mas após ver alguém praticar a ação. De fato, o cão habilmente aprendera a girar em círculos não após o comando *Gire em círculos*, mas simplesmente após ver um humano praticar a ação, seguida pela solicitação de imitação *Faça!*. Eles então passaram a examinar o que o cão faria ao ver um humano praticar uma ação nova e completamente bizarra, tal como sair correndo para empurrar um balanço; atirar uma garrafa; ou repentinamente andar em torno de alguém e retornar a seu ponto de partida.

Foi o que ele fez. Era como se aquele cachorro tivesse aprendido o conceito *imitar* e, conhecendo tal noção, conseguisse aplicá-la mais ou menos em qualquer situação. Para isso, ele precisava fazer analogias entre o próprio corpo e o de um humano: quando uma pessoa jogava uma garrafa com a mão, o cão usava a boca; ele usou o focinho para empurrar o balanço. Esta não é a palavra final sobre imitação (simplesmente peça a seu cão para copiar seu gesto de empurrar um balanço e verá como os resultados nem sempre são generalizáveis), mas essas capacidades caninas são sugestivas de algo além da mímica descerebrada. Os cães podem conseguir imitar em função da mesma capacidade — quase compulsão — que os possibilita a olhar para nós e a usar-nos para aprender a agir. É o que vejo nos alongamentos matutinos de Pump ao meu lado.

A TEORIA DA MENTE

Abro a porta furtivamente e Pump está lá, a menos de cinquenta centímetros de distância, andando em direção ao tapete com algo na boca. Ela para repentinamente e olha para mim por cima dos ombros, as orelhas abaixadas e os olhos abertos. Na boca está uma forma curva não identificável. À medida que me aproximo vagarosamente, ela abana o rabo bem baixo, abaixa a cabeça e, no momento em que abre a boca para abocanhar melhor seu achado, eu o vejo: o queijo deixado do lado de fora da geladeira para atingir a temperatura ambiente. O *brie*. A enorme rodela inteira de queijo *brie*. Ela o devora em duas mordidas, e lá se foi ele garganta abaixo.

Pense no cão flagrado roubando comida da mesa... ou olhando para você bem nos olhos, pedindo para sair, ser alimentado, acarinhado. Quando vejo Pump, a boca cheia de *brie*, olhando para mim, sei que ela fará algum movimento; quando ela me vê olhando em sua direção, será que ela sabe que tentarei frustrá-la? Minha forte impressão é a de que ela sabe: no momento em que abro a porta e ela olha para mim, tanto ela quanto eu sabemos o que a outra fará.

Os estudos da cognição animal chegam ao auge quando abordam exatamente esse tipo de cena: suscitar a questão sobre a possibilidade de um animal conceber os outros como criaturas independentes com mentes próprias e separadas. Essa capacidade parece, mais do que qualquer outra habilidade, hábito ou comportamento, capturar o que significa ser humano: pensamos no que os outros estão pensando. A isso denominamos uma *teoria da mente*.

Ainda que você jamais tenha ouvido falar sobre a teoria da mente, é provável, mesmo assim, que a possua em um nível extraordinariamente avançado. Ela possibilita que você perceba que os outros têm perspectivas diferentes da sua e, portanto, têm as próprias crenças; conhecimentos diferentes; uma compreensão distinta do mundo. Sem isso, o comportamento dos outros, até mesmo os atos mais simples, seria absolutamente misterioso, derivando de motivações desconhecidas e levando a consequências imprevisíveis. Ajuda muito ter uma teoria da mente quando tentamos adivinhar o que fará um homem que se aproxima, boquiaberto, com os braços bem levantados e as mãos acenando freneticamente. Denominamos a isso uma *teoria* porque as mentes não podem ser observadas diretamente. Por isso inferimos como funciona a mente que induziu a tal ação ou comentário a partir de ações ou dizeres.

Certamente não nascemos pensando sobre a mente dos outros. É bastante provável que não tenhamos nascido pensando em quase nada, até mesmo em nossa própria mente. Porém, toda criança normal desenvolve uma teoria da mente com o tempo, e parece que ela é desenvolvida através dos próprios processos abordados até o momento: prestando atenção nos outros e, em seguida, observando em que eles prestam atenção. As crianças autistas muitas vezes não desenvolvem uma ou quaisquer dessas habilidades precursoras: elas podem não fazer contato visual, apontar ou se envolver na atenção conjunta — e muitas nem parecem ter uma teoria da mente. Para a maior parte das pessoas, há apenas um grande passo teórico entre ter consciência da função do olhar e da atenção e perceber que lá existe uma mente.

O suprassumo dos experimentos sobre a teoria da mente é denominado o teste da *crença falsa*. Nesse projeto, é apresentado ao sujeito testado, normalmente uma criança, um minidrama encenado por fantoches. Um deles coloca uma bola de gude em um cesto à sua frente, plenamente visível para o sujeito e para um segundo fantoche. Em seguida, o primeiro fantoche deixa o ambiente. Imediatamente, o segundo fantoche maliciosamente retira a bola de gude e a coloca em seu cesto. Quando o primeiro fantoche retorna, o sujeito é interrogado: onde o primeiro fantoche deve procurar pela bola de gude?

Aos quatro anos, as crianças respondem corretamente, percebendo que elas e o fantoche sabem coisas diferentes. Antes dessa idade, no entanto, surpreendente e invariavelmente as crianças erram. Elas dizem que o fantoche procurará pela bola de gude onde ela realmente se encontra — no segundo cesto — mostrando que elas não estão pensando no que o primeiro fantoche realmente sabe.

Projetar uma tarefa verbal de falsa crença para animais, dos quais não se pode esperar que comuniquem suas respostas (nem que se envolvam em um drama representado por fantoches que trocam uma bola de gude de lugar), é quase impossível. Portanto, foram desenvolvidos testes não verbais. Muitos se baseiam em relatos esporádicos sobre comportamentos animais de prestar atenção observados em ambientes selvagens: estratégias de decepção ou competição inteligente. Os chimpanzés são os sujeitos mais comuns, pois, como são parentes próximos dos humanos, espera-se que suas capacidades cognitivas sejam mais semelhantes às nossas.

Embora os resultados com chimpanzés tenham sido ambíguos, conferindo credibilidade à noção de que somente os humanos têm uma teoria da mente plenamente desenvolvida, um elemento discordante foi introduzido nos trabalhos experimentais. Esse elemento discordante é o cão, cuja atenção para a atenção e a aparente capacidade de ler mentes parecem, de acordo com alguns relatos, exatamente iguais ao que chamaríamos de agir com uma teoria da mente. Para passar da teorização abstrata — sobre a compreensão da mente pelo cão — a uma posição científica com embasamento sólido, os pesquisadores começaram a fazer os cães realizarem os mesmos testes usados com os chimpanzés.

A TEORIA DA MENTE CANINA

Eis o que um cão, que não suspeitava que participava de um experimento, encontrou certo dia esperando por ele em casa. Em vez da farta disponibilidade de suas bolas de tênis favoritas, e com as quais estava acostumado — todas as bolas na casa haviam sido reunidas —, uma quantidade de pessoas muito maior do que a normal estava em pé, olhando-o fixamente. Tudo bem até então: Philip, o cão em questão, um pastor belga de três anos, não entrou em parafuso. Porém, pode ter ficado intrigado quando as bolas foram mostradas a ele, uma a uma, sendo em seguida colocadas e trancadas em uma de três caixas. Isso era novidade. Fosse um jogo ou uma ameaça, o que ficou claro era que as bolas estavam sendo metodicamente colocadas em um lugar diferente do lugar favorito dele: bem na boca.

Quando liberado pelo dono, Philip naturalmente se encaminhou direto para a caixa onde vira uma bola sendo escondida e cheirou a caixa. Isso acabou sendo a atitude correta, pois estimulou os humanos a bradarem alegremente, abrirem a caixa e entregarem a ele a bola. Contudo, mesmo depois de abocanhar a bola, o cão descobriu que as pessoas em torno dele continuavam a tirá-la e a guardá-la em uma ou outra caixa — logo, ele continuou a brincar. Em seguida, eles começaram a trancar as caixas e a colocar as chaves em outro lugar, de modo que tudo levasse ainda mais tempo após ele selecionar a caixa certa: alguém precisava encontrar a chave, levá-la até a caixa e abri-la. O capricho final envolvia uma pessoa que fechava a caixa, escondia a chave e depois saía da sala. Outra pessoa entrava — certamente uma pessoa que, como todas as outras por perto, seria capaz de usar essas coisas-chave para abrir essas coisas-fechadura.

Esse era o momento que os pesquisadores esperavam: eles queriam saber se o cão via a pessoa nova como desinformada sobre a localização da chave. Nesse caso, então, não só Philip teria que indicar qual caixa continha a bola adorada, mas também precisaria ajudar a pessoa a encontrar a chave que permitiria acessar aquela bola.

Em tentativas repetidas, foi mais ou menos o que o cão fez: sempre paciente, Philip olhava para onde a chave fora escondida ou se dirigia para lá. Observe que ele não a abocanhava e abria a caixa: o que seria um feito e tanto, mas até mesmo o admirador de cães mais apaixonado admitiria que isso dificilmente aconteceria. Em vez disso, Philip usava os olhos e a boca para se comunicar.

O comportamento de Philip poderia ser interpretado de três maneiras: funcional, intencional, conservador. Na interpretação funcional, o olhar fixo do cão servia como informação para a pessoa, tenha ele tido essa intenção ou não. Na intencional, o cão de fato tinha a intenção de fazê-lo; olhava porque sabia que a pessoa desconhecia a localização da chave. Na interpretação conservadora, o animal olhava pensativamente, uma vez que alguém estivera recentemente onde a chave se encontrava.

Os dados fornecem a interpretação. Eles mostram que a interpretação funcional é definitivamente verdadeira: o olhar fixo realmente servia como informação para a pessoa próxima. No entanto, a interpretação intencional também é legítima: o cão olhava para a localização da chave com mais frequência quando a pessoa na sala junto com eles desconhecia onde ela estava — era como se ele quisesse informá-la com seu olhar fixo. Esta última interpretação contradiz a interpretação conservadora. Philip parecia estar pensando nas mentes loucas dos pesquisadores.

Esse é apenas um cão — talvez um especialmente perspicaz. Lembra-se do experimento da súplica realizado com chimpanzés e cachorros? Ao contrário dos chimpanzés, todos os cães testados imediatamente seguiram o conselho do conhecedor (das pessoas sem os olhos vendados ou com um balde na cabeça) sobre qual caixa continha a comida. Parabéns para esses cães que, dessa forma, sempre encontraram a comida dentro da caixa. Esse resultado parece bom para a teoria da mente canina: eles agiram como se tivessem pensado nos estados de conhecimento dos estranhos que apontaram para a caixa diante deles. Porém, após esse aparente sucesso cognitivo, algo bizarro aconteceu. Quando o mesmo teste foi repetido diversas vezes, os cães mudaram de estratégia. Começaram a escolher o adivinhador tantas vezes quanto o conhecedor. Isso significa que eles eram visionários e depois ficaram burros? Embora os cães façam quase qualquer coisa por comida, tal explicação não faz sentido. Talvez ela indique que a primeira rodada foi um golpe de sorte.

A melhor interpretação é que o desempenho dos cães nessa tarefa comprova um ponto metodológico. Pode haver outras pistas usadas pelos cães para tomar suas decisões; pistas que são, para eles, tão fortes quanto a presença ou a ausência do adivinhador é para nós. Considere, por exemplo, que, do ponto de vista do cachorro, todos os humanos são, em geral, extremamente instruídos sobre as fontes de comida. Estamos sempre em torno dela: cheiramos a comida, abrimos e fechamos uma caixa fria repleta de comida o dia inteiro, e às vezes até temos comida caindo de nossos bolsos. Essa é uma característica nossa tão bem conhecida que pode ser difícil derrubá-la com base em umas poucas tentativas durante uma tarde. Essa hipótese é apoiada pelo fato de que os cães realmente usaram as *pessoas* para tomar suas decisões: eles nunca escolheram uma terceira caixa — a que não foi escolhida nem pelo adivinhador nem pelo conhecedor.

Contudo, qualquer que seja nossa interpretação dos resultados, os cães não estão se esforçando muito para nos provar que possuem uma teoria da mente. É claro que uma das dificuldades de elaborar experimentos com qualquer animal é que, à medida que fica mais complicado testar uma habilidade muito específica, o procedimento corre o risco de se tornar uma cena extraordinariamente estranha para o animal. Seria possível sugerir que a demonstração de uma grande confusão por parte dos sujeitos testados não constitui um absurdo. Frequentemente, eles são colocados em situações bizarras, que são, na realidade, intencionalmente diferentes de tudo que já viram. As pessoas aparecem com baldes na cabeça, os testes são intermináveis, tudo é anormal. Mesmo assim, os cães às vezes conseguem desempenhar bem as atividades que lhes são impostas.

No entanto, o comportamento natural deles — em um ambiente natural — constitui uma indicação melhor. O que os cães fazem — sem as peculiaridades de caixas trancadas contendo comida e de humanos não cooperativos — para estimular uma reflexão mais profunda? O comportamento mais representativo vai aparecer ao lidarem naturalmente com outros cães ou com humanos. Se é útil socialmente para um cão levar em conta o que outros cães estão pensando, a capacidade para fazê-lo pode ter evoluído — e ainda pode ser visível nas interações sociais. Foi por essa razão que passei um ano observando cães brincarem: em salas de estar e consultórios veterinários, em corredores e ao ar livre, em praias e parques.

FAZENDO O JOGO DA MENTE

> Pump aparece nos cantos de todos os vídeos: em um deles, ela salta agilmente para evitar a colisão com um cão que se aproxima muito rápido — em seguida, persegue-o enquanto ele corre para fora do enquadramento do vídeo. Em outro, ela está deitada ao lado de outro cão, fingindo mordidas com a boca aberta. Em um terceiro, ela tenta e não consegue se juntar a dois cães que brincam; quando eles fogem, ela fica abanando o rabo sozinha em frente à câmera.

Preciso me corrigir: *tive a grande sorte* de poder passar um ano observando cães brincarem. O que é chamado, de forma apropriada, de uma brincadeira de briga entre dois cães competentes e atléticos é uma ginástica maravilhosa de se ver. Os animais brincalhões parecem se cumprimentar de forma breve antes de repentinamente se atracarem, dentes à mostra, tombando juntos em uma queda livre perigosa, pulando em cima e por cima um do outro, corpos curvados e enroscados. Quando subitamente param, por causa de um ruído próximo, podem ser vistos como exemplos de tranquilidade. Basta apenas uma olhada ou uma pata erguida no ar para que se envolvam novamente na confusão compartilhada.

Brincar pode parecer exatamente *aquilo que os cães fazem*, mas a brincadeira tem uma definição científica muito específica. A brincadeira animal — a ciência afirma — é uma atividade voluntária que incorpora comportamentos exagerados e repetidos, longos ou curtos na duração, variados em termos do esforço envolvido e combinados de formas pouco típicas. Ela usa padrões de ação que possuem papéis identificáveis e mais funcionais em outros contextos. Não definimos a brincadeira dessa forma apenas para retirar prazer dela; nós a definimos para reconhecê-la com confiança. A brincadeira também tem todos os atributos de uma boa interação social: coordenação, alternância e, caso necessário, autolimitação — brincar no nível do parceiro. Cada participante leva em consideração as capacidades e o comportamento do outro.

A função da brincadeira animal é um pouco enigmática. A maioria dos comportamentos dos bichos é descrita em termos de como eles funcionam para melhorar a capacidade de sobrevivência do indivíduo ou da espécie. A pesquisa sobre a função da brincadeira é paradoxal, uma vez que ela parece um comportamento que claramente *não tem* função: quando ela termina, nenhuma comida foi ganha, nenhum território dominado, nenhum parceiro sexual conquistado. Em vez disso, dois cães desmoronam no chão de forma ofegante, línguas penduradas, um diante do outro. Então seria possível sugerir que a função é *se divertir*, mas isso não é visto como uma função verdadeira, uma vez que os riscos são demasiadamente grandes. A brincadeira exige muita energia, pode causar ferimentos, e, na selva, aumenta o perigo de predação animal. A luta de brincadeira pode se tornar verdadeira, causando não apenas ferimentos, mas convulsão social. Seus riscos tornam ainda mais convincente o argumento a favor de uma função real e oculta da brincadeira: deve ser terrivelmente útil brincar, já que esse comportamento sobreviveu ao processo evolutivo. É possível que sirva como treinamento: um contexto no qual as habilidades físicas e sociais podem ser aperfeiçoadas. Estranhamente, no entanto, os estudos demonstraram que a brincadeira não é essencial para a proficiência adulta no que diz respeito às habilidades praticadas. É possível que sirva como treinamento para eventos inesperados. Realmente, parece que a brincadeira frívola e imprevisível é deliberadamente procurada. Nos humanos, ela faz parte do desenvolvimento normal — do ponto de vista social, físico e cognitivo. Nos cães, pode ser o resultado de ter energia e tempo de sobra — e de ter donos que usufruam um prazer indireto das acrobacias de seus cães.

A brincadeira entre os cães é particularmente interessante porque eles brincam mais do que os outros canídeos, inclusive os lobos. E brincam até a idade adulta, que é raro para a maioria dos animais que brincam, inclusive os humanos. Embora ritualizemos a brincadeira nos esportes coletivos e em maratonas solitárias de videogames, como adultos sóbrios é raro darmos trancos, carrinhos e tapinhas em nossos amigos, ou fazermos caretas um para o outro. O cão idoso da vizinhança, que manca e se movimenta devagar, parece desconfiado diante do entusiasmo dos jovens filhotes que se aproximam dele, mas mesmo assim ele de vez em quando dá tapas e brinca de morder as patas dos cães mais jovens.

Em meus estudos sobre a brincadeira canina, acompanhei cães com uma câmera de vídeo e controlei minhas risadas de prazer pela alegria deles por um tempo suficiente para registrar sessões cuja duração variava de alguns segundos a muitos minutos. Após algumas horas, a diversão parava, os cães eram espremidos em carros e eu voltava para casa refletindo sobre o dia. Sentava em frente ao computador e examinava os vídeos em uma velocidade extremamente lenta. Lenta o suficiente para ver cada quadro — trinta dos quais perfazem um segundo — individualmente. Só nessa velocidade é que pude realmente enxergar o que tinha acontecido diante de meus olhos. O que eu via não era uma repetição da cena por mim presenciada no parque. Nessa velocidade, pude ver os acenos mútuos que precediam a caça. Vi as sacudidelas de cabeça e as salvas de latidos, tão rápidas que não eram reconhecíveis em tempo real. Pude contar quantas mordidas eram necessárias, durante o curso de dois segundos, antes que o cão mordido respondesse. Contei quantos segundos se passavam antes que uma luta interrompida reiniciasse.

E, mais importante, procurei ver quais os comportamentos que os cães apresentam, e quando. Observar a brincadeira desconstruída nesses microssegundos possibilitou-me compilar um catálogo extenso dos comportamentos de cada cão: uma transcrição da brincadeira. Observei também a postura deles, sua proximidade um do outro e a direção para onde olhavam a cada momento. Em seguida, desconstruída dessa forma, a brincadeira podia ser reconstruída para ver que comportamentos combinavam com que posturas.

Acima de tudo, meu interesse centrava-se em dois tipos de comportamento: os sinais de brincadeira e as formas de atrair atenção. Estas, como vimos, são óbvias: servem para atrair atenção. Especificamente, são atos que alteram a experiência sensorial de outro ser — alguém cuja atenção você está ansioso para atrair. Pode ser uma interrupção do campo visual, como quando Pump repentinamente enfia a cabeça entre mim e o livro que seguro. Pode ser a perturbação do ambiente auditivo: a buzina de um carro tem essa função, e os latidos dos cães também. Se esses métodos não funcionam, a atenção pode ser obtida por meio da interação física: uma das mãos no ombro; uma pata no colo; ou, entre os cães, um empurrão com o quadril ou uma leve mordida no traseiro. Nitidamente, muito do que fazemos serve de alguma forma para atrair a atenção, mas nem todos os comportamentos são igualmente eficientes para tal fim. Chamar pelo nome em voz alta pode ser uma forma de chamar a atenção, mas não se estivermos em um estádio de futebol nos minutos finais do jogo. Nesse caso, um método mais extremo seria necessário. Da mesma forma, a atenção dos cães pode ser mais ou menos fácil de conseguir. Entre eles, o que eu chamo *bem na sua cara* — se apresentar na frente e muito próximo do focinho do outro — é eficaz para chamar a atenção, mas não se o cão estiver participando de uma brincadeira envolvente com outra pessoa. Nesse caso, meios mais poderosos são necessários — como aqueles cães que circulam em volta de dois companheiros que brincam, latindo continuamente por minutos. (Melhor talvez interpor-se em meio aos latidos com algumas mordidas leves no traseiro deles, se estivermos extremamente ávidos para interromper o jogo.)

Os sinais de brincadeira, os outros comportamentos, são pedidos para brincar ou avisos de interesse em brincar: eles poderiam ser traduzidos como algo similar a *Vamos brincar* ou *Quero brincar* ou até mesmo *Pronto? Pois estou prestes a brincar com você*. As palavras específicas não são tão importantes quanto seu efeito funcional: os sinais são previsivelmente usados para começar e continuar a brincar com os outros. Eles são uma demanda social, não apenas uma delicadeza social. Em geral, os cães brincam juntos de forma violenta e a uma velocidade rápida. Visto que eles com frequência agem de maneiras que poderiam facilmente ser mal interpretadas — morder um ao outro no focinho; montar em cima do outro por trás ou pela frente; fazer o outro cão tropeçar —, o caráter lúdico de suas ações precisa ficar evidente.* Se você não sinalizar antes de morder, empurrar ou se colocar por cima do companheiro, não está

---

* Considerando-se a importância das garantias visuais normais de que o jogo ainda é um jogo, talvez não surpreenda que uma brincadeira de luta em trio seja muito mais rara do que uma em dupla. Tal como na conversação, algo é perdido — um sinal de jogo aqui, um alerta ali — quando todos estão conversando ao mesmo tempo. Em geral, somente os cães que se conhecem bem conseguem brincar em trios.

brincando de verdade, está agredindo. Um ataque no qual apenas um participante pensa que se trata de brincadeira deixa de ser divertido. Todos os donos de cães que os passeiam junto com outros sabem o que acontece nesse caso: uma luta de brincadeira vira uma luta. Sem o sinal de brincadeira, uma mordida é uma mordida, digna de rancor ou retribuição. Com o sinal, uma mordida é apenas parte do jogo.

Quase toda luta de brincadeira começa com um desses sinais. O mais característico é a *reverência de brincadeira*, no qual o corpo do cão se curva diante de um parceiro desejado. Um cachorro curvado sobre as pernas dianteiras, boca aberta e descontraída, com o traseiro elevado e o rabo alto e abanando, está fazendo de tudo para incitar alguém a brincar. Mesmo sem rabo, você pode imitar essa pose: espere uma resposta à altura, uma mordida delicada e amiga, ou pelo menos um segundo olhar. Dois cães que são companheiros de brincadeira costumeiros podem usar uma forma sucinta de reverência: a familiaridade permite abreviar a formalidade, exatamente como acontece entre humanos conhecidos. Se *Como vai você?* vira *Tudo bem?*, a reverência de brincadeira pode ser encurtada de forma a se tornar o anteriormente mencionado *tapinha de brincadeira* — as patas dianteiras golpeando o chão no início da reverência; a *exibição de boca aberta* — boca aberta, mas sem mostrar os dentes; ou a *reverência da cabeça* — uma sacudida da cabeça com a boca aberta. Até mesmo arfar em sequência rápida pode ser um convite para brincar.

É a forma como os cães usam juntos esses comportamentos — sinais de brincadeira e de atrair a atenção — que poderia revelar ou refutar o fato de que eles têm uma teoria da mente. Da mesma forma que a tarefa da crença falsa mostra que algumas crianças pensam sobre o que as outras pessoas sabem, enquanto algumas não pensam, o uso da atenção na comunicação é significativo. A pergunta de pesquisa que procurei investigar em meus dados sobre cães brincalhões foi a seguinte: eles se comunicam, usando sinais de brincadeira, de forma intencional — atentos à atenção de sua plateia? Eles usaram formas de atrair a atenção quando não conseguiram atrair a atenção de seu parceiro de brincadeira? Exatamente como eram usados esses empurrões, latidos e reverências de brincadeira?

É difícil fazer um relato bom do que aconteceu em uma brincadeira que você acabou de assistir. Eu poderia facilmente criar uma história bem simplista sobre dois cães protagonistas: *Bailey e Darcy corriam ao redor um do outro... Darcy perseguia Bailey e latia... Ambos morderam o focinho um do outro... em seguida, se separaram.* Só que essa história despreza os detalhes, tais como a frequência com que Darcy e Bailey deixaram que o outro levasse vantagem, jogando-se intencionalmente no chão de costas para serem mordidos, ou usando menos força do que poderiam em uma mordida. Também não deixaria claro se houve um revezamento em morder e ser mordido, perseguir e ser perseguido. E, mais importante, se eles haviam sinalizado um para o outro em um momento em que o sinal podia ser visto e respondido com uma brincadeira ou desengajamento rápido. Para isso, é preciso olhar para os instantes entre os segundos.

O que descobri foi incrível. Esses cães enviavam sinais de brincadeira apenas em momentos muito específicos. No início, sinalizavam de forma previsível, e sempre para um cão que estava olhando em sua direção. A atenção podia ser perdida uma dezena de vezes em uma sessão de brincadeira típica. Um cachorro pode se distrair com um odor delicioso, com um terceiro cão que se aproxima dos dois que brincam, com o dono que se afasta. O que se consegue observar é apenas uma pausa seguida do recomeço da brincadeira. Na verdade, nesses casos, uma sequência rápida de passos precisa acontecer. Para que a brincadeira não seja permanentemente interrompida, o cão interessado deve atrair a atenção de seu parceiro novamente e, em seguida, convidá-lo para brincar de novo. Os cães que observei também emitiram sinais de brincadeira quando ela havia sido interrompida e eles desejavam recomeçá-la, quase exclusivamente dirigidos aos cães capazes de ver o sinal. Em outras palavras, eles se comunicavam intencionalmente com uma plateia que conseguia vê-los.

Melhor ainda, em muitos casos, o registro da direção para onde os cães olhavam mostrava que um deles, que havia parado de brincar, estava distraído — olhando em outra direção, brincando com outra pessoa. Uma opção para seu parceiro anterior seria fazer a reverência de brincadeira repetidamente, esperando atrair alguém para brincar. No entanto, muito mais eficiente seria fazer exatamente o que eles faziam: usar uma forma de atrair atenção antes de fazer a reverência. Importante: a forma de atrair atenção que eles usavam *combinava* com o nível de desatenção de seus companheiros, mostrando que eles compreendiam algo sobre "atenção". Mesmo no meio da brincadeira, eles recorriam a formas mais brandas de atrair atenção — um *bem na cara* ou um *recuo exagerado*; pular para trás enquanto olha para o outro cão — quando a atenção do companheiro estava apenas ligeiramente desviada. Se um companheiro desejado estivesse em pé olhando para ele, um desses recursos poderia, de fato, ser suficiente para despertá-lo — tal como um aceno de *oi?* na frente de um amigo que está sonhando acordado. Porém, quando o outro cão se encontrava muito distraído, olhando para outro lado, ou até mesmo brincando com outro cão, eles buscavam obter atenção de uma forma mais direta — mordidas, empurrões e latidos. Nesses casos, aquele *oi?* ameno não servia. Em vez de usar um método de força bruta, tentando atrair a atenção por qualquer meio necessário, o cão escolhia formas que eram apenas suficientes, mas não excessivas, para conquistar a atenção desejada. Esse era um comportamento verdadeiramente atencioso da parte dos brincalhões.

Somente após essas formas de atrair atenção funcionarem é que os cães sinalizavam o interesse na brincadeira. Em outras palavras, eles se utilizavam de uma sequência de operações: primeiro, atrair a atenção; em seguida, enviar um convite para participar da brincadeira de briga.

Isso é exatamente o que fazem os bons teóricos da mente: refletem sobre o estado de atenção da plateia e só falam com os que podem ouvir ou compreendê-los. O comportamento canino parece tentadoramente próximo a demonstrar uma teoria da mente. Mas há razões para se acreditar que suas capacidades sejam diferentes das nossas. Em primeiro lugar, em ambos os experimentos e em meu estudo sobre brincadeiras, nem todos os cães agiram igualmente de forma atenciosa. Alguns são pouco corteses em sua abordagem. Latem, não conseguem resposta — e então latem e latem e latem e latem. Outros buscam obter atenção quando ela já foi atraída ou emitem sinais de brincadeira quando a brincadeira já foi sinalizada. As estatísticas mostram que a maioria dos cães age atenciosamente, mas existem muitas exceções. Não conseguimos determinar ainda se o desempenho desses últimos é abaixo da média ou se é indicativo de uma compreensão incompleta da espécie.

Pode ser um pouco de ambos. Em vez de contemplar a mente por trás do cão, é possível que a maioria dos cães simplesmente interaja. A capacidade de usar formas de captar a atenção e sinais de brincadeira sugere que eles podem ter uma teoria da mente *rudimentar*: sabem que existe algum elemento mediador entre outros cães e suas ações. Uma teoria da mente rudimentar é como possuir um traquejo social aceitável. Pensar a partir das perspectivas dos outros o ajuda a brincar melhor com eles. E, por mais simples que possa ser, é possível que essa habilidade faça parte de um incipiente sistema de justiça entre cães. A habilidade de observar a partir de outras perspectivas fundamenta nossa concordância com um código de conduta entre humanos que é mutuamente benéfico. Ao observar as brincadeiras, notei que os cães que violavam as regras implícitas de atrair atenção e sinalizar a brincadeira — por exemplo, simplesmente intrometendo-se nas brincadeiras dos outros sem seguir os procedimentos apropriados de forma atenciosa — eram desprezados como companheiros de diversão.*

Isso significa que seu cão está consciente do que você está pensando neste momento ou mesmo interessado nisso? Não. Isso significa que ele pode perceber que seu comportamento reflete o que

---

* Outra indicação da percepção de justiça por parte dos cães provém de um novo experimento que demonstra que aqueles que veem outro cão ser recompensado por ter realizado algum ato — dar a pata quando solicitado —, mas que não são recompensados pelo mesmo ato, acabam recusando-se a dar a pata. (No entanto, nenhum cão recompensado ficou comovido com a clara injustiça da situação a ponto de compartilhar a recompensa ganha com o parceiro desafortunado...)

está em sua mente? Sim. Usada para se comunicar conosco, essa é uma grande parte da aparente humanidade dos cães. Às vezes, ela é até mesmo usada de forma desprezível, lembrando muito o comportamento dos humanos.

O QUE ACONTECE COM OS CHIHUAHUAS

Agora podemos revisitar o wolfhound e a chihuahua que conhecemos no início deste livro. Seu encontro na encosta do morro não é menos interessante agora, mas de fato sintetiza perfeitamente a flexibilidade e a variedade dos comportamentos da espécie. A explicação para tais brincadeiras começa na história de seus ancestrais sociais, os lobos. Ela se torna aparente nas horas de socialização entre humanos e cães; nos anos de domesticação; nos diálogos dos discursos e comportamentos entre nós. É explicável no mundo sensorial do cão: a informação que ele obtém de seu focinho, o que seus olhos veem. Está presente na capacidade dos cães de refletir sobre si mesmos; pode ser explicado em seu universo diferente e paralelo.

E está presente nos sinais específicos usados uns com os outros. A abordagem de traseiro levantado do wolfhound: a reverência de brincadeira, um convite a um jogo — deixando bem claro sua intenção ardente de brincar com o pequeno cão, e não comê-lo. Em troca, a chihuahua o cumprimenta, aceitando o convite. Na língua dos cães, é o suficiente para que um veja o outro como um igual na brincadeira. Os tamanhos muito diferentes não são irrelevantes, e eis porque o wolfhound se agacha: ele se coloca em desvantagem. Ao se colocar na altura da pequena cadela — vendo a partir do ponto de vista dela — e expondo-se a seus ataques, ele nivela o campo de brincadeira.

Eles aguentam o contato corpo a corpo. O contato direto constitui uma distância social razoável para os cães. Eles mordem com impunidade: cada mordida é retribuída com outra ou explicada com um sinal de brincadeira — e cada mordida é controlada. Quando o hound bate na cadelinha com força exagerada, empurrando-a para trás, ela pode, por um momento, ser vista como uma pequena presa em fuga. Mas a diferença entre cães e lobos é que os primeiros conseguem suprimir seus instintos predatórios. O hound, ao contrário, retira a pancada forte com um tapinha de brincadeira de desculpas, uma versão mais branda da reverência. Funciona: ela corre direto para confrontá-lo.

Finalmente, quando o hound é freado e afastado pelo dono, a chihuahua lança um latido para seu companheiro de brincadeira que parte. Se tivéssemos continuado a observá-los, tivesse ele dado meia-volta, poderíamos tê-la visto abrir a boca ou dar um saltinho — lançando chamados na esperança de continuar a brincadeira com o amigo gigante.

NÃO HUMANO

O estudo das capacidades cognitivas dos cães emergiu de um contexto da psicologia comparativa — contexto que, por definição, busca comparar as capacidades animais com as humanas. O exercício, muitas vezes, acaba se perdendo em minúcias: eles se comunicam, mas não com todos os elementos da linguagem humana; eles aprendem, imitam e enganam, mas não *da forma* como fazemos. Quanto mais aprendemos sobre as habilidades animais, mais temos de enveredar por minúcias para manter uma linha divisória entre os humanos e os bichos. Todavia, é interessante observar que parecemos ser a única espécie que dedica tempo ao estudo de outras espécies — ou, pelo menos, a única que lê ou escreve livros sobre elas. Não pega mal para os cães não fazê-lo.

O mais revelador é como os cães desempenham tarefas que avaliam habilidades sociais que pensávamos serem dominadas apenas pelos humanos. Os resultados, caso sirvam para mostrar o quanto os cães são ou não parecidos conosco, têm relevância para nosso relacionamento com eles. Quando consideramos o que pedimos a eles e o que deveríamos esperar deles, compreender suas diferenças com relação a nós só irá nos ajudar. Os esforços da ciência para encontrar distinções ilustram, mais do que qualquer outra coisa, a única distinção verdadeira: nosso impulso para afirmar nossa superioridade, tecer comparações e julgar diferenças. Os cães, mentes nobres, não são assim. Ainda bem.

Dentro de um cão

A personalidade dela é inconfundível e onipresente: na relutância em escalar os degraus íngremes para sair do parque — depois avançando à minha frente forte e audaciosa; nos grandes surtos de correria e farejo na juventude; em seu deleite quando retorno de uma longa viagem, mas sem exageros; no jeito de verificar minha presença durante nossos passeios, mas sempre mantendo alguma distância. Para um cão que é real e totalmente dependente de mim, ela é incrivelmente independente: sua personalidade é forjada não apenas na interação comigo, mas nos momentos em que perambula ao ar livre sem mim, explorando sozinha os espaços. Ela tem um ritmo de vida próprio.

Apesar da abundância de informações científicas a respeito do cão — sobre como eles veem, cheiram, ouvem, olham, aprendem — há lugares para os quais a ciência não viaja. Causa-me perplexidade que algumas das perguntas que mais frequentemente têm sido feitas a mim sobre cães, além das que eu mesma tenho sobre meu próprio cachorro, não sejam abordadas pelas pesquisas. Nas questões de personalidade, experiência pessoal, emoções e nas que envolvam o conteúdo de seus pensamentos — simplesmente *sobre o que eles pensam* —, a ciência se cala. Todavia, o acúmulo de dados sobre os cães fornece uma boa base a partir da qual se pode extrapolar e buscar as respostas.

As perguntas são, em geral, de dois tipos: *O que o cão sabe?* e *como é ser um cão?*. Portanto, primeiro perguntaremos o que os cães sabem sobre os assuntos de interesse humano. Depois, poderemos imaginar as experiências — os *umwelten* — das criaturas que possuem esse conhecimento.

I

O QUE UM CÃO SABE

Afirmações sobre o que esses animais sabem são feitas constantemente. É curioso que elas tendam a agrupar-se em torno do acadêmico e do ridículo. As primeiras incitam os pesquisadores a perguntar se um cão sabe, por exemplo, como fazer somas. Em um experimento, os cães olharam por mais tempo — revelando surpresa — quando havia mais ou menos biscoitos, exibidos por trás de uma tela, do que os que haviam visto serem escondidos lá — indicando que eles tinham prestado atenção na *quantidade* escondida e percebido quando havia uma discrepância. Bingo: cães contadores.

Os outros tipos de afirmação são mais abrangentes: os cachorros são éticos, racionais, metafísicos. Admito ter pensado seriamente — e mais de uma vez — que minha cadela parece agir de forma irônica (seja de forma intencional ou não).* Um filósofo antigo sus-

---

* Como no dia em que ela passou 15 minutos cavando um buraco para esconder um valorizado pedaço de couro cru mastigado. Só que, ao cavar, ela acabou criando algo

tentava que os cães compreendiam silogismos disjuntivos. Como comprovação, apresentou o exemplo por ele observado de que ao acompanharem um animal até um caminho que se dividia em três, os cães foram capazes, mesmo sem usar o faro, de deduzir que, se um animal não foi pelo primeiro ou segundo dos três caminhos, ele teria ido pelo terceiro.*

Começar com um interesse pela matemática ou pela metafísica e escorregar para habilidades mais simples não nos leva muito longe na compreensão dos cães. Mas comece com a abordagem deles de cheirar o mundo; sua atenção impressionante para os humanos; e o conhecimento dos diversos meios pelos quais eles apreendem o mundo — e é possível que sejamos capazes de descobrir o que eles sabem. Em particular, talvez possamos responder se eles experimentam a vida como nós; se pensam sobre o mundo como nós. Cuidamos de nosso próprio trajeto autobiográfico pela vida, tratando dos assuntos cotidianos, tramando revoluções futuras, temendo a morte e tentando fazer o bem. O que os cães sabem a respeito do tempo, deles mesmos, do que é certo e errado, das emergências, das emoções e da morte? Ao definir e desconstruir essas noções — tornando-as cientificamente examináveis — podemos começar a chegar a uma resposta.

---

mais parecido com uma pilha. Resultado: o couro cru não foi, de fato, escondido, mas orgulhosa e visivelmente exibido (provavelmente em função de um instinto de ocultação imperfeitamente desenvolvido). Da mesma maneira, é possível ficar imaginando se ela entende como ironia (ou como mágica) o meu show de abrir a mão diante dela para mostrar que a guloseima que eu tinha antes não está mais lá.

* Essa poderia ser outra forma de explicar a capacidade de Rico de escolher, em uma pilha de brinquedos, aquele com o nome desconhecido: ele selecionava o brinquedo que não reconhecia.

Dias de cão (sobre o tempo)

Entro em casa, Pump me faz uma saudação abreviada, executa uma pirueta insólita e, em seguida, sai em disparada. Durante o dia, ela localizou todos os biscoitos que deixei para ela espalhados pela casa e esperou até agora para consumi-los; devora aquele que balançava na beira da cadeira, aquele em cima da maçaneta da porta, até mesmo aquele escondido em cima de uma pilha de livros — que ela delicadamente pega e leva embora.

Os animais existem no tempo, usam o tempo; mas será que eles sentem o tempo? Certamente. Em algum nível, não existe diferença entre a existência no tempo e a experiência do tempo: o tempo precisa ser percebido para ser usado. Suspeito que o que muitas pessoas querem dizer ao perguntar se os animais sentem o tempo é: eles têm os mesmos sentimentos sobre o tempo que nós? Um cão pode sentir a passagem de um dia? E, mais importante, eles ficam enfadados o dia inteiro quando os deixamos em casa sozinhos?

Os cães têm muita experiência do dia, mesmo que não tenham a palavra *dia* para descrevê-lo. Somos a primeira fonte do cão de conhecimento dos dias: organizamos o dia dele junto com o nosso, fornecendo marcos e cercando-o com rituais. Por exemplo, fornecemos inúmeras pistas sobre o horário das refeições. Dirigimo-nos à cozinha ou à despensa. A refeição dele também pode ocorrer ao mesmo tempo em que a nossa; então começamos a descarregar o refrigerador, espalhando cheiro de comida e fazendo uma algazarra com panelas e pratos. Se dermos uma olhada para o cão e nos dirigirmos a ele de forma amorosa, qualquer ambiguidade remanescente é eliminada. E os cães são criaturas de hábito por sua própria natureza, sensíveis às atividades que se repetem. Eles formam preferências — lugares para comer, dormir e urinar com segurança — e observam as nossas preferências.

Mas, além de todas essas pistas visíveis e olfativas, o cão naturalmente sabe que está na hora do jantar? Conheço donos de cachorros que insistem que é possível acertar seus relógios por seus animais. Quando o cão se dirige à porta, é precisamente a hora de sair; quando ele se dirige à cozinha, tenha certeza, é hora de comer. Imagine retirar todas as pistas que o cão tem sobre a hora do dia: todos os seus movimentos, quaisquer sons ambientais, até a luz e a escuridão. Ainda assim o cão sabe quando é hora de comer.

A primeira explicação é a de que os cães usam um relógio de verdade — ainda que interno. Fica no chamado *marcapasso* de seu cérebro, que regula as atividades de outras células corporais ao longo do dia. Há algumas décadas, os neurocientistas sabem que os ritmos circadianos, os ciclos de sono e vigilância que experimentamos todos os dias, são controlados por uma parte do cérebro localizada no hipotálamo denominada núcleo supraquiasmático (SCN, na sigla em inglês). Não são apenas os humanos que possuem um SCN: os ratos, pombos e cães também — todos os animais, inclusive os insetos, que possuem um sistema nervoso complexo. Esses e outros neurônios do hipotálamo trabalham juntos para coordenar diariamente a vigília, a fome e o sono.* Privado totalmente dos ciclos de

---

* Com o avanço da idade, os cães dormem mais, mas entram menos no sono paradoxal — com movimento rápido dos olhos (REM, na sigla em inglês) — do que na juventude. Os cientistas têm teorias, mas nenhuma explicação definitiva para os cães sonharem — e eles sonham de modo vívido, caso a agitação dos olhos, as unhas curvadas, o rabo abanando e o uivar durante o sono sejam uma indicação. Como nos humanos, uma teoria considera os sonhos como o resultado acidental do

luz e de escuridão, ainda assim passaríamos por ciclos circadianos; sem o sol, demoraria pouco mais de 24 horas para um dia biológico ser completado.

Esta manhã, eu a ouvi latindo durante o sono — o latido abafado e ofegante do sonho. Sim, ela sonha de fato. Adoro seus latidos de sonho, falsamente severos, muitas vezes acompanhados pela contração das patas ou pela torção dos lábios em um rosnado que revela os dentes. Se eu observar por tempo suficiente, verei os olhos dançando, o apertar periódico de suas mandíbulas, ouvirei seus choramingos diminutos. Os melhores sonhos inspiram a abanação de rabo — imensos golpes de alegria que acordam a mim e a ela.

Nós humanos vivemos o dia de acordo com nossas ideias sobre o que típica ou idealmente acontecerá ao longo dele — refeições, trabalho, brincadeiras, conversas, sexo, percurso de ida e volta ao trabalho, sonecas — e também de acordo com o ciclo de nossos ritmos circadianos. Contudo, em função de nossa atenção aos primeiros elementos, às vezes quase não observamos que nossos corpos seguiam uma trajetória regular ao longo do dia. Essa sonolência no meio da tarde, a dificuldade em levantar às cinco da manhã — ambas são devido às nossas atividades conflitarem com os ritmos circadianos. Retire algumas dessas expectativas humanas e terá a experiência do cão: os sentimentos corporais da passagem do dia.

---

sono paradoxal, o que em si é um tempo de restauração corporal. Por outro lado, os sonhos podem funcionar como um tempo para treinar, na segurança da própria imaginação, interações sociais e façanhas físicas futuras, ou examinar interações e façanhas passadas.

Na realidade, sem as expectativas sociais para distraí-los, eles podem ficar mais sintonizados com os ritmos do corpo, dizendo-lhes quando levantar e quando comer. Segundo seu marcapasso, eles são mais ativos justo quando a escuridão cede lugar à aurora e reduzem sensivelmente suas atividades à tarde, mostrando uma explosão de energia ao anoitecer. Sem muito mais para fazer — nenhuma papelada para revirar, nenhuma reunião para participar —, os cães cochilam ao longo de todo aquele período de sonolência vespertina.

Mesmo sem horários de refeições regulares, o corpo passa por ciclos relacionados à alimentação. Logo antes da hora de comer, os animais tendem a ser mais ativos — correndo para todos os lados, lambendo, salivando — esperando pela comida. Essa percepção da hora de comer se manifesta quando um cão nos persegue incessantemente com a boca ofegante e os olhos suplicantes. Finalmente, descobrimos que está na hora de alimentá-lo.

Portanto, é possível de fato acertar o relógio pelo estômago do cão. E, até mais impressionante, os cães mantêm um relógio, operado por outros mecanismos ainda não plenamente compreendidos, que parecem ler o ar do dia. Nosso ambiente local — o ar na sala em que nos encontramos — indica (se tivermos o indicador correto) onde estamos no dia. Embora, em geral, não possamos senti-lo, esse é exatamente o tipo de alteração que um cão consegue observar. Se estivermos cuidadosamente atentos, poderemos observar as grandes mudanças do dia: o esfriamento no momento do pôr do sol ou até mesmo a hora, registrada pela quantidade de luz que passa pela janela. Só que as mudanças que acontecem durante o dia são infinitamente mais sutis. Usando aparelhos sensíveis, os pesquisadores conseguiram detectar suaves correntes de ar que se formam ao término dos dias de verão: ar aquecido que sobe pelas paredes e desliza ao longo do teto no interior da casa, derramando-se no centro da sala e caindo ao longo das paredes externas. Não se trata de uma brisa, nem mesmo de uma baforada ou elevação do ar que seja perceptível. No entanto, a máquina sensível que é o cão evidentemente detecta esse fluxo de ar lento e inevitável, talvez com a ajuda de seus bigodes, bem posicionados para registrar a direção de qualquer cheiro no ar. Sabemos que eles conseguem detectá-lo porque também podem ser enganados: levado para uma sala aquecida, um cão treinado para seguir um rastro de cheiro pode procurar primeiro junto às janelas — quando o rastro está, na verdade, mais próximo do centro da sala.

Ela é paciente. Como espera por mim. Espera enquanto entro na quitanda local, olhando melancolicamente e, em seguida, se acalmando. Espera em casa pelo meu retorno, aquecendo a cama, a cadeira, o local próximo à porta. Espera que eu termine o que estou fazendo antes de sairmos para passear; que eu termine de falar com alguém durante nosso passeio; que eu perceba quando está com fome. Ela esperou que eu finalmente percebesse onde ela gostava de ser acariciada. Esperou que eu, finalmente, começasse a descobri-la. Obrigada por ter esperado, fofinha.

A capacidade dos cães para detectar uma duração de tempo específica ainda não foi testada, mas a das abelhas grandes foi. Em um estudo, as abelhas foram treinadas para esperar durante um intervalo de tempo fixo antes de enfiar o focinho em um minúsculo buraco em busca de um pouco de açúcar. Seja qual for o intervalo, elas aprenderam a se conter por exatamente esse tempo... e nada mais. Quando se é uma abelha esperando por água açucarada, metade de um minuto é muito tempo para esperar. Porém, elas bateram pacientemente as muitas patas e conseguiram esperar. Outros animais sujeitos de muitos experimentos — ratos e pombos — fazem o mesmo: calculam o tempo.

É provável que seu cachorro saiba exatamente a duração de um dia. Porém, se esse for o caso, ocorre-nos um pensamento horrível: os cães não ficariam terrivelmente entediados por permanecer sozinhos em casa o dia inteiro? Como podemos determinar se um cão está entediado? Em se tratando de outros conceitos cuja aplicabilidade aos cães gostaríamos de conhecer, primeiro precisamos compreender o que é o tédio. Qualquer criança lhe dirá quando está entediada, mas os cães não — pelo menos, não verbalmente.

É raro o tédio ser discutido na literatura científica não humana, porque é uma das classes de palavras cuja aplicação a animais é considerada duvidosa. "O homem é o único animal que pode ficar entediado", declarou o psicólogo social Erich Fromm. Os cães não merecem tamanha sorte. O tédio humano raramente fica sujeito à análise científica, talvez porque simplesmente pareça uma parte da experiência de vida, não uma patologia a ser analisada. A própria familiaridade com ele nos dá uma forma de defini-lo: nós o vivenciamos como um aborrecimento profundo, uma total falta de interesse. E o reconhecemos nos outros: na energia esmorecida, no aumento de movimentos repetitivos, no declínio de todas as outras atividades e na atenção rapidamente decrescente.

Com essa definição, o subjetivo se torna objetivamente identificável, tanto nos cães quanto nos humanos. A energia esmorecida e a atividade reduzida são simples de reconhecer: menos movimento e mais tempo deitado e sentado. A atenção pode logo se transformar em períodos de sono. Os movimentos repetitivos incluem comportamentos estereotípicos (despropositada e interminavelmente repetidos) ou autodirecionados. Giramos os polegares quando estamos entediados; contamos os passos. Os animais mantidos em jaulas áridas em um zoológico muitas vezes marcham freneticamente para cima e para baixo — e, apesar de não terem polegares, têm comportamentos equivalentes: lamber ou mastigar a pele ou o pelo constante e obsessivamente, arrancar as próprias penas, coçar as orelhas ou o rosto, balançar para a frente e para trás.

Então, seu cão está entediado? Se você volta para casa e encontra meias e sapatos ou roupas íntimas aparentemente inquietas, que migraram magicamente para um lugar um pouco distante de onde você as deixou, ou lembretes rasgados, do tamanho de uma mordida, que você jogou no lixo ontem — a resposta é tanto *Sim*, seu cão está entediado, quanto *Não*, pelo menos não durante aquela hora maníaca de mastigação. Imagine uma criança reclamando *Não tenho nada para fazer*; este é exatamente o caso da maioria dos cães que ficam sozinhos em casa. Deixados em casa sem nenhuma ocupação, eles encontrarão algo com que se ocupar. Para manter a sanidade mental de seu cão e a integridade de suas meias a solução é muito simples: dê-lhes algo para fazer.

Mesmo que você volte e encontre a casa um pouco desarrumada, uma cavidade quente na almofada proibida do sofá, o que também é provável é que ele ainda está vivo e, em geral, com uma aparência boa. Conseguimos deixá-los sozinhos e entediá-los porque eles, em geral, se adaptam às situações sem muita reclamação. Na verdade, os cães se consolam com hábitos, com ocorrências previsíveis — exatamente como nós. Se assim for, então o tédio deles pode ser abrandado pela resignação ao familiar. E eles podem até saber de quanto tempo precisam, em geral, para ficar aguardando por você em animação suspensa. Essa é uma das razões pela qual seu cão pode estar esperando agitadamente junto à porta mesmo quando você tenta entrar silenciosamente em casa ao final de um dia de trabalho. Essa é a razão por que deixo mais guloseimas escondidas pelo apartamento quando sei que ficarei muito tempo fora. Digo a Pump que vou estar fora e que estou deixando algo para ocupar seu tempo.

O íntimo do cão (sobre eles mesmos)

O melhor recurso científico proposto para averiguar se os cães pensam sobre eles mesmos — se têm consciência de si mesmos — é simples: o espelho. Um dia, o primatologista Gordon Gallup olhou para sua imagem no espelho enquanto se barbeava e se perguntou se os chimpanzés que estudava também ponderavam sobre suas imagens nos espelhos. Certamente usar um espelho para se autoexaminar — alisando a camisa sobre a barriga, passando a mão de leve nos cabelos rebeldes, testando um sorriso recatado — é uma mostra da consciência de nós mesmos. Antes de ficarmos conscientes, quando criancinhas, não usamos os espelhos da mesma forma que os adultos. Pouco tempo antes de as crianças passarem nos testes de teoria da mente, elas começam a considerar suas imagens no espelho.

Gallup imediatamente colocou um espelho de tamanho natural do lado de fora da jaula dos chimpanzés e observou o que eles fariam. No começo, todos agiam da mesma forma: se apavoravam e tentavam atacar o espelho. De repente, parecia, havia outro chimpanzé bem perto de sua jaula; essa situação precisava ser confrontada imediatamente. Apesar do resultado sem dúvida confuso — a imagem espelhada parecia retaliar, apenas para em seguida a situação se resolver sem grandes problemas —, os primeiros dias foram cheios de demonstrações sociais dirigidas a esse chimpanzé novo e deslumbrante. Após alguns dias, no entanto, os animais pareciam chegar a uma conclusão. Gallup observou-os enquanto se aproximavam dos espelhos e começavam a usá-los para examinar os próprios corpos e rostos: limpando os dentes, fazendo bolhas e caretas para a imagem no espelho. Eles estavam especialmente interessados nas partes do corpo normalmente inacessíveis ao olhar: a boca, o traseiro, o interior da narina. Para se certificarem de que estavam pensando sobre as imagens do espelho como *eles mesmos*, Gallup inventou o teste da "marca": discretamente aplicou uma pequena quantidade de tinta vermelha na cabeça dos chimpanzés. Os primeiros sujeitos precisaram ser anestesiados para receberem a aplicação da marca; mais tarde, os pesquisadores afixaram a marca enquanto realizavam a limpeza cotidiana ou se encarregavam dos cuidados médicos dos animais. Quando os chimpanzés marcados se postaram novamente em frente ao espelho, eles viam um chimpanzé marcado de vermelho e tocavam o local na própria cabeça, abaixando as mãos para examinar a tinta com a boca. Eles passaram no teste.

Há um grande debate sobre a possibilidade de esse comportamento indicar que os chimpanzés pensam sobre si mesmos, se têm um conceito de eu, se são capazes de se reconhecer, se são autoconscientes ou nenhuma das respostas anteriores* — sobretudo

---

* Quando os animais passam no teste, os céticos destacam a falácia lógica da conclusão: o fato de os humanos autoconscientes usarem um espelho para se examinar

tendo em vista que tudo isso conflitaria com nossas ideias sobre os animais caso, de repente, lhes concedêssemos autoconsciência. Mas os testes do espelho continuaram junto aos debates e até a presente data os golfinhos (ao moverem os corpos para explorar a marca) e pelo menos um elefante (usando a tromba) passaram no teste; já os macacos não. E os cães? Não existe registro de terem passado nesse teste. Eles nunca se examinam no espelho. Ao contrário, eles se comportam mais como os macacos: às vezes, olham sua imagem no espelho como se fosse outro animal, outras vezes a observam sem maiores reações. Em alguns casos, os cães usam os espelhos para obter informações sobre o mundo: ver você se aproximar sorrateiramente atrás deles, por exemplo. Porém, não parecem ver a figura refletida como uma imagem deles mesmos.

Há algumas explicações para esse tipo de comportamento canino. Eles podem de fato não ter qualquer percepção de si mesmos — portanto, nenhuma percepção de quem pode ser aquele cão vistoso no espelho. Porém, como indica o debate, esse teste não é universalmente aceito como conclusivo de autoconsciência; logo, nenhum deles pode ser considerado apto a determinar definitivamente a falta de autoconsciência. Outra explicação possível para o comportamento dos cães é que a ausência de outras pistas — sobretudo as olfativas — que venham da imagem do espelho leva os cães a perderem o interesse em investigá-la. Um fantástico espelho

---

não implica que usar um espelho requer autoconsciência. Quando os animais são reprovados no teste, o debate toma outra direção: não há nenhuma boa razão evolutiva pela qual os animais *deveriam* examinar algo não irritante nas próprias cabeças, mesmo reconhecendo a si mesmos. Em ambos os casos, esse teste continua a ser o melhor teste de autoconsciência desenvolvido até hoje, além de usar apenas um equipamento simples.

odorífero que espalhasse o odor do cão enquanto a imagem dele estivesse refletida seria objeto melhor para esse teste. Uma outra questão envolve o fato do teste se basear em um tipo específico de curiosidade sobre si mesmo: aquele que leva os humanos a examinarem o que há de novo em seu corpo. Os cães podem estar menos interessados no que é visualmente novo do que naquilo que é palpavelmente novo: eles observam sensações estranhas e as investigam com a boca que mordisca ou a pata que arranha. Um cão não tem curiosidade em saber por que a ponta de seu rabo preto é branca, ou qual a cor de sua coleira nova. A marca precisa ser visível, e notá-la precisa valer a pena.

Todavia, existem outros comportamentos caninos sugestivos de seu autoconhecimento. Na maioria das ações, os cães avaliam corretamente suas capacidades. Eles se surpreendem ao pular dentro da água atrás de patos e descobrirem que são nadadores naturais. Eles nos surpreendem ao saltar por cima de uma cerca — o que realmente podem ser capazes de fazer. Por outro lado, é comum ouvirmos que os cães *não* sabem um fato muito básico sobre eles mesmos: seu tamanho. Cães pequenos empertigam-se para cães enormes: os donos declaram que eles "acham que são grandes". Alguns donos de cachorros grandes, que toleram que eles sentem em seus colos, também afirmam que seus cães "acham que são pequenos". Em ambos os casos, os comportamentos associados conferem maior credibilidade à noção de que eles *de fato* sabem o tamanho que têm: o cão menor compensa seu pequeno porte proclamando suas outras qualidades em uma voz incomumente alta; o cão grande criado no colo mantém esse contato íntimo apenas enquanto este é tolerado; logo ele encontra, em outro lugar, uma almofada apropriada ao seu tamanho para sentar-se.

Tanto cães pequenos quanto grandes tacitamente reconhecem a percepção do próprio tamanho. Pode parecer improvável que isso signifique que eles ponderam sobre as categorias *grande* e *pequeno*. Porém, observe como eles agem com relação aos objetos no mundo. Alguns cães tentarão erguer uma árvore derrubada, mas a maioria dos cães que tem o costume de carregar gravetos escolhe aqueles que possuem um tamanho similar em todas as oportunidades, como se medisse o que pode ser apanhado e carregado com a boca. Dali em diante, todos os gravetos no caminho de um cão curioso são rapidamente avaliados: grande demais? grosso demais? fino demais?

Outros indícios sugestivos de que os cães conhecem seu tamanho surgem em suas brincadeiras de luta. Um dos traços mais característicos das brincadeiras caninas é que todo cão socializado consegue, em geral, brincar com quase qualquer outro cão socializado, o que inclui o pug, que ataca os calcanhares do mastim, apesar de bater na altura dos joelhos dele. Como vimos, os cães grandes sabem como moderar a força de suas brincadeiras com companheiros menores — e muitas vezes o fazem. Eles evitam dar mordidas mais fortes, pulam com menos intensidade, esbarram em seus companheiros frágeis com mais gentileza. Podem se expor ao ataque por vontade própria. Alguns cães maiores regularmente se jogam no chão, revelando a barriga para que os pequenos companheiros os maltratem por um tempo — o que chamo de *autonocaute*. Os cães mais velhos e experientes ajustam seus estilos de brincar quando estão com filhotes, que ainda não conhecem as regras do jogo.

A brincadeira entre cães de estaturas diferentes muitas vezes não dura muito, mas é geralmente o dono, não o cão, que intervém para pará-la. A maioria dos cães socializados é consideravelmente melhor do que nós na leitura das intenções e capacidades uns dos outros.

Eles resolvem a maioria dos mal-entendidos antes mesmo dos donos perceberem o que está acontecendo. Não é o tamanho ou a raça que importa; é a forma como eles falam uns com os outros.

Os cães trabalhadores fornecem outra indicação acerca do que esses animais sabem sobre si mesmos. Os cães pastores, criados desde as primeiras semanas de vida com carneiros, não desenvolvem comportamentos de carneiro. Eles não berram, gritam ou ruminam; não dão cabeçadas agressivas, nem se amamentam de ovelhas, como fazem os carneiros. A convivência leva os cães a interagir socialmente com as ovelhas — usando comportamentos sociais característicos dos cães. Aqueles que estudam os pastores observam, por exemplo, que eles rosnam para carneiros. O rosnado é uma comunicação canina: o cão está tratando o carneiro mais como um cão do que como uma possível refeição. A única falha desses cães é generalizar demais: não apenas eles, de alguma forma, têm certeza da própria identidade — eles pensam que todos os outros são cães também. É possível considerar essa fraqueza como sendo bem humana: eles falam com os carneiros como se fossem cães, exatamente como nós falamos com os cães como se eles fossem humanos.

Entre atacar, recuperar gravetos e cuidar de ovelhas, será que os cães sentam e pensam: *Caramba, sou um belo cão de porte médio, não sou?* Certamente não: tal reflexão contínua sobre tamanho, status ou aparência é característica dos seres humanos. Porém, os cães realmente agem com conhecimento deles mesmos nos contextos onde tal conhecimento é útil. Eles respeitam (na maior parte do tempo) os limites de suas capacidades físicas e olharão suplicantes para você quando lhe pedirem para pular uma cerca muito alta. Um cão saltará discretamente em torno do monte de excremento encontrado no chão: ele reconhece o cheiro como sendo *dele*. Se o cão pondera sobre si mesmo, pode-se também imaginar se ele pensa sobre ele mesmo no passado — ou no futuro: se ele está silenciosamente escrevendo uma autobiografia na cabeça.

Os anos caninos* (sobre passado e futuro)

Ao dobrarmos a esquina, Pump para. Ela se move como se tivesse cheirado algo a meio passo atrás. Reduzo a velocidade para satisfazê-la, ela se volta e dobra a esquina. Faltam ainda 12 quarteirões, um pequeno parque, um bebedouro e uma curva à direita até chegarmos lá, mas ela conhece esse caminho. Ela já vinha me olhando há alguns quarteirões e, com aquela curva final, está confirmado. Estamos indo ao veterinário.

---

* Não sei se a origem do mito dos *anos caninos* — que afirma que os cães vivem o equivalente a sete anos para cada um dos nossos — alguma vez foi encontrada. Imagino que seja uma dedução inversa a partir da duração esperada para um homem (setenta e tantos anos) comparada com a duração esperada da vida canina (dez a quinze anos). A analogia é mais conveniente do que verdadeira. Não há essa equivalência na vida real, exceto que ambos nascemos e morremos. Os cães se desenvolvem muito rapidamente, andando e comendo por conta própria nos primeiros dois meses; as crianças adquirem tal capacidade com mais de um ano. Em um ano, quase todos os cães já são atores sociais exímios, capazes de circular com facilidade pelo mundo dos cães e dos humanos. A criança normal chega lá aos quatro ou cinco anos. A partir daí, o desenvolvimento do cão desacelera ao mesmo tempo em que o desenvolvimento humano dispara. Se fizermos questão de estender a comparação, é possível defender a tese de uma escala móvel: em torno de dez para um nos primeiros dois anos; em seguida, diminuindo para mais ou menos dois para um nos últimos anos. Porém, os realmente empenhados em fazer tal comparação deveriam, ao calcular esses anos, levar em consideração intervalos de períodos críticos; o desempenho em testes cognitivos; a diminuição das capacidades sensoriais com a idade e a expectativa de vida de diferentes raças.

Os psicólogos relatam que as pessoas com a memória mais extraordinária — capazes de recitar perfeitamente uma série de centenas de números aleatórios lidos para elas de uma só vez, assim como de identificar todos os momentos em que o leitor piscou, engoliu ou coçou a cabeça — são, às vezes, as mais torturadas por suas lembranças. O complemento de uma memória tão perfeita pode ser a estranha incapacidade de esquecer qualquer coisa. Todos os eventos, todos os detalhes, são empilhados nos montes de lixo que são as suas memórias.

A imagem do lixo transbordante, a agregação do dia que já passou, é bastante apropriada quando consideramos a memória de um cão. Sim, porque, se existe algo na mente do cão, é aquela maravilhosa pilha perfumada que preservamos de modo implicante em nossa cozinha, inacessível a ele como uma forma especial de tortura. Nessa pilha estão os restos de tantos jantares, o queijo fétido descoberto no fundo da geladeira, roupas que fedem tanto há tanto tempo que não podem mais ser vestidas. Tudo vai para lá, mas nada está organizado.

A memória do cão é assim? Em algum nível é possível que seja. Há indícios claros de que os cães têm memória. Seu cão claramente o reconhece quando você chega em casa. Todo dono sabe que seu cachorro não esquecerá onde aquele brinquedo preferido foi deixado, ou a que horas o jantar deve ser servido. Ele é capaz de inventar um atalho a caminho do parque; lembrar os bons postes para urinar e os lugares tranquilos para defecar; identificar os cães amigos e inimigos com um olhar e uma fungada.

No entanto, a razão porque ainda fazermos a pergunta "Os cães têm memória?" é a de que a nossa memória é mais do que a manutenção de um registro dos itens valiosos, dos rostos familiares e dos lugares em que estivemos. Existe uma veia pessoal que percorre nossa memória: a experiência sentida do passado, colorida com a antecipação do futuro. Portanto, a pergunta é se o cão tem uma experiência subjetiva das próprias memórias da mesma forma que temos — se ele pensa sobre os acontecimentos de sua vida reflexivamente, como *seus* acontecimentos em *sua* vida.

Embora sejam em geral céticos e reservados em seus pronunciamentos, os cientistas muitas vezes agem implicitamente, como se os cães tivessem memória exatamente igual à nossa. Há muito os cachorros têm sido usados como modelos para o estudo do cérebro humano. O que sabemos sobre a diminuição de memória com a idade se origina de testes realizados com beagles. Os cães têm uma memória "funcional" de curta duração que — se presume — funciona exatamente da forma como ensinam os livros didáticos de psicologia referindo-se ao funcionamento da memória humana. O que equivale a dizer que, em qualquer determinado momento, estamos mais propensos a lembrar apenas daquilo para o qual direcionamos um "holofote" de atenção. Nem tudo que acontece será lembrado. Somente aquilo que repetimos e ensaiamos para lembrar mais tarde será armazenado como memória duradoura. E, se muita coisa estiver acontecendo ao mesmo tempo, com certeza lembraremos somente de uma parte — os primeiros e os últimos acontecimentos são mais bem guardados. A memória do cão funciona da mesma forma.

Há uma limitação para essa semelhança. A linguagem falada marca a diferença. Uma razão pela qual, como adultos, não temos muitas — talvez nenhuma — lembranças verdadeiras da vida antes de nosso terceiro aniversário reside no fato de que, naquela época, ainda não dominávamos a linguagem falada e não éramos capazes de construir, pensar e armazenar nossas experiências. É possível que, embora tenhamos memórias físicas e pessoais de eventos, pessoas e até de pensamentos e humores, aquilo que queremos dizer por "memórias" seja algo facilitado somente pelo advento da competência linguística. Se esse for o caso, então os cães, tal como as crianças, não têm esse tipo de memória.

Entretanto, os cães certamente se lembram de uma quantidade grande de experiências: seus donos, sua casa, o lugar por onde passeiam. Eles se recordam de inúmeros outros cães; conhecem a chuva e a neve após as experimentarem apenas uma vez; sabem onde encontrar um bom aroma e um bom graveto. Sabem quando não podemos ver o que estão fazendo; lembram-se do que nos fez ficar zangados da última vez que mastigaram algo; sabem quando podem subir na cama e quando estão proibidos de fazê-lo. Eles só sabem disso porque aprenderam — e o aprendizado é apenas a memória de associações ou de eventos ao longo do tempo.

De volta, então, à questão da memória autobiográfica. De muitas formas, os cães agem como se pensassem sobre suas memórias como a história pessoal de sua vida. Às vezes, agem como se estivessem pensando sobre o próprio futuro. A não ser que estivesse doente ou dormindo, não havia quase nada que pudesse impedir Pump de comer os biscoitos para cachorros — e, apesar disso, ela frequentemente se privava deles quando sozinha em casa, optando por aguardar meu retorno. Mesmo quando acompanhados, os cães regularmente escondem ossos e ocultam outras guloseimas preferidas; um brinquedo pode ser abandonado com aparente despreocupação para somente ser procurado na semana seguinte. Suas ações podem muitas vezes estar vinculadas a eventos do próprio passado. Eles evitam terrenos que machucaram suas patas; cães que foram repentinamente agressivos; pessoas que agiram de maneira instável ou cruel. E revelam familiaridade com criaturas e objetos que encontram repetidas vezes. Além do rápido reconhecimento dos novos donos, com o passar do tempo os filhotes acabam por reconhecer os visitantes dos donos. Eles brincam melhor, e sem a menor cerimônia, com os cães que já conhecem há bastante tempo — como se tivessem sido cunhados juntos. Esses companheiros de longa data não precisam usar sinais de brincadeira elaborados: eles usam sinais telegráficos próprios, abreviados em meros instantes, antes de se envolverem completamente um com o outro.*

É bastante desanimador descobrir que nosso conhecimento sobre a percepção autobiográfica do cão não avançou além da afirmação de Snoopy há meio século: "Ontem, eu era um cão. Hoje, sou um cão. Amanhã, provavelmente, ainda serei um cão." Nenhum estudo experimental avaliou especificamente as reflexões do cachorro a respeito de seu passado ou futuro. Porém, alguns estudos realizados com outros animais examinaram parte do que poderia ser

---

* Isso é semelhante ao que foi denominado *ritualização ontogenética*: a coformação por indivíduos de um comportamento adquirido ao longo do tempo — a ponto de até mesmo a parte mais inicial do comportamento estar impregnada de significado para eles. Nos humanos, a elevação de uma sobrancelha de um amigo para outro pode substituir um comentário falado; entre os cães, como vimos, o levantar de cabeça rápido pode substituir toda uma reverência de brincadeira.

considerada a consciência autobiográfica. Por exemplo, um teste com a *Aphelocoma californica*, uma ave que naturalmente guarda comida para consumo posterior, mostrou o que nos humanos pode se chamar de força de vontade. Se eu estiver com desejo de biscoitos de chocolate, e alguém me dá um pacote, é extremamente improvável que eu os guarde até o dia seguinte. As aves mencionadas foram anteriormente ensinadas que, ao receberem uma comida preferida — o equivalente delas aos nossos biscoitos de chocolate —, não receberiam nada para comer na manhã seguinte. Apesar de podermos supor que havia um forte interesse em devorar a comida imediatamente, elas guardaram alguma porção para consumir no dia seguinte. E eu fiquei sem meus biscoitos.

Poderíamos perguntar se os cães agem da mesma forma. Se impedido de comer pela manhã, seu cão começa a armazenar comida na noite anterior? Se isso ocorresse, seria uma comprovação sugestiva de que eles são capazes de planejar o futuro. Como já sabemos — quando encontramos objetos não identificáveis não comidos dentro de embalagens guardadas na geladeira —, nem toda comida armazenada é igualmente boa após algum tempo. Se seu cão enterra um osso ou o esconde no canto do sofá todos os meses, durante três meses, será que vai lembrar qual é o mais antigo, o mais podre e o mais fresco? Deixando de lado quaisquer cheiros poderosos provenientes de seu sofá, isso é pouco provável. Se considerarmos o ambiente canino, fica óbvio que eles simplesmente não precisam usar o tempo dessa forma, uma vez que, ao contrário dos *Aphelocomas*, eles são alimentados periodicamente. Além disso, a separação da comida de acordo com a data de validade, ou sua economia para mais tarde — quando estamos com fome nesse momento —, pode ser uma tarefa difícil para um animal descendente de comedores

oportunistas, que ingerem tudo quanto podem quando há comida disponível, suportando, em seguida, longos períodos de jejum quando não há essa disponibilidade. Alguns sugerem, de forma plausível, que o comportamento de enterrar ossos está ligado a uma compulsão hereditária: guardar comida para tempos difíceis.*
A comprovação de que um cão consegue distinguir o osso mais fresco daquele que apodreceu — ou de que guarda uma porção só para desfrutá-la mais tarde — sustentaria essa hipótese. É mais provável que, na maior parte do tempo, os cães não pensem sobre o tempo quando estão pensando em comida. Um osso é um osso — enterrado ou na boca.

Por outro lado, a falta de indícios sobre a relação temporal dos cães com os ossos não significa que eles não diferenciem o passado do presente e do futuro. Ao encontrar um cachorro que tenha uma vez — mas apenas uma vez — sido agressivo, o outro cão primeiro será cauteloso e, aos poucos, com o tempo, mais corajoso. E os cães certamente preveem o que está no futuro próximo: com uma expectativa crescente no início de um passeio que conduz à loja de comida canina; ou na ansiedade durante o passeio de carro que indica uma visita ao veterinário.

Alguns pensadores tratam os cães como se eles não tivessem passado: seres invejavelmente não históricos e felizes porque não possuem memória. Porém, está claro que eles são felizes apesar de

---

* Alguns lobos, mesmo quando filhotes, instintivamente enterram os focinhos na terra; largam um osso; cavam com o focinho um pouco mais; e, em seguida, com orgulho, deixam-no obviamente visível dentro de um buraco malfeito. Quando adultos, eles sofisticam o comportamento e recuperam a comida guardada — embora não existam dados que comprovem que essa recuperação seja afetada pelo tempo em que o osso ficou enterrado.

terem memória. Não sabemos ainda se existe um "EU" por trás dos olhos caninos — uma percepção de eu, de ser um cão. Talvez falte apenas um narrador continuamente presente para que a autobiografia seja escrita. Nesse caso, eles a estão escrevendo neste momento diante de você.

Bom cachorro (sobre o certo e o errado)

Quando Pump era mais nova, ocorria uma cena comum em nossa casa: eu virava as costas para ela ou entrava em outro aposento. Alguns microssegundos mais tarde, Pumpernickel enfiava o focinho na lata de lixo da cozinha, procurando por sobras gostosas. Se eu retornasse e a flagrasse nesse lugar vulnerável, ela imediatamente retirava o focinho da lata, as orelhas e o rabo abaixavam, e então, excitadíssima, ela abanava o rabo, retirando-se furtivamente. Fora pega.

Quando os pesquisadores perguntaram a alguns donos de cães o que os cachorros sabiam ou entendiam sobre nosso mundo, a resposta mais frequente foi que os cães sabiam quando haviam feito algo errado; que tinham conhecimento de um tipo de categoria que englobava *coisas que não devem nunca, jamais serem feitas.* Atualmente, essa categoria inclui ações como vasculhar o lixo, destruir sapatos e arrebatar comida fresca da pia da cozinha. Na nossa época esclarecida, o castigo é — espera-se — não muito severo: uma palavra dura, um olhar de censura e uma batida de pé. Nem sempre foi assim: na Idade Média, e antes dela, os cães e outros animais eram brutalmente punidos quando erravam. A punição ia da "mutilação progressiva" de orelhas, patas e mesmo do rabo de acordo com o número de pessoas que o cão havia mordido, até a pena de morte por homicídio após julgamento e condenação legal.* Mais cedo, em Roma, a crucificação ritual de um cão em todos os aniversários da noite em que os gauleses atacaram a capital e um cão não avisou sobre a aproximação deles.

O olhar culpado de um cachorro responsável por ofensas menores é bem conhecido por qualquer um que tenha surpreendido um cão na posição de Pump — com o focinho enfiado na lata de lixo —, ou tê-lo descoberto com pedaços de enchimento na boca e cercado por tufos daquilo que até recentemente havia sido o interior de um sofá. As orelhas dobradas para trás e pressionadas para baixo contra a cabeça, o rabo abanando depressa e enfiado entre as patas e a tentativa sorrateira de deixar a sala — tudo isso dá a impressão de que o cão percebe que foi flagrado com o focinho na botija.

A pergunta empírica que surge não é se esse olhar culpado ocorre de forma previsível em tais situações: ele ocorre. Ao contrário; a questão é o que acontece exatamente nessas situações que inspiram o olhar. Pode de fato ser a culpa — ou pode ser algo diferente: a excitação de farejar o lixo; uma reação por ter sido descoberto; ou a expectativa pelos brados altos de desagrado que o dono costuma dar quando encontra o lixo fora da lata.

Os cães sabem distinguir o certo do errado? Sabem que *essa ação específica* é clara e irritantemente errada? Alguns anos atrás, um doberman encarregado de vigiar uma coleção cara de ursos de pelú-

---

* A política medieval parece ridícula pelo fato de presumir que os cães merecem consideração legal. Pode parecer igualmente ridículo que nossa política moderna presuma que os cães não a mereçam: ainda matamos os cachorros que ferem mortalmente um humano. Só que agora chamamos os cães de "perigosos" e não consideramos necessário levá-los a julgamento (embora seus donos possam ser julgados).

cia (incluindo o urso favorito de Elvis Presley) foi descoberto pela manhã em meio à devastação de centenas de ursinhos aleijados, surrados e decapitados. Seu olhar, capturado nas fotos dos jornais, não era o de um cão que pensava ter feito algo errado.

Seria um contrassenso se o mecanismo existente por trás da culpa ou do olhar desafiante fosse igual ao nosso. Afinal, certo e errado são conceitos que nós humanos adotamos em virtude de sermos criados em uma cultura que assim os definiu. Com exceção das crianças e dos psicóticos, todas as pessoas acabam distinguindo o certo do errado. Crescemos em um mundo de obrigações e proibições, aprendendo algumas regras de conduta de forma explícita e outras por meio de um tipo de osmose empírica.

Porém, pense em como sabemos que outra pessoa sabe o que é certo e errado quando não nos podem dizê-lo. Um bebê de dois anos se aproxima de uma mesa, tenta pegar um vaso caro e o derruba, despedaçando-o. A criança sabe que é errado quebrar objetos que pertencem a outra pessoa? Essa pode ser uma ocasião na qual, devido à provável reação explosiva de qualquer adulto na vizinhança, ela começa a aprender. No entanto, aos dois anos, ela ainda não compreende o conceito: ela não destruiu o vaso de propósito. Ao contrário, ela é uma criança de dois anos normal que está desajeitadamente tentando controlar os movimentos de seu corpo. Deduzimos suas intenções ao observar o que ela fez antes e depois do vaso ter caído. Ela se dirigiu diretamente ao vaso e fez algo para derrubá-lo? Ou ela estendeu a mão para pegar o vaso e foi descoordenada ao fazê-lo? Após o vaso ter caído, ela revelou-se surpresa? Ou olhou, bem, com satisfação?

Basicamente, o mesmo método pode ser aplicado a cães ao lhes permitir quebrar vasos caros e, em seguida, observar como reagem.

Elaborei um experimento para determinar se aqueles olhares culpados originavam-se de um sentimento de culpa ou de algo diferente. Embora meu método seja experimental, o ambiente foi cotidiano para melhor captar o comportamento natural dos animais: no "ambiente selvagem" das próprias casas. Para qualificar-se a participar da pesquisa, os cães tinham de ter sido expostos a uma repreensão do dono: por exemplo, o dono apontava para um objeto a ser evitado e afirmava em voz alta *Não!*.* Assim, ele deveria saber que não era para mexer nele.

Em vez de vasos caros, uso guloseimas muito desejáveis — um pedaço de biscoito ou de queijo — que não podem ser "quebradas", mas são expressamente proibidas. Considerando que o que estava sendo testado era se um cão sabia que fazer algo proibido pelo dono era errado, projetei esse experimento para proporcionar uma oportunidade de realizar exatamente tal comportamento. Nesse caso, o dono é solicitado a chamar a atenção do cão para a guloseima e, em seguida, dizer-lhe claramente que não deve comê-la. A guloseima é colocada em um local sedutoramente acessível. Em seguida, o dono deixa a sala.

Permanecem na sala o cão, a guloseima e uma câmera de vídeo observando tudo silenciosamente. Eis a oportunidade para o cão se comportar de forma errada. O que ele faz é apenas o começo dos dados para nosso experimento. Na maioria dos casos, presumimos que, se lhe for dada a oportunidade, o primeiro movimento do cão é pegar

---

* O comando varia de dono para dono — desde um *Não!* ao recentemente popular *Larga isso!*. Cada um é fundamentalmente uma negação: um floreio gramatical ríspido que pode ser aplicado ao mesmo tempo a qualquer comportamento para torná-lo proibido.

a guloseima. Esperamos até que ele o faça. Em seguida, o dono volta. Eis os dados fundamentais: como o cão se comporta?

Todo experimento psicológico e biológico é projetado para controlar uma ou mais variáveis, deixando o restante do ambiente inalterado. Uma variável pode ser qualquer coisa: a ingestão de um remédio, a exposição a um som, a apresentação de um conjunto de palavras. A ideia é simples: se essa variável for importante, o comportamento do sujeito testado será alterado quando exposto a ela. Em meu experimento, há duas variáveis: se o cão vai comer a guloseima (na qual os donos estão mais interessados) e se o dono sabe que o cão comeu a guloseima (na qual imagino que os cães estejam mais interessados). Ao longo de um número reduzido de tentativas, alterno essas variáveis. Primeiro a oportunidade de comer a guloseima é alterada: seja removendo a guloseima após o dono partir, dando-a ao cão ou deixando que o animal considere a situação (e talvez posteriormente desobedeça à ordem do dono). O que dizemos ao dono sobre o comportamento do cão também varia: em uma experiência, o cão come a guloseima e o dono é informado quando retorna à sala; em outra, o cão discretamente recebe a guloseima do operador de vídeo e o dono é induzido a pensar que o cão obedeceu à ordem de não comer.

Todos os animais sobreviveram ao experimento e pareciam estar bem alimentados e um pouco confusos. Em muitas das experiências, os cães podiam servir como modelos do olhar culpado: eles baixam os olhos, dobram as orelhas para trás, abaixam o corpo, e timidamente desviam a cabeça. Muitos rabos balançam em ritmo rápido, mas enfiados entre as patas. Alguns erguem a pata em conciliação ou põem a língua para fora rápida e nervosamente. Porém, esses comportamentos relacionados à culpa não ocorreram com mais frequência nos testes em que os cães desobedeceram. Ao contrário, houve mais olhares culpados nos testes em que o dono repreendeu o cão, tenha o animal desobedecido ou não. Ser repreendido, mesmo tendo resistido à guloseima proibida, gerava um olhar mais culpado ainda.

Tudo isso indica que o cão associou o dono, não o ato, a uma repreensão iminente. O que está acontecendo aqui? O cão está antecipando o castigo relacionando-o a determinados objetos ou quando vê pistas sutis do dono que indicam que ele pode estar zangado. Como sabemos, os cachorros aprendem rapidamente a perceber associações entre eventos. Se o aparecimento de comida se segue à abertura de uma grande caixa fria na cozinha, então o cão ficará atento para a abertura dessa caixa. Essas associações podem ser forjadas com base tanto em ações realizadas por eles quanto naquelas que eles observam. No fundo, muito do que é aprendido se baseia em associações: choramingar é seguido de atenção — então o cão aprende a choramingar para atrair atenção. Arranhar a lata de lixo faz com que ela emborque e derrame seu conteúdo — então o cão aprende a arranhar para obter o que está dentro. E fazer determinados tipos de bagunça é, algumas vezes, seguido bem mais tarde pela presença do dono — o que é rapidamente seguido pela ruborização do rosto dele, pela verbosidade em voz alta e pelo castigo por parte desse ruborizado e ruidoso dono. O principal aqui é que o simples aparecimento do dono perto do que parecem ser marcas de destruição parece ser suficiente para convencer o cão de que o castigo é iminente. A chegada do dono está muito mais intimamente relacionada ao castigo do que ao esvaziamento da lata do lixo no qual o cão se envolveu há horas. E, se assim for, a maioria dos cães assumirá uma postura submissa ao ver os donos — o clássico olhar culpado.

Nesse caso, a conclusão de que o cão reconhece seu mau comportamento está manifestamente errada. Ele pode não considerar o comportamento como sendo *mau*. O olhar culpado é muito semelhante ao olhar de medo e ao comportamento submisso. Não é novidade, então, encontrar tantos donos frustrados com as tentativas de castigar seu cão por um comportamento indesejado. O que o cão nitidamente sabe é antecipar o castigo quando o dono aparece com um olhar desgostoso. O que o cão não sabe é que ele é culpado. Ele apenas sabe que precisa temer você.

A ausência de culpa não significa que os cachorros não façam nada errado. Eles não apenas fazem inúmeras coisas erradas, segundo a definição dos humanos, como também parecem, às vezes, fazer questão disso: um sapato roído é ostentado em frente a um dono ocupado; você é recepcionado por um cão alegremente exausto de tanto rolar em excremento. O cão de guarda dos ursos de pelúcia parecia bastante orgulhoso quando foi fotografado cercado pelos restos dos ursos de brinquedo. Os cães parecem realmente brincar com nosso conhecimento — ou desconhecimento — sobre algo para atrair atenção (o que geralmente funciona) e talvez apenas visando brincar com tal conhecimento. Isso não é diferente de uma criança que testa os limites de sua compreensão sobre o mundo físico, sentando-se na cadeira de bebê e jogando um copo no chão... mais uma vez... e outra vez ainda: ela está vendo o que acontece. Os cães fazem isso com diferentes estados de atenção, conhecimento ou vigilância dos donos. Dessa forma, acabam aprendendo mais sobre o que sabemos, e podem usar esse conhecimento a seu favor.

Os cães são especialmente competentes em ocultar comportamentos, agindo para desviar a atenção de seus verdadeiros motivos. Com base no que conhecemos sobre a compreensão de suas mentes, eles são bem capazes de tentar nos enganar. E, devido ao fato de terem uma compreensão rudimentar, essa capacidade nem sempre é muito boa. Esse grau de competência também é infantil, como o da criança de dois anos que coloca as mãos nos olhos para "se esconder" dos pais: quase se escondendo, mas não exatamente captando a essência de "se esconder". Os cães mostram tanto insights imaginativos quanto inadequações. Eles não tentam esconder os restos de uma lata de lixo derrubada ou a sujeira adquirida por rolarem na grama. No entanto, eles de fato agem para ocultar as reais intenções. Esticar-se vagarosamente próximo a um cão que brinca com um objeto desejado — somente para se aproximar o suficiente para arrebatá-lo. Ganir de forma ostensiva e dramática ao ser mordido em uma brincadeira, revertendo assim uma desvantagem passageira quando o companheiro para, surpreso. Esses comportamentos podem começar fortuitamente, com ações acidentais que acabam tendo consequências felizes. Uma vez observadas, elas serão produzidas repetidamente. Só resta agora a um experimentador proporcionar uma oportunidade para os cães enganarem intencionalmente uns aos outros — a menos que sejam tão inteligentes que deixem seus planos transparecerem.

A idade do cão (sobre emergências e a morte)

Com o passar dos anos, ela usa menos os olhos; olha menos para mim.

Com o passar dos anos, ela prefere ficar parada a andar; deitar a ficar em pé — e, assim, ela se deita próximo a mim, ao ar livre, com a cabeça entre as patas, o focinho ainda alerta para os odores no ar.

Com o passar dos anos, ela se tornou mais teimosa, insistindo em subir escadas sem ajuda.

Com o passar dos anos, a diferença entre a disposição diurna — relutante para andar, farejando muito — e a noturna é ampliada, puxando-me para fora de casa, energicamente, disposta a renunciar aos odores por uma vigorosa volta no quarteirão.

Com o passar dos anos, recebi um presente: os detalhes da existência de Pump se tornaram até mais vivos. Comecei a ver a geografia dos odores que ela confere na vizinhança. Sinto a duração do tempo que ela espera por mim; ouço a forma como ela se expressa enfaticamente só de ficar em pé; vejo seus esforços para cooperar quando a apresso para cruzar a rua.

Todo cão que você nomeie e leve para casa também morrerá. Esse fato inevitável e terrível é parte de nosso destino ao introduzir os cães em nossa vida. O que é menos certo é se eles possuem alguma noção da própria mortalidade. Examinei Pump procurando por qualquer sinal que indicasse que ela percebia a idade de seus companheiros de faro nas calçadas; se notava o desaparecimento do antigo companheiro de orelhas caídas com olhos turvos do fim do quarteirão; se observava o próprio modo de andar vagaroso e difícil; o pelo cada vez mais grisalho e a disposição letárgica.

É a compreensão da fragilidade de nossa própria existência que nos torna cautelosos em assumir riscos, cuidadosos conosco e com os que amamos. Nossa consciência da morte pode não ser aparente em todas as nossas ações, mas transpira em outras: afastamo-nos da beira da varanda, do animal com intenções desconhecidas; atamos o cinto de segurança; olhamos para ambos os lados antes de atravessar a rua; não entramos na jaula do tigre; evitamos a terceira porção de sorvete frito; até mesmo optamos por não nadar após comer. Se os cães sabem algo sobre a morte, talvez isso se manifeste na forma como agem.

Preferiria que os cães não soubessem. Por um lado, quando me defrontei com um cão em decadência gradual, queria ser capaz de explicar-lhe a situação — como se a explicação fosse um consolo. Por outro lado, apesar do hábito de muitos donos de explicar todos os comandos ou eventos aos seus cães (*Sem ESSA!*, ouço regularmente no parque, *temos de ir para casa para que mamãe possa ir trabalhar...*), eles não parecem consolados com as explicações. Uma vida sem conhecimento sobre o fim é uma vida invejável.

Há algumas indicações de que não deveríamos invejá-los tanto. Uma delas vem da própria aversão a varandas: na maioria das vezes, os cães se afastam por reflexo de perigos reais, sejam eles um precipício, um rio que flui rapidamente ou um animal com um olhar predatório. Eles agem para evitar a morte.

Porém, o vagaroso protozoário age da mesma forma, batendo rapidamente em retirada, para longe dos predadores e das substâncias tóxicas. O comportamento de fuga é instintivo, presente de alguma forma em quase todos os organismos. Os instintos, do reflexo patelar ao piscar do olho, não exigem que o animal entenda o que está fazendo. E não estamos preparados para afirmar que o protozoário tem uma consciência da morte. No entanto, esse reflexo não é trivial: um entendimento mais sofisticado poderia ser construído a partir dele.

E há duas maneiras em que os cães diferem dos protozoários: primeiro, eles não apenas evitam ser feridos, mas também agem de forma diferente uma vez feridos. Estão cientes de estarem feridos. Feridos ou moribundos, muitas vezes os cães procuram com afinco se afastar da família, canina ou humana, para sossegarem e talvez falecerem em algum lugar seguro.

Segundo, eles prestam atenção aos perigos a que os outros se expõem. Volta e meia uma história de um cão heroico surge de repente no noticiário local. Uma criança perdida nas montanhas é mantida viva pelo calor do corpo dos cães que permaneceram com ela; um homem que cai em um lago congelado é salvo pelo cão que se aproximou da beira do gelo; um latido atrai os pais de um menino antes que ele ponha a mão dentro do ninho de uma cobra venenosa. Os relatos de cães heroicos abundam. Meu amigo e colega Marc Bekoff, um biólogo que estuda animais há quarenta anos, escreveu sobre um labrador cego chamado Norman que foi despertado com os gritos das crianças de uma família, arrastadas pela correnteza de um rio perigoso: "Joey conseguira alcançar a margem, mas a irmã estava com problemas, não fazia progresso, e em grande agonia. Norman pulou dentro do rio e nadou em direção a Lisa. Quando a alcançou, ela agarrou o rabo dele, e juntos alcançaram um lugar seguro."

O resultado final de todas as ações caninas é claro: alguém conseguiu escapar da morte. Considerando que os cães precisam dominar os próprios instintos de autopreservação para preservar outro ser, a interpretação comum é que eles são agentes intencionalmente heroicos. Uma compreensão das terríveis dificuldades enfrentadas por alguns humanos pode ser a única explicação.

Contudo, o problema com essas histórias é que não se tem o relato completo do que aconteceu, uma vez que o narrador, com seu *umwelt* e percepção específicos, está necessariamente restrito ao que vê. É possível perguntar, de modo plausível, se a intenção de Norman não era tanto salvar Lisa, mas, digamos, seguir as instruções do irmão dela de nadar em direção à irmã; ou talvez a própria Lisa tenha conseguido nadar para a margem ao ver seu companheiro fiel nas proximidades; ou quem sabe a correnteza tenha mudado e levado Lisa até a margem. Não há uma gravação em vídeo que possa ser revista e examinada para que possamos considerar cuidadosamente o que aconteceu ali — ou em quaisquer dos resgates descritos. Nem conhecemos o comportamento de longo prazo dos cães. Uma situação é um cão de repente latir para alertar outros de que uma criança está em perigo; outra é o cão latir o tempo inteiro, dia e noite. Uma compreensão das histórias de vida dos cães também é importante para interpretar corretamente o que aconteceu.

Finalmente, o que fazer de todos os casos em que o cão *não* salvou a criança que se afogava ou o alpinista perdido. As manchetes dos jornais nunca vociferam MULHER PERDIDA MORRE APÓS CÃO FRACASSAR EM ENCONTRÁ-LA E RESGATÁ-LA COM SEGURANÇA! Se os cães heroicos são considerados representantes da espécie, os não heróis deveriam ser eleitos da mesma forma. Certamente existem mais atos não heroicos não relatados do que atos de heroísmo.

Tanto o falatório cético quanto o heroico pode ser substituído por uma explicação mais fundamentada e moldada por um olhar mais detalhado para o comportamento canino. A análise dessas histórias revela um elemento recorrente: o cão *se dirigiu* ao dono, ou *ficou perto* da pessoa em agonia. O calor do corpo de um cão salva uma criança perdida que estava congelada; um homem em um lago congelado pode agarrar-se ao cão que espera no gelo. Em alguns casos, o cão também criou uma confusão: latindo, correndo de um lado para outro, chamando a atenção para si — e para, digamos, a cobra venenosa.

Esses elementos — a proximidade do dono e o comportamento de atrair atenção — são a esta altura familiares para nós como características caninas e fazem parte das razões de os cães serem companheiros tão magníficos dos humanos. E, nesses casos, eles também foram essenciais para a sobrevivência da pessoa cuja vida estava em risco. Então, esses cães são verdadeiros heróis? São. No entanto, eles sabiam o que estavam fazendo? Não há nenhuma comprovação. Eles não sabem que estão agindo de forma heroica. Os cães certamente têm o potencial, após adestramento, de se tornarem salva-vidas. Mesmo os não adestrados podem ajudá-lo, mas sem saber exatamente o que fazer. Em vez disso, o sucesso deles é devido ao que *de fato* sabem: algo aconteceu com você, e isso faz com que se sintam ansiosos. Se eles expressam essa ansiedade de uma forma que atraia ao local outras pessoas — pessoas que sabem o que significa uma emergência — ou que permita que você consiga sair sozinho de um buraco no gelo, excelente.

Essa conclusão é apoiada por um experimento inteligente realizado por psicólogos interessados na demonstração de comportamentos apropriados em casos de emergência. Nesse teste, os donos conspiraram com os pesquisadores para simular emergências na presença de seus cães e ver como eles reagiriam. Em um cenário, os donos foram treinados a fingir terem sofrido um ataque cardíaco completo, com respiração ofegante, mão apertando o peito e um desfalecimento dramático. No segundo cenário, os donos gritavam após uma estante de livros (feita de madeira compensada) cair com toda a força sobre eles, parecendo tê-los imobilizado no chão. Em ambos os casos, os cães estavam presentes e haviam sido apresentados a um observador que ficou por perto — talvez uma boa pessoa para ser chamada em caso de emergência.

Nessas situações tramadas, os cães atuaram com interesse e devoção, mas não como se houvesse uma emergência. Frequentemente eles se aproximaram dos donos e, às vezes, passavam a pata ou fuçavam essas aparentes vítimas, agora silenciosas ou insensíveis (no caso do ataque cardíaco) ou gritando por ajuda (no cenário da estante de livros). Outros cães, no entanto, aproveitaram a oportunidade para circular pelas proximidades, vagando e farejando a grama ou o chão do cômodo. Em apenas alguns casos o cão vocalizou — o que poderia servir para atrair a atenção de alguém — ou se aproximou do observador que poderia ser capaz de ajudar. O único cachorro que tocou no observador foi um poodle toy: pulou no colo do observador e se ajeitou para tirar uma soneca.

Em outras palavras, nem um único cão fez algo que remotamente pudesse ajudar seus donos a sair da situação difícil. A conclusão a que se pode chegar é a de que os cães simplesmente não reconhecem ou reagem naturalmente a uma situação de emergência — uma que poderia resultar em perigo ou morte.

Uma conclusão estraga-prazeres? Nem tanto. O fato de os cães não possuírem os conceitos de *emergência* e *morte* não é razão para que sejam depreciados. Poderíamos igualmente perguntar a um cão se ele compreende *bicicletas* e *ratoeiras* e então censurá-lo por responder com uma inclinação da cabeça que mostre perplexidade. Uma criança também é ingênua com relação a esses conceitos: é preciso gritar com ela quando se aproxima de uma tomada elétrica. Uma criança de dois anos que visse alguém ferido provavelmente faria pouco mais do que chorar. Ela será *ensinada* a compreender as situações de emergência e, em seguida, o conceito de morte. Assim também alguns cães são adestrados, por exemplo, para alertar seu dono surdo para o som de um dispositivo de emergência, tal com um alarme de incêndio. O ensino das crianças é explícito e inclui alguns procedimentos — *Se ouvir este alarme, chame a mamãe*; o treinamento dos cães é inteiramente composto de procedimentos reforçados.

O que os cães parecem saber é quando ocorre uma situação *incomum*. Eles são mestres em identificar os elementos corriqueiros do mundo que compartilhamos com eles. Muitas vezes agimos de formas previsíveis: em nossa casa, passamos de um ambiente para o outro, passando grandes intervalos no sofá e em frente à geladeira; falamos com eles, falamos com outras pessoas; comemos, dormimos, desaparecemos por longos períodos no banheiro — e assim por diante. O ambiente também é bastante previsível: não é nem muito quente nem muito frio; não há ninguém na casa além daquelas pessoas que entraram pela porta da frente; a água não está encharcando a sala de estar; não há fumaça no corredor. É porque os cães conhecem o mundo normal que podem reconhecer anormalidades, como o comportamento estranho de uma pessoa ferida ou a impossibilidade de eles próprios agirem como de costume.

Mais de uma vez, Pumpernickel se envolveu em situações problemáticas (uma vez, ficou presa em uma passarela que acabava em um precipício; outra vez, sua coleira ficou presa nas portas do elevador quando este começou a se mover). Surpreendi-me com sua tranquilidade, sobretudo se comparada com meu nervosismo. Nunca foi ela que se libertou da situação difícil. Acho que fiquei mais preocupada com o bem-estar dela do que ela com o meu. Mesmo assim, muito do meu bem-estar dependia dela — não da capacidade dela de resolver dilemas, grandes ou pequenos, na minha vida, mas de sua incessante alegria e companheirismo fiel.

II

COMO É

Em nossa tentativa de penetrar no interior de um cão, juntamos pequenos fatos sobre suas habilidades sensoriais e fazemos muitas inferências sobre eles. Uma delas se refere à experiência dele: como é realmente *ser* um cão; como é a experiência dele do mundo. Isso pressupõe, é lógico, que o mundo significa *alguma* coisa para ele. Talvez surpreenda que, em círculos filosóficos e científicos, essa ideia seja controversa.

Trinta e cinco anos atrás, o filósofo Thomas Nagel deflagrou uma discussão prolongada na ciência e na filosofia sobre a experiência subjetiva dos animais ao perguntar "Como é ser um morcego?". Ele escolheu para seu experimento um animal cuja forma de ver quase inimaginável havia apenas recentemente sido descoberta: a ecolocalização, o processo de emitir gritos de alta frequência e, em seguida, escutar o som que é refletido de volta. O tempo que demora para o som voltar, e como ele muda, fornece ao morcego um mapa de onde estão todos os objetos no ambiente em que ele se encontra. Para se ter uma ideia grosseira de como seria a experiência do morcego, imagine deitar-se no escuro em seu quarto à noite e ficar imaginando se alguém está em pé na porta. Certamente, você poderia resolver a questão acendendo a luz. Ou, como o morcego, você poderia atirar uma bola de tênis na direção da porta e ver se (a) a bola volta para você ou voa para fora do quarto, e (b) se um gemido é ouvido no momento aproximado em que a bola chega à soleira da porta. Se você for muito bom, poderia usar também (c) a distância percorrida pela bola, quando retornasse, para determinar se a pessoa é muito gorda (nesse caso a bola perderia a maior parte de sua velocidade na barriga dele) ou tem o abdômen tipo tanquinho (o que rebateria a bola com força). Os morcegos usam (a) e (c) e, em vez de bolas de tênis, sons. E eles o fazem constante e rapidamente, tão rapidamente quanto abrimos nossos olhos e percebemos a cena à nossa frente.

Como seria de se esperar, isso deixou Nagel perplexo. Ele achava que a visão do morcego e, portanto, a vida do morcego eram tão estranhas e tão imponderáveis, que seria impossível saber como é ser um morcego. Ele supunha que o morcego experimentava o mundo, mas acreditava que essa experiência era fundamentalmente subjetiva: seja lá o que "era", era dessa forma apenas para aquele morcego.

O problema com sua conclusão tem a ver com o salto imaginativo que fazemos todos os dias. Nagel tratava uma desigualdade *inter*espécies como algo totalmente diferente de uma desigualdade *intra*espécies. No entanto, não temos problema algum em falar a respeito de "como é" ser outro ser humano. Não conheço as peculiaridades da experiência de outra pessoa, mas sei o suficiente sobre o sentimento do que é ser um ser humano e posso fazer uma analogia da minha experiência com a de outra pessoa. Posso imaginar como é o mundo para ela ao generalizar com base em minha percepção e transplantá-la colocando essa outra pessoa no centro. Quanto mais informações eu tiver sobre aquela pessoa — seu físico, sua história de vida, seu comportamento — melhor será minha analogia inferida.

Podemos proceder da mesma forma com os cães. Quanto mais informações tivermos, melhor será o resultado da analogia. Até este ponto, temos informações físicas (sobre seu sistema nervoso e sistema sensorial), conhecimento histórico (herança evolutiva; caminho evolucionário do nascimento à fase adulta) e um *corpus* crescente de trabalho sobre seu comportamento. Em resumo, temos um esboço do *umwelt* do cão. O conjunto de fatos científicos que reunimos permite-nos dar um salto imaginativo bem informado para o interior de um cão — para entender como é ser um cão; como é o mundo do ponto de vista dele.

Já vimos que é fedorento e bem povoado por pessoas. Pensando bem, podemos acrescentar: está próximo do chão; é lambível. Cabe na boca ou não. Está presente. É repleto de detalhes, passageiro e rápido. Está escrito em toda a cara. É provavelmente muito diferente de nossa experiência.

Está próximo do chão...

Uma das características mais notáveis do cachorro é uma das mais notavelmente desprezadas quando contemplamos sua visão do mundo: a altura. Se você pensa que não há muita diferença entre o mundo da altura de um humano ereto médio e o da altura de um cão ereto médio — de trinta a sessenta centímetros — você está enganado. Mesmo colocando de lado por um momento as diferenças nos sons e nos odores tão próximo ao chão, ter uma altura diferente tem consequências profundas.

Poucos cães têm a altura dos humanos. Eles chegam à altura dos joelhos humanos. Pode-se até dizer que eles estão, muitas vezes, *debaixo de nossos pés*. Somos extremamente tacanhos em nossas tentativas de imaginar até o fato mais simples de eles terem menos da metade de nossa altura. Temos consciência de que os cães não estão à nossa altura em termos de intelecto, no entanto, estabelecemos interações de tal forma que a diferença de altura é um problema constante. Colocamos objetos "fora do alcance" dos cães, o que acaba nos deixando frustrados com suas tentativas de pegá-los. Mesmo sabendo que eles gostam de nos cumprimentar no nível dos olhos, normalmente não nos abaixamos. Ou, ao nos abaixarmos o suficiente para permitir que eles alcancem nosso rosto com um salto, podemos ficar irritados quando pulam em nós. *Saltar* é a consequência direta do desejo de chegar a algo que requer um *salto* para ser alcançado.

Suficientemente repreendidos por terem saltado, os cães descobrem, para sua felicidade, que existem muitas coisas interessantes sob os pés. Há, por exemplo, muitos pés. Pés fedorentos: o pé é uma boa fonte de nossos odores inconfundíveis. Costumamos suar nos pés quando somos exigidos mentalmente: estamos estressados ou muito concentrados. Pés desajeitados: quando sentados, os balançamos, mas não com habilidade. Eles agem como unidades singulares, com os dedos existindo apenas como lugares entre os quais odores adicionais podem ser descobertos por uma língua perambulante.

Se o pé tem um aroma tão interessante, então a forma com que o tratamos deve ser muito frustrante: malditos sapatos. Enclausuramos nossos odores. Por outro lado, os sapatos sem pés dentro cheiram exatamente como a pessoa que os usava, e eles têm a característica adicional interessante de carregar nas solas tudo em que pisamos fora de casa. As meias são portadoras igualmente boas de nossos odores, daí os grandes furos que regularmente aparecem naquelas que foram largadas ao lado da cama. Sob escrutínio, cada furo foi adoravelmente feito pelos incisivos de um cão que a segurou na boca.

Além dos pés, na altura do cão, o mundo está cheio de saias longas e pernas de calças que dançam a cada passo de seus usuários. Os movimentos circulares apertados que os fios de tecido de uma perna de calça apresentam para o olho do cão devem ser tentadores. Provocando a sensibilidade ao movimento e a boca investigativa, não é de se admirar que elas possam ser alvo de mordidinhas.

O mundo mais perto do chão é um mundo mais aromático, uma vez que é lá que os cheiros pairam e se intensificam, enquanto se distribuem e dispersam no ar. O som também viaja de forma diferente pelo chão; por isso, os pássaros cantam na altura das árvores, enquanto os habitantes do chão tendem a usar o solo para se comunicarem mecanicamente. A vibração de um ventilador pode perturbar um cão que esteja nas proximidades; da mesma forma, os sons altos são refletidos com mais força do chão para os ouvidos de um cão em repouso.

A artista Jana Sterbak tentou captar uma visão a partir do olho do cão ao prender uma câmera de vídeo à cintura de Stanley, sua terrier Jack Russell, e registrar suas perambulações ao longo de um rio congelado e pela cidade de Veneza. O resultado é um tumulto de visões maníacas e confusas, o mundo inclinado e a imagem em constante movimento. A trinta e cinco centímetros acima do chão, o mundo visual de Stanley é um reflexo de seu mundo olfativo: ele persegue com o corpo e a visão tudo aquilo que atrai seu interesse olfativo.

Mas, ao afixar câmeras em animais, estamos em grande parte obtendo uma ideia de sua *visão* do mundo, não de seu *umwelt*. Com a maioria dos animais selvagens, se não todos eles, somente ao assumir tal ponto de vista é que podemos obter qualquer informação sobre seu mundo, o dia deles: não podemos acompanhar um pinguim mergulhando com uma câmera amarrada em suas costas;

só uma câmera discreta poderia captar a construção de um túnel embaixo da terra por uma toupeira. Observar Stanley a partir do ponto de vista de suas costas é surpreendente. Existe a tentação, no entanto, de achar que completamos o exercício imaginativo ao captarmos as imagens do dia dele. Isso foi apenas o começo.

... é lambível...

Ela está deitada no chão, a cabeça entre as patas, e percebe algo potencialmente interessante ou comestível a uma pequena distância. Estende a cabeça para alcançá-lo, o focinho — que lindo focinho saudável e úmido — quase, mas ainda não *dentro da* partícula. Posso ver suas narinas funcionando para identificá-la. Ela emite um bufo molhado e usa a boca para auxiliar na investigação: inclinando a cabeça muito levemente para que a língua alcance o chão. Ela o testa com lambidas rápidas; em seguida, se endireita e assume uma postura mais séria a partir da qual lambe, lambe, lambe o chão — golpes longos com a língua inteira.

É possível lamber quase tudo. Uma mancha no chão; uma mancha na própria mancha; a mão de uma pessoa; o joelho de uma pessoa; os dedos dos pés de uma pessoa; o rosto, as orelhas e os olhos de uma pessoa; o tronco de uma árvore; uma estante de livros; o assento do carro; os lençóis; o chão; as paredes; tudo. Os objetos não identificáveis no chão são especialmente atraentes para serem lambidos. Isso é revelador, pois lamber — trazer moléculas para dentro de si em vez de assumir uma postura de distanciamento seguro delas — é um gesto extremamente íntimo. Não que os cães desejem ser íntimos. Contudo, estar tão diretamente em contato com o mundo, intencionalmente ou não, significa definir-se em relação ao próprio ambiente de uma forma diferente da que fazem os homens: descobrir menos barreiras entre a superfície da pele ou do pelo e aquilo que está ao redor. Não é de estranhar que um cão enfie a cabeça toda dentro de uma poça de lama ou deite de costas e se esfregue com entusiasmo no solo fedorento.

A percepção canina de espaço pessoal reflete essa intimidade com o ambiente. Todos os animais têm uma percepção de distância social confortável — cuja invasão é um fator de perturbação e a ampliação uma ameaça que eles tentam conter. Enquanto os americanos evitam que pessoas estranhas se aproximem deles a uma distância menor do que 45 centímetros, o espaço pessoal dos cães americanos é de aproximadamente zero a três centímetros. Uma cena que demonstra o contraste de nossos sentimentos em relação ao espaço pessoal repete-se nas calçadas das ruas de todo o país neste exato momento: o espetáculo de dois humanos separados a aproximadamente um metro e meio de distância, esforçando-se para puxar as coleiras de seus cães de modo a evitar que eles se toquem, enquanto os animais se esforçam para fazer o contrário: se tocarem. Deixem que eles se toquem! Os cachorros cumprimentam os estranhos entrando no espaço um do outro, não ficando fora dele. Deixe que eles entrem na pele um do outro, deem fungadas profundas e se abocanhem em saudação. A distância segura de um aperto de mãos não basta para eles.

Da mesma forma que temos um limite tolerável para a proximidade dos outros, também temos um limite para a distância que preferimos: um tipo de espaço social. Se sentarmos a mais de um metro e meio de distância um do outro, a conversa torna-se desconfortável. Se andarmos em lados opostos da rua, não sentimos que estamos andando *juntos*. O espaço social dos cães é mais elástico. Alguns deles andam felizes em paralelo, mas a uma distância grande do dono, o que é estressante para o humano; outros gostam de trotar junto aos calcanhares dos donos. Essa mesma percepção se aplica à forma como eles se acomodam quando estão descansando em casa. Os cães têm a própria versão de desfrutar o prazer de um livro que cabe em uma caixa de forma justa, mas não muita apertada. Pump gostava de sentar-se de forma que o corpo dela ficasse cercado pelo abraço de uma pequena cadeira estofada. Ela preenchia o espaço criado por minhas pernas dobradas quando se deitava ao meu lado na cama. Outros cães se posicionam com todo o dorso encostado contra um corpo adormecido. O prazer gerado é suficiente para que eu convide um cão para dormir comigo na cama.

Cabe na boca ou não...

Dentre os inúmeros objetos que vemos em torno de nós, apenas uns poucos se destacam para o cão. A mobília, os livros, os enfeites e as miscelâneas em sua casa são reduzidos a um esquema classificatório mais simples. O cão define o mundo pelas formas como *age* sobre ele. Nesse esquema, os objetos são agrupados de acordo com a maneira com que são manipulados (mastigados, comidos, movimentados, usados como assento e rolados por cima). Uma bola, uma caneta, um urso de pelúcia e um sapato são equivalentes: todos podem ser colocados na boca. Da mesma forma, alguns outros — escovas, toalhas, outros cães — agem sobre eles.

As possibilidades — o uso característico, o tom funcional — que vemos nos objetos são suplantadas pelas possibilidades dos cães. Ele se sente menos ameaçado por uma arma do que interessado em ver se ela cabe na boca. A série de gestos que fazemos na direção do cão é reduzida aos que são aterrorizantes, divertidos, instrutivos — e aqueles sem qualquer sentido. Para um cão, um homem levantando a mão para chamar um táxi significa o mesmo que um homem cumprimentando ou dizendo adeus com a mão. Os cômodos da casa têm uma vida paralela no mundo canino, com áreas que acumulam cheiros em silêncio (detritos invisíveis nos cantos das paredes e no chão), áreas férteis das quais emanam objetos e odores (armários, janelas) e áreas de sentar nas quais você ou seu perfume pessoal pode ser encontrado. Ao ar livre, eles não percebem muito bem as *construções*: grandes demais; não é possível agir sobre elas; pouco significativas. Porém, o *canto* do edifício, assim como os postes e hidrantes, exibem uma identidade nova a cada encontro, com notícias de outros cães que por lá passaram.

Para os humanos, a forma ou o aspecto de um item é, em geral, sua característica mais saliente; é ela que nos leva a reconhecê-lo. Os cães, em contrapartida, são geralmente ambivalentes com relação à forma, digamos, dos biscoitos caninos (somos *nós* que pensamos que eles deveriam ter o formato de um osso). Já o movimento, tão prontamente detectado pelas retinas dos cães, é uma parte intrínseca da identidade dos objetos. Um esquilo correndo e um esquilo ocioso podem muito bem representar animais diferentes; uma criança patinando e outra que segura os patins são crianças diferentes. Os objetos que se movem são mais interessantes do que os imóveis — como seria de se esperar no caso de um animal que foi projetado para seguir presas móveis. (Os cães caçarão esquilos e pássaros imóveis, lógico, uma vez que tenham aprendido que muitas vezes eles se transformam espontaneamente em esquilos que correm e pássaros em voo.) Passando velozmente de patins, uma criança vira um objeto interessante, que merece ser alvo de latidos; cessados a patinação e o movimento, o cão se acalma.

Tendo em vista que eles definem os objetos de acordo com o movimento, o aroma e a possibilidade de serem colocados na boca, os itens mais óbvios — sua própria mão — talvez não sejam óbvios para seu cão. Uma mão acariciando a cabeça do cão é sentida de forma diferente daquela que a pressiona continuamente. Da mesma forma, um olhar de soslaio, até mesmo muitos deles, é diferente do ato de encarar. Um único estímulo — uma mão, um olho — pode vir a ser duas coisas distintas quando experimentadas em velocidades ou intensidades diferentes. Até mesmo para os humanos, uma série de imagens imóveis mostradas rapidamente torna-se uma imagem contínua, como se mudasse de identidade. Para o caracol comum, desconfiado do mundo, é arriscado passar por cima de um bastão que bate devagar; mas, se o bastão estiver oscilando quatro vezes por segundo, o caracol se aproximará dele. Alguns cães aguentam uma carícia na cabeça, mas não uma das mãos repousada nela; para outros, o inverso é verdadeiro.*

Todas essas formas de definir o mundo podem ser vistas quando observamos um cachorro interagindo com o mundo. Cães extasiados com um ponto vazio na calçada; aqueles cujas orelhas se emper-

---

* Para o cavalo, o alívio de pressão sobre o corpo é suficientemente agradável para que possa ser usado como um reforço durante o treinamento. É possível que aconteça o mesmo com os cães que se assustam com a sensação de uma mão pressionando firmemente sua cabeça.

tigam por "nada"; os paralisados por uma invisibilidade nos arbustos — você os está observando sentir seu universo sensorial paralelo. Com a idade, ele "verá" mais objetos familiares para nós; perceberá que podem ser colocados na boca, lambidos, esfregados e rolados por cima. Eles também acabam compreendendo que objetos que parecem diferentes — o homem na delicatessen e o homem da delicatessen na rua — são iguais. Porém, seja lá o que acreditamos ver, seja lá o que pensamos que acabou de acontecer em um momento, é muito provável que os cães vejam e pensem algo diferente.

... é repleto de detalhes...

Parte do desenvolvimento humano normal é o refinamento da sensibilidade sensorial: especificamente, aprender a perceber menos do que somos capazes. O mundo está inundado de detalhes de cor, forma, espaço, som, textura, odores, mas não conseguiremos funcionar se percebermos todos eles ao mesmo tempo. Portanto, nossos sistemas sensoriais, preocupados com nossa sobrevivência, se organizam para aumentar a atenção naquilo que é essencial para nossa existência. Os detalhes remanescentes são considerados ninharias, atenuados ou inteiramente desprezados por nós.

Contudo, o mundo ainda contém aqueles detalhes. O cão sente o mundo em uma granulosidade diferente. A capacidade sensorial dele é suficientemente distinta para permitir que preste atenção às partes do mundo visual que atenuamos; aos elementos de um odor que não podemos detectar; aos sons que rejeitamos como irrelevantes. Ele nem vê nem ouve tudo, mas aquilo que ele observa inclui o que nós não observamos. Com menos capacidade de ver uma ampla gama de cores, por exemplo, os cães têm uma sensibilidade muito maior para os contrastes de claridade. Podemos observar isso na relutância deles para entrar em uma poça de água reflexiva e no medo de entrar em um ambiente escuro.* A sensibilidade canina aos movimentos os alerta para o balão murcho que flutua suavemente pela calçada. Sem linguagem falada, eles estão mais sintonizados com a prosódia das nossas sentenças, com a tensão de nossa voz, com a exuberância de um ponto de exclamação e a veemência das letras maiúsculas. Eles ficam alerta para contrastes repentinos na fala: um grito, uma única palavra, até um silêncio prolongado.

Como em nosso caso, o sistema sensorial dos cães está sintonizado com as novidades. Nossa atenção concentra-se em um novo odor, um novo som; os cães, que cheiram e ouvem um universo mais amplo de coisas, podem parecer estar constantemente em posição de sentido. Os olhos bem abertos de um cão trotando pela rua são os mesmos de alguém sendo bombardeado por novidades. E, diferente da maioria de nós, eles não se habituam imediatamente aos sons da cultura humana. Por isso, uma cidade pode ser uma explosão de pequenos detalhes com um grande impacto sobre a mente do cão: uma cacofonia do cotidiano que aprendemos a ignorar. Conhecemos o som da batida de uma porta de carro, mas a menos que estejam atentos a esse barulho, os habitantes da cidade tendem a nem ouvir a sinfonia de portas batendo nas ruas. Para um cão, todavia, esse pode ser um som novo cada vez que ele ocorre — e um

---

* Como observou Temple Grandin, o mesmo acontece com as vacas e os porcos, o que fez com que a indústria de carnes alterasse os caminhos utilizados pelos animais rumo ao abatedouro. Para a indústria, esse trabalho é útil para promover carne menos estressada e, portanto, mais saborosa. Para os animais, eles são presumivelmente poupados de alguma ansiedade adicional enquanto viajam — espera-se que sem consciência disso — para a morte.

som que, às vezes, o que é ainda mais interessante, é seguido pelo aparecimento de uma pessoa.

Eles prestam atenção aos períodos minúsculos de tempo entre nossas piscadelas, ao complemento do que vemos. Nem sempre são coisas invisíveis, mas simplesmente aquelas que preferiríamos que eles não prestassem atenção, como nossas virilhas, o brinquedo de borracha predileto que enfiamos no bolso, ou o aleijado desamparado na rua. Também podemos ver essas coisas, mas desviamos o olhar. Os hábitos humanos que ignoramos — tamborilar dedos, estalar tornozelos, tossir educadamente, mudar de posição — os cães percebem. Chegar para a frente na cadeira pode significar que você vai levantar! Coçar-se, balançar a cabeça: tudo que é mundano é elétrico — um sinal desconhecido e um ligeiro cheiro de xampu. Esses gestos não fazem parte do mundo cultural canino da mesma forma que fazem para nós. Os detalhes se tornam mais significativos quando não são engolfados pelo cotidiano.

A mesma atenção que os cães nos dedicam pode levá-los a se acostumarem com esses sons ao longo do tempo e a absorverem a cultura humana. Observe um cão de livraria, que passa as horas de seu dia cercado de pessoas: ele se habitua à passagem de gente estranha perto dele, à proximidade delas ao folhearem as páginas de um livro; a ser coçado na cabeça; a odores passageiros e passos constantes. Estale a articulação dos dedos dezenas de vezes por dia e um cão próximo aprenderá a ignorar esse hábito. Em contrapartida, um cão desacostumado com os hábitos humanos ficaria alarmado a cada estalo. A coisa mais excitante e amedrontadora que poderia acontecer para um cão que fica acorrentado para vigiar uma residência é que ela de fato precise de sua vigilância. Os cães de guarda podem ver a passagem de um desconhecido, sentir um novo odor no ar ou ouvir um novo som apenas ocasionalmente, e menos ainda um estalador extremo de articulações de dedos.

Podemos começar a compensar as desvantagens humanas na compreensão do *umwelt* sensorial do cão tentando dar um susto em nossos sistemas sensoriais. Por exemplo, para se livrar de nosso hábito pernicioso de ver tudo mais ou menos nas mesmas cores todos os dias, exponha-se a um ambiente iluminado por apenas uma cor — digamos, um espectro reduzido de amarelo. Sob tal luz as cores dos objetos ficam desbotadas: as mãos perdem a vitalidade trazida pelo sangue; vestidos cor-de-rosa tornam-se branco fosco; a barba por fazer sobressai como pimenta em uma tigela de leite. O familiar se torna estrangeiro. A não ser pelo brilho amarelo que vem de cima, essa experiência se aproxima bastante do que seria a percepção das cores pelo cão.

... está presente...

Ironicamente, a atenção a detalhes pode impossibilitar uma capacidade de generalizar a partir deles. Ao farejar as árvores, o cão não enxerga a floresta. A especificidade do lugar e dos objetos é útil quando você deseja acalmar seu cão durante uma viagem de carro: levar o travesseiro preferido dele para ajudá-lo a se acalmar, por exemplo. Colocado em um novo contexto, uma pessoa ou um objeto temido pode, às vezes, se transformar em algo não assustador.

Essa mesma especificidade pode indicar que os cães não pensam abstratamente sobre aquilo que não está diretamente sua frente. O influente filósofo analítico Ludwig Wittgenstein sugere que, embora um cão possa *acreditar* que você esteja do outro lado da porta, não se pode dizer sensatamente que ele faz *reflexões* sobre isso:

acreditar que você estará lá daqui a dois dias. Bem, vamos espreitar aquele cão. Ele se movimentou lentamente em ziguezague pela casa desde que você saiu. Examinou todas as superfícies interessantes da sala que ainda não foram roídas. Visitou a poltrona — sobre a qual, uma vez, há muito tempo, comida foi abandonada — e o sofá, onde comida foi entornada na noite passada. Cochilou seis vezes; fez três visitas à tigela de água; levantou a cabeça duas vezes por causa de latidos distantes. Agora, ele ouve você se aproximando lentamente da porta, rapidamente confirma com o focinho que é você, e se lembra de que, cada vez que ele ouve sua voz e sente seu cheiro, você aparece visualmente depois.

Em resumo, ele acredita que você está lá. Não faz sentido sugerir o contrário. A dúvida de Wittgenstein não se refere à possibilidade dos cães terem crenças. Eles têm preferências, fazem julgamentos, distinções, tomam decisões, privam-se: eles pensam. A dúvida de Wittgenstein é se seu cão antecipa sua chegada antes de você chegar: se ele pensa sobre ela. É duvidoso que os cães tenham crenças sobre eventos que não estão acontecendo no exato momento.

Viver sem o abstrato é ser consumido pelo aqui e agora: encarar cada acontecimento e objeto como se fosse único. É basicamente o que significa viver *o momento* — viver a vida livre de reflexões. Se é assim, então pode-se dizer que os cães não são reflexivos. Embora experimentem o mundo, também não consideram as próprias experiências. Enquanto pensam, não estão consultando os próprios pensamentos: pensando sobre pensar.

Os cães acabam por aprender a cadência de um dia. Porém, a natureza de um momento — a experiência dos momentos — é diferente quando o olfato é o sentido principal. O que parece um momento para nós pode ser uma série de momentos para um animal com um mundo sensorial diferente. Até mesmo nossos "momentos" são mais breves do que segundos; eles têm a duração de um instante que talvez seja do tamanho da menor unidade de tempo perceptível por nós. Alguns sugerem que esse tempo é mensurável: é um décimo oitavo de um segundo, o prazo em que um estímulo visual precisa ser apresentado a nós para que o reconheçamos conscientemente. Dessa forma, raramente notamos um piscar de olhos, que tem a duração de um décimo de um segundo. Segundo essa lógica, devido à frequência crítica de fusão mais alta, um momento visual é mais breve e mais rápido para os cães. No tempo deles, cada momento dura menos, ou, em outras palavras, o momento seguinte acontece mais cedo. Para os cães, o "agora" acontece antes que nós sejamos capazes de perceber.

... é passageiro e rápido...

Para os cães, a perspectiva, a escala e a distância encontram-se, de certa maneira, *no* olfato; mas o olfato é passageiro: ele existe em uma escala de tempo diferente. Os cheiros não chegam com a mesma regularidade (sob condições normais) com que a luz chega aos nossos olhos. Isso significa que em sua visão-cheiro, eles veem tudo a uma velocidade diferente da nossa.

O cheiro indica a hora. O passado é representado por cheiros que enfraqueceram, deterioraram, ou foram cobertos. Os odores são menos fortes com o passar do tempo, portanto força indica novidade; fraqueza, idade. O futuro é farejado na brisa que traz ar do lugar para o qual você se dirige. Em contrapartida, as criaturas visuais parecem olhar principalmente no presente. A janela olfativa dos cães é maior do que a nossa: o "presente" inclui não apenas a cena que acontece neste momento, mas também um espaço de tempo curto do que acaba de acontecer e do que irá acontecer. O presente tem em si uma sombra do passado e um toque do futuro.

Dessa forma, o olfato também é um manipulador do tempo, pois o tempo muda quando representado por uma sucessão de odores. Os cheiros têm uma vida útil: eles se movem e expiram. Para um cão, o mundo está em fluxo: ele ondula e tremula diante do focinho dele. E ele precisa continuar a farejar — como se tivéssemos que repetidamente olhar e acompanhar o mundo para que uma imagem constante permaneça em nossa retina e em nossa mente — para que o mundo seja continuamente aparente para ele. Isso explica muitos comportamentos familiares. Para começar, o farejar constante de seu cachorro* e talvez, também, sua atenção aparentemente dividida, que corre de fungada para fungada: os objetos só continuam a existir na medida em que um odor é exalado e ele o inala. Embora possamos estar em um lugar e ter um ponto de vista do mundo, os cães precisam se mexer muito mais para absorver tudo. Não é de se espantar que eles pareçam distraídos: seu presente está em constante movimento.

Assim, o odor dos objetos contém os dados de minutos e horas passados. À medida que percebem as horas e os dias, os cães conseguem perceber as estações pelo cheiro. Ocasionalmente, reparamos a mudança das estações pelo cheiro de flores brotando, de folhas caídas, do ar prestes a explodir em chuva. Na maioria das vezes, no entanto, sentimos ou vemos as estações: sentimos o sol bem-vindo em nossa pálida pele invernal; olhamos pela janela um dia límpido

---

* Puxar a coleira de um cão quando ele está fungando ardentemente é como ser arrancado de uma cena quando acabamos de avistá-la.

de primavera e nunca dizemos: *Que lindo cheiro novo!* Os focinhos dos cães desempenham o papel de nossa visão e de nossa pele. O ar primaveril traz, em cada fungada, odores bastante diversos do ar invernal: em sua umidade ou calor; na quantidade de morte em processo de apodrecimento ou de vida em florescência; no ar que viaja na brisa ou emana da terra.

Ao circular pelo mundo do tempo humano com sua janela do presente expandida, os cães funcionam um pouco a nossa frente; são excepcionalmente sensíveis, um pouco mais rápidos. Isso explica a habilidade para pegar bolas jogadas no ar e também alguns comportamentos, quando parecem estar fora de sincronia conosco, e por isso não conseguimos levá-los a fazer o que desejamos. Quando os cães não "obedecem", ou têm dificuldades de aprender algo que desejamos que aprendam, com frequência somos nós que não *os* estamos lendo bem: não percebemos quando o comportamento começou.* Eles estão disparando rumo ao futuro, um passo a nossa frente.

... está na cara...

Ela sorri. Essa é uma das caras ofegantes que ela faz. Nem toda cara ofegante é um sorriso, mas todo sorriso é uma cara ofegante. Uma leve dobra do lábio — seria uma ruga na face humana — enfatiza

---

* O adestramento com "clicker" busca lidar com essa dissonância de nossos diferentes "momentos" e de nossa diferente percepção do que o cão está "fazendo" a todo instante. Os adestradores usam um pequeno dispositivo que lhes permite fazer um *clique!* distinto e agudo quando o cão tem um comportamento desejado e pode esperar uma recompensa iminente. O clique ajuda a destacar um momento humano para o cão; deixado por conta própria, ele divide sua vida de forma diferente.

mais o sorriso. Os olhos podem estar ocupados (concentrados em algo) ou meio abertos (satisfeitos). E cílios e sobrancelhas levantam expressivamente.

Os cães são ingênuos. Os corpos deles não enganam, mesmo que às vezes eles nos enganem ou iludam. Ao contrário, o corpo do cão parece projetar diretamente seu estado interior. A alegria quando você retorna para casa, ou quando se aproxima dele, é traduzida diretamente pelo rabo. A preocupação dele é demonstrada pelo levantar de uma sobrancelha. O sorriso de Pump não é um arreganhar de dentes genuíno, mas aquela retração de lábio profunda que dá um relance dos dentes *é* usada de uma forma ritualizada, parte de uma comunicação conosco.

Você pode aprender muito sobre um cachorro observando o porte de sua cabeça. O humor, o interesse e a atenção estão registrados em letras maiúsculas na altura da cabeça, na posição das orelhas e no brilho dos olhos. Pense em um deles saltando diante de outros cães, rabo e cabeça levantados, com um brinquedo estimado ou roubado: considerando a forma usual dos cães de se comportar perto de outros, este é um gesto claro e intencional — de algo semelhante ao orgulho. Os lobos jovens também podem desaforadamente ostentar comida na frente de outros animais mais velhos. Sendo o primeiro elemento de interação com o mundo, a cabeça está geralmente apontada na direção em que o cão está indo. Se ele vira a cabeça para o lado, é apenas momentâneo — para se certificar de que há algo naquela direção que vale perseguir. É diferente de nós, que podemos virar a cabeça em contemplação, para fazer uma pose ou para impressionar. O cão é revigorantemente livre de pretensão.

O que a cabeça não diz sobre a intenção do cão, o rabo revela. A cabeça e o rabo são espelhos, apresentando a mesma informação por meios paralelos, a antítese clássica. Porém, eles também podem ser totalmente antagônicos, com sensibilidades diferentes em cada ponta. Um cachorro que se recusa a ser farejado na cara pode não ter qualquer problema em ser examinado no traseiro ou vice-versa. Ou o rabo ou a cabeça contam o que acontece por dentro.

Seria mais surpreendente se eu tivesse absoluta certeza de "como é" estar dentro de um cão do que se não a tivesse. Discutir essa questão é começar um exercício de empatia, imaginação bem informada e que advém de uma perspectiva mais do que da descoberta de uma explicação conclusiva. Nagel sugeriu que nenhuma explicação objetiva pode jamais ser feita a respeito das experiências de outras espécies. A privacidade dos pensamentos dos cães permanece intacta. Porém, é importante tentar imaginar como eles veem o mundo — substituir os antropomorfismos pelo *umwelt*. E, se olharmos com bastante cuidado e imaginarmos com suficiente destreza, quem sabe nossos cães se surpreendam com o quanto conseguimos acertar?

Você me conquistou no primeiro instante

Entro pela porta e acordo Pump com minha chegada. Primeiro, eu a ouço: o balançar do rabo batendo na porta; as unhas arranhando o chão ao se levantar, pesadamente; o tinir das plaquetas da coleira quando se balança e sacode o corpo inteiro até o rabo. Então, eu a vejo: as orelhas dobradas para trás, os olhos brandos; ela sorri sem sorrir. Vem trotando até mim, a cabeça levemente abaixada, as orelhas levantadas e o rabo balançando. Quando chego perto, ela dá uma fungada para cumprimentar; dou uma fungada de volta. O focinho úmido mal me toca, os bigodes varrem meu rosto. Cheguei em casa.

Eis uma possível razão pela qual os cães não foram objeto de investigações científicas sérias até recentemente: você não faz as perguntas quando já sabe as respostas visceralmente. Meus dois ou três reencontros diários com Pumpernickel são tão satisfatórios quanto naturais. Nada poderia parecer mais natural do que essas interações simples: elas são maravilhosas, mas não é um milagre que imediata-mente demanda um exame científico minucioso e imediato. Pode-ria igualmente concentrar-me na natureza de meu cotovelo direito: ele é simplesmente uma parte de mim, o tempo inteiro, mas não me aprofundo sobre sua localização útil, precisamente entre a parte de cima do braço e o antebraço, ou fico refletindo sobre como ele poderia ser no futuro.

Bem, eu deveria reconsiderar meu cotovelo. Pois a natureza da-quilo que em determinados círculos é chamado "laço humano-cão" é excepcional. Não é simplesmente qualquer animal esperando minha chegada, e não é simplesmente qualquer cão. É um tipo de animal muito específico — um animal doméstico — e um tipo de cão espe-cífico — aquele com quem criei uma relação simbiótica. Nossas in-terações formam uma dança da qual somente nós sabemos os passos específicos. Dois fatores — domesticação e desenvolvimento — tor-naram possível essa dança. A domesticação fornece a base; os rituais nós criamos juntos. Estamos ligados antes mesmo de nos darmos conta; o laço acontece antes de haver reflexão ou análise.

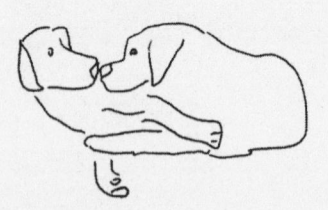

O laço humano com os cães é animal por essência: a vida animal foi bem-sucedida por causa da associação e, por fim, da união de animais individuais com outros animais. Originalmente, a ligação dos animais uns aos outros pode ter durado apenas um instante de satisfação sexual. Porém, o encontro das anatomias em algum ponto tomou outros rumos: relacionamentos de longo prazo centrados na criação de jovens; grupos de indivíduos relacionados vivendo juntos; união de animais do mesmo sexo, que não se acasalam, para fins de proteção ou companhia, ou ambos; até mesmo alianças entre vizinhos cooperativos. A clássica "ligação do par" é uma descrição da associação formada entre dois animais acasalados. Animais unidos podem ser reconhecidos até mesmo por um observador ingênuo: a maioria das ligações de pares andam juntas. Eles se importam e cuidam um do outro e se cumprimentam animadamente ao se reencontrarem.

Esse tipo de comportamento pode parecer previsível. Afinal, nós humanos passamos grande parte do tempo tentando formar ligações de pares, mantendo ou discutindo nossas ligações atuais, ou tentando nos livrar daquelas pouco recomendáveis que se tornaram insatisfatórias. Porém, do ponto de vista da evolução, a ligação com outros é pouco óbvia. O objetivo de nossos genes é reproduzir: um objetivo naturalmente egoísta, como observam os sociobiólogos. Por que se importar com os outros? A razão pela qual um gene egoísta se incomodaria em dar ouvidos e saudar o cumprimento de outras formas de genes revela-se também egoísta: a reprodução sexual aumenta a chance de mutações proveitosas. É também conveniente para o gene egoísta assegurar que o cônjuge sexual seja saudável o suficiente para parir e criar novos genes jovens.

Soa absurdo? Foi descoberto um mecanismo biológico que confirma a ligação do par. Dois hormônios, oxitocina e vasopressina (conhecidos por seus papéis na reprodução e na regulação do líquido corporal, respectivamente), são liberados durante as interações com parceiros. Esses hormônios causam mudanças no nível neuronal, nas áreas do cérebro envolvidas com liberação de prazer e recompensa. A mudança neural resulta em uma mudança comportamental: estimulando a associação com o parceiro, porque é simplesmente prazeroso. Nos pequenos arganazes-da-pradaria (um animal parecido com um rato), estudados por pesquisadores, a vasopressina parece funcionar nos sistemas de dopamina, o que resulta no arganaz macho ser muito atencioso com sua companheira. Como consequência, os arganazes-da-pradaria são monógamos, formando laços duradouros, em que ambos se envolvem com a criação dos filhotes.

Porém, essas ligações do par são intraespécie: entre membros da mesma espécie. O que iniciou a ligação entre espécies, que agora resulta no nosso viver e dormir com cães e até em vesti-los com casacos? Konrad Lorenz foi o primeiro a descobri-lo. Ele deu uma descrição do que chamou simplesmente de "o laço" na década de 1960 — bem antes da época atual da ciência neural e antes dos seminários sobre relacionamentos entre humanos e bichos de estimação. Na linguagem científica, ele definiu o laço como revelado nos "padrões de comportamento de uma ligação sentimental mútua e objetivamente demonstrável". Em outras palavras, ele redefiniu o laço entre animais não em termos de seus objetivos — tais como o acasalamento — mas de seus processos — tais como coabitação e cumprimentos. O objetivo poderia ser o acasalamento, mas também poderia ser a sobrevivência, o trabalho, a empatia ou o prazer.

Esse novo foco abre portas para a consideração de muitos outros tipos de pares que não se baseiam no acasalamento como forma de ligação verdadeira — entre membros da mesma espécie ou entre duas espécies. Entre os cachorros, os cães trabalhadores são um caso clássico. Por exemplo, o laço criado entre cães pastores no início de suas vidas e o futuro sujeito de seu trabalho: o carneiro. Na realidade, para serem pastores eficazes, os cães pastores precisam se ligar aos carneiros logo nos primeiros meses. Eles vivem entre os carneiros, comem quando os carneiros comem e dormem onde o rebanho dorme. O cérebro deles entra em processo de rápido desenvolvimento desde uma idade tenra; se eles não são apresentados ao rebanho naquele momento, eles não se tornam bons pastores. Todos os lobos e cães, trabalhadores ou não, têm períodos de desenvolvimento social importantes. No início da vida dos filhotes, eles mostram uma preferência por quem cuida deles, procurando e respondendo a essa pessoa de forma diferente do que fazem com outras pessoas, com um cumprimento especial.* Para os animais jovens, esse comportamento é adaptativo.

Todavia, há ainda uma distância grande entre uma ligação forjada com base em uma vantagem no desenvolvimento e uma ligação baseada no companheirismo. Considerando que os humanos não acasalam com cães nem necessitam deles para sobreviver, por que deveriam construir laços com eles?

---

* Isso pode parecer um bom momento para um cão jovem encontrar seu novo dono. Há surpreendentemente poucos trabalhos científicos bons sobre o momento dessa introdução. Com muito mais frequência, as forças determinantes na adoção de cães por humanos são influenciadas por tudo *menos* pela melhor idade para um filhote encontrar essa pessoa. Muitos estados têm leis que proíbem a venda de filhotes com menos de oito semanas de vida para evitar a venda de animais fisicamente imaturos. Os criadores só visam seus interesses ao venderem seus produtos. Contudo, o reconhecimento social exige experiência. Os cães com duas semanas a quatro meses têm uma disposição especial para aprender com os outros (de quaisquer espécies). Nenhum cão deveria ser separado de sua mãe antes de ser desmamado (o que pode demorar de seis a dez semanas), mas os cães *deveriam* ficar expostos aos humanos assim como aos companheiros de ninhada.

LAÇOS POSSÍVEIS

O sentimento de sensibilidade mútua — aquela sensibilidade que ocorre a cada vez que nos aproximamos uma da outra ou nos olhamos — nos *mudou,* produziu uma determinada resposta. Eu sorria ao vê-la olhar para mim ou caminhar em minha direção; o rabo batia, e eu conseguia ver os pequenos movimentos musculares das orelhas e dos olhos que indicavam atenção e prazer.

Não precisamos andar nem nascer em bandos. Tampouco, como vimos anteriormente, somos uma alcateia natural. O que então explica nosso laço com os cães? Eles têm uma série de características que os tornam bons candidatos a serem escolhidos por nós para formar laços. Os cães são diurnos, estão prontos para serem acordados quando podemos passeá-los e dormir quando não podemos. Não é de estranhar que o porco-da-terra e o texugo, animais noturnos, raramente sejam escolhidos como bichos de estimação. Os cães têm um porte bom, com variações suficientes entre as raças para satisfazer diferentes especificações: pequenos o suficiente para serem carregados; grandes o suficiente para serem levados a sério como indivíduos. O corpo é familiar, com partes que se equiparam às nossas — olhos, barriga, pernas — e uma correlação fácil com a maioria daquelas que não se equiparam — as patas dianteiras com nossos braços; a boca ou focinho com nossas mãos.* (O rabo é uma

---

* Em geral, ficamos fascinados com as criaturas que se parecem conosco em pelo menos alguns atributos. Deve ser destacado que nem todos os animais são objetos de nosso entusiasmo, acolhidos ou antropomorfizados: os macacos e os cães, sim, regularmente, mas as enguias e arraias muito raramente. "Essa craca simplesmente adora grudar em mim e no meu barco" é uma frase jamais pronunciada. A diferença

disparidade, mas tem seus próprios atrativos.) Eles se movem mais ou menos da forma como fazemos (embora com mais velocidade): avançam melhor do que recuam; seu caminhar é descontraído e sua corrida elegante. São bons de lidar; podemos deixá-los sozinhos por longos períodos de tempo; sua alimentação não é complicada; são receptivos ao adestramento. Tentam nos ler e são legíveis (embora muitas vezes erremos a leitura). São alegres e confiáveis. E sua expectativa de vida é compatível com a nossa: eles estarão presentes durante um longo tempo em nossas vidas, possivelmente da infância à idade adulta jovem. Um rato de estimação pode viver um ano — muito breve; um papagaio, sessenta — tempo demais; os cães atingem um meio termo.

Finalmente, eles são extremamente mimosos. E, por extremamente, quero dizer irresistíveis: faz parte de nossa constituição arrulharmos com ternura quando estamos na presença de filhotes; derretermo-nos diante da visão de um cão de cabeça grande e membros pequenos; adorarmos um focinho amassado e um rabo peludo. Foi sugerido que os humanos estão adaptados para serem atraídos por criaturas com características exageradas — os principais exemplos são as crianças. Elas chegam com versões comicamente distorcidas dos membros adultos: cabeça enorme; membros gorduchos encurtados; dedos das mãos e dos pés pequeninos. Presume-se que nosso desenvolvimento nos tenha levado ao interesse instintivo por crian-

---

entre o macaco e a craca em parte se deve à evolução, em parte à familiaridade. Um macaco jovem que pega a mão da mãe facilmente faz lembrar a mesma cena comovente entre mães e crianças humanas. Em contrapartida, por mais que uma enguia jovem possa ansiar por contato ao deslizar em direção à mãe, sua falta de membros é um obstáculo que nos impede de chamar essa cena de "comovente" — talvez até mesmo intencional.

ças e a um impulso para ajudá-las: sem a assistência de um humano mais velho, nenhuma criança sobreviveria sozinha. Elas são seres indefesos adoráveis. Da mesma forma, aqueles animais não humanos com características infantilizadas podem despertar nossa atenção e cuidados porque apresentam características dos jovens humanos. Por acaso, os cães se encaixam nesse perfil. Seu encanto é metade pelagem, metade neotenia, que possuem em grande quantidade: cabeça excessivamente grande para o corpo; orelhas totalmente fora de proporção em relação ao tamanho da cabeça; olhos grandes e redondos; focinhos menores ou maiores do que um nariz normal, nunca do tamanho de um nariz normal.

Todas essas características são importantes para provocar nossa atração pelos cães, mas elas não explicam completamente por que formamos laços com eles. Essa ligação é formada ao longo do tempo — não apenas por olhares, mas pela forma como interagimos um com o outro. Grosso modo, a explicação pode simplesmente ser porque — como diz um dos personagens de Woody Allen — precisamos de ovos. Ele descreve suas próprias tentativas desvairadas de formar laços com uma piada sobre o irmão, um tipo tão desligado que acredita ser uma galinha. É claro que a família poderia fazer com que ele fosse tratado para curar esse delírio, porém ele está muito feliz com as recompensas ricas em proteína de sua doença mental. Em outras palavras, a resposta é uma não resposta: simplesmente faz parte de nossa natureza formar laços.* Os cães, que se desenvolveram entre nós, são parecidos.

---

* Edward O. Wilson, o naturalista e sociobiólogo que estudou populações de formigas em um nível de detalhes surpreendente, sugeriu que possuímos uma tendência inata, típica de nossa espécie, de nos afiliar com outros animais: o que foi chamado de "hipótese da biofilia". A ideia é atraente e também muito controversa. É particularmente difícil refutar uma hipótese desse tipo. De qualquer forma, considero-a uma variação do aforismo de Woody Allen dito por um cientista.

Em um nível mais científico, é possível responder de duas formas à pergunta sobre como esse laço veio a fazer parte da natureza de cães e humanos: com explicações que na etologia são chamadas de "imediata" e "elementar". Uma explicação elementar é a evolutiva: para começar, por que um comportamento para formar laços com outros se desenvolveu? A melhor resposta aqui é que tanto nós quanto os cães (e os ascendentes dos cães) somos animais sociais, e somos sociais porque isso acaba trazendo vantagens. Por exemplo, uma teoria popular afirma que a sociabilidade de nossos antepassados permitiu a divisão de papéis que os capacitou a caçar com mais eficiência. Dessa forma, o sucesso de nossos ancestrais nas caçadas tornou possível a sobrevivência e o êxito deles, enquanto que aqueles pobres neandertais que agiam isoladamente não tiveram o mesmo resultado. Também em relação aos lobos, permanecer em grupos sociais familiares facilita a caçada cooperativa de grandes presas, a conveniência de um parceiro para acasalar e a assistência na criação de filhotes.

Poderíamos ser sociais com qualquer outro animal social, mas não formamos laços com fuinhas, formigas ou castores. Para explicar nossa escolha específica pelo cão, precisamos olhar um pouco mais adiante. Uma explicação imediata é a local: que efeito imediato o comportamento tem que o reforça ou que recompensa aquele que assim se comporta. Com relação ao animal, o reforço pode ser a refeição após a caça ou a copulação após uma perseguição árdua e energética.

É nesse ponto que os cães se diferenciam dos outros animais sociais. Existem três meios comportamentais essenciais pelos quais mantemos laços com cães e nos sentimos recompensados por eles. O primeiro é o contato: o toque de um animal vai muito além de um mero estímulo dos nervos da pele. O segundo é o ritual de cumprimento: a celebração quando encontramos um ao outro serve como identificação e reconhecimento. O terceiro é o momento: o ritmo de nossas interações um com o outro é parte do que possibilita que elas sejam bem-sucedidas ou fracassem. Juntos, esses meios se combinam para nos ligar de maneira irrevogável.

TOCANDO ANIMAIS

Nenhum de nós está bem confortável, mas nenhum de nós se mexe. Ele está no meu colo, esparramado por cima de minhas pernas, as patas já um pouco longas e penduradas pelo lado da cadeira. Repousou o queixo sobre meu braço direito, bem na dobra de meu cotovelo, a cabeça inclinada para cima de modo a manter contato comigo. Para conseguir digitar, preciso esforçar-me para puxar meu braço que ficou preso para cima da mesa, na direção do teclado, tendo apenas os dedos livres para se mexerem e o corpo inclinado de forma precária. Nós nos agarramos um ao outro para manter aquele fio tênue de contato que diz que nossos destinos se entrelaçarão — ou já estão entrelaçados.

Demos a ele o nome de Finnegan. Nós o encontramos em um abrigo local, dentro de uma gaiola entre dezenas de gaiolas, no interior de uma sala entre uma dezena de salas, todas cheias de cães que poderíamos também ter levado para casa. Lembro-me do momento em que soube que seria Finnegan. Ele se inclinou. Do lado de fora de sua gaiola, em cima da mesa onde é permitido aos humanos carregados de germes interagir com cães doentes, ele abanou o rabo, as orelhas balançaram ao redor da cara minúscula, tossiu longas explosões de tosse e se inclinou para meu peito, na altura da mesa, a cara enfiada na minha axila. Aí, bem, estava decidido.

Muitas vezes é o contato que nos atrai para os animais. Nossa sensação tátil é mecânica, matéria sobre matéria: diferentemente de nossas outras capacidades sensoriais e talvez mais subjetivamente determinada. Estimular uma terminação nervosa livre da pele poderia ser, dependendo do contexto e da força do estímulo — uma cócega, um carinho —, insuportável, doloroso ou imperceptível. Se estivermos distraídos, o que poderia ser uma queimadura dolorosa vira uma irritação banal. Um carinho pode ser sentido como uma apalpação, se vier de uma mão indesejada.

Em nosso contexto atual, todavia, "toque" ou "contato" é simplesmente a eliminação de uma distância que separa corpos. Os zoológicos onde é permitido tocar os animais (*petting zoos*) surgiram para satisfazer o anseio de envolver aquele animal do outro lado da cerca não somente olhando-o, mas *tocando*-o. Melhor ainda se ele tocar de volta suas mãos com, digamos, uma língua quente ou com os dentes desgastados, arrancando a comida de suas mãos estendidas. As crianças e até os adultos que se aproximam de mim na rua quando passeio com minha cadela não desejam olhar para ela, observá-la abanar o rabo, meditar sobre ela — não, elas querem acariciar a cadela: tocá-la. Na realidade, após um carinho rápido, a maioria das pessoas parece satisfeita com essa interação. Até mesmo um breve toque é suficiente para reforçar o sentimento de que uma conexão foi feita.

De vez em quando, acordamos com os dedos do pé descobertos, pendurados para fora da beira da cama, sendo lambidos.

Cães e humanos compartilham esse desejo inato por contato. O contato entre mãe e filho é natural: em razão da necessidade de comer, a criança é atraída para o seio materno. Daí em diante, ficar nos braços da mãe pode ser naturalmente reconfortante. Uma criança que não tem uma pessoa que cuide dela, homem ou mulher, se desenvolverá anormalmente, de uma forma que seria desumano testar experimentalmente. Desumano ou não, na década de 1950 um psicólogo chamado Harry Harlow realizou uma série de experiências, hoje notórias, projetadas para testar a importância do contato materno. Ele separou macacos rhesus de suas mães e os criou em isolamento. Em seus recintos fechados, alguns puderam escolher entre duas "mães" substitutas: uma boneca do tamanho de um macaco, feita com uma armação de arame coberta de pano, engordada com enchimento e aquecida com uma lâmpada; ou um macaco de arame nu com uma mamadeira cheia de leite. A primeira descoberta de Harlow foi que os macacos filhotes passavam quase o tempo inteiro aconchegados à mãe de pano, correndo periodicamente até a mãe de arame para se alimentar. Quando expostos a objetos amedrontadores (dispositivos robóticos demoníacos que faziam barulho, colocados por Harlow em suas jaulas), os macacos se dirigiam para a mãe de pano. Eles ficavam desesperados por contato com um corpo quente — precisamente aquele corpo quente do qual haviam sido afastados.*

A longo prazo o trabalho de Harlow descobriu que esses macacos isolados se desenvolviam de forma relativamente normal do ponto de vista físico, mas de forma anômala socialmente. Eles não

---

* Nos estudos com filhotes de cães, os pesquisadores descobriram que aqueles que estavam angustiados com a separação de suas mães e de seus companheiros de ninhada choramingavam menos quando recebiam uma toalha ou um brinquedo macio (um carneiro azul empalhado). Se há algum conhecimento a ser extraído desse caso, é o de que um objeto familiar macio pode ser um fator de consolo (daí, nas crianças, o poder dos ursos de pelúcia). Na realidade, tais objetos podem reduzir o desconforto que alguns cães manifestam ao serem deixados em casa sozinhos.

interagiam bem com outros de sua espécie: apavorados, aconchegavam-se em um canto quando outro macaco jovem era introduzido na jaula. A interação social e o contato pessoal são mais do que desejáveis: são necessários para o desenvolvimento normal. Meses mais tarde, Harlow tentou reabilitar aqueles macacos cujo isolamento no início da vida tanto deformou. Ele descobriu que o melhor remédio era o contato regular com macacos jovens normais — a quem chamou de "macacos de terapia" — para brincarem. Isso conseguiu transformar alguns dos animais isolados em agentes sociais mais normais.

Observe uma criança, com visão e até mobilidade limitadas, tentando aconchegar-se a sua mãe, a cabeça procurando fazer contato, e verá exatamente como são os filhotes recém-nascidos. Cegos e surdos ao nascer, eles trazem consigo o instinto de aconchegarem-se aos irmãos e à mãe ou até mesmo a qualquer objeto sólido próximo. O etólogo Michael Fox descreve a cabeça de um filhote como uma "sonda sensorial tátil e térmica", movimentando-se em um semicírculo até tocar algo. Tem início então uma vida de comportamento social que abrange o contato e é reforçado por ele. Estima-se que os lobos façam movimentos para tocarem uns aos outros pelo menos seis vezes por hora. Eles lambem o pelo, as genitálias, a boca e as feridas um do outro. Focinhos tocam focinhos, corpo ou rabo; eles esfregam os focinhos ou o pelo. Eles são orientados para o toque até em atividades agonísticas, as quais, ao contrário de muitas outras espécies, geralmente envolvem contato: empurrar, abocanhar para imobilizar, morder o corpo ou a perna, pegar outro focinho ou cabeça com a boca.

Direcionado a nós, o instinto juvenil do cão se torna um impulso para enterrar a cabeça sob nosso corpo adormecido ou descansar a cabeça em nós; para nos empurrar ou esbarrar em nós quando estamos andando; para gentilmente mordiscar ou lamber-nos até secar. Não parece ser acidental que os cães que estão brincando a todo vapor regularmente esbarrem em qualquer dono observador nas proximidades, usando-os como para-choques vivos para definir seu espaço de brincadeiras. Por sua vez, os cães se dispõem a ser tocados por nós. Esse é um grande ponto a seu favor. Nós os consideramos tocáveis: peludos e macios. Eles estão logo abaixo de nossos dedos pendentes, e frequentemente usamos sua neotenia com resultados extremamente mimosos. O que o cão experimenta com esse toque, todavia, não é provavelmente aquilo que pensamos. Uma criança pode coçar a barriga de um cão vigorosamente; esticamos o braço para acariciar a cabeça de um cachorro — sem saber se ele deseja ser vigorosamente coçado ou acariciado na cabeça. Na prática, seu *umwelt* tátil é quase certamente diferente do nosso.

Primeiro, a sensação não é uniforme por todo o corpo. Nossa sensibilidade tátil é diferente em pontos diferentes de nossa pele. Podemos detectar dois dedos a um centímetro um do outro em nossa nuca, mas, se os dedos descerem pelas costas, sentimos que eles estão tocando o mesmo ponto. A sensação do toque nos animais é provavelmente ainda mais diferente: o que pensamos ser um carinho gentil pode quase não ser detectável ou até ser doloroso.

Segundo, o mapa somático — corporal — do cão não é igual ao nosso: as partes mais sensíveis ou significativas do corpo são diferentes nos cães. Como observado em muitas das ações de contato agonístico mencionadas anteriormente, segurar a cabeça ou o focinho — a primeira parte do corpo que uma pessoa ingênua tende a pegar ao acariciar bichos de estimação — pode ser considerado agressivo. É semelhante ao que uma mãe faria com um filhote indisciplinado, ou ao que um lobo dominante mais velho faria com um membro de sua alcateia. E isso inclui os bigodes (*vibrissae*), que, tal como todos os cabelos, têm receptores sensíveis à pressão nas suas extremidades. Os receptores bigodudos são especialmente importantes para detectar movimentos em torno da cara ou correntes de ar nas proximidades. Se você estiver perto de um cão o suficiente para ver seus bigodes, poderá observá-los eriçarem-se quando ele ficar agressivo (é desaconselhável ficar muito perto nesse caso). Puxar o rabo é uma provocação, mas em geral com intenção de brincadeira, e não de agressão — a menos que você não o largue. Tocar o baixo-ventre pode estimular o cão a se sentir sexualmente ativo, visto que lamber a genitália frequentemente precede uma tentativa de acasalamento. Um cão rolando sobre o dorso está fazendo muito mais do que simplesmente expor sua barriga esta é a mesma postura que os cães usam para permitir que as mães limpem sua genitália. O coçador de barrigas vigoroso pode acabar recebendo um jato de urina.

Finalmente, da mesma forma como temos áreas altamente sensíveis — a ponta da língua, nossos dedos — o cão também tem. Há características que se aplicam a toda uma espécie — nenhuma pessoa gosta que lhe toquem os olhos — e a indivíduos — posso sentir cócegas na planta dos pés, enquanto você é imune a elas. É fácil fazer um exame tátil e mapear o corpo de seu cão. Não só os lugares preferidos e proibidos ao toque são diferentes, mas a própria forma de contato é crucial. No mundo canino, o toque repetido é diferente da pressão constante. Visto que o toque é usado para comunicar uma mensagem, manter a mão no mesmo lugar do corpo de um cão transmite essa mesma mensagem com grande intensidade. Ao mesmo tempo, alguns cães preferem o contato de corpo inteiro, especialmente cães jovens, e sobretudo quando eles são os iniciadores do contato. Os cães frequentemente encontram lugares para deitar que maximizem a proximidade com outro corpo. Essa pode ser uma postura segura para os cães, sobretudo para os filhotes, quando estão completamente dependentes dos cuidados de outros. Sentir uma pressão leve ao longo de todo o corpo provoca uma grande sensação de bem-estar.

É difícil imaginar conhecer um cão e não tocá-lo — ou ser tocado por ele. Ser cutucado pelo focinho de um cão é um prazer único.

À PRIMEIRA VISTA

Logo depois de conhecer Pumpernickel, arrumei um emprego de tempo integral e ela arrumou um caso clássico de angústia de separação. De manhã, enquanto me preparava para sair após nosso passeio, ela começava a choramingar, me acompanhava de cômodo a cômodo até, finalmente, vomitar. Consultei treinadores que me deram diretrizes bem razoáveis para reduzir o estresse da separação. Segui todos os procedimentos sensatos conhecidos, e Pump logo retornou a um estado mental e físico saudável. Porém, houve uma sugestão que não segui. Não ritualize sua partida e seu posterior retorno, eles avisaram: não celebre o reencontro. Eu me recusei a obedecer. Seu cumprimento fungado com o focinho e nossa brincadeira de rolar no chão em uma comemoração efusiva pelo fato de estarmos juntas eram bons demais para serem abandonados

Lorenz chamou o cumprimento entre animais, após uma separação, de uma "cerimônia de apaziguamento redirecionada". Aquela excitação nervosa que se sente repentinamente ao ver alguém em sua toca ou território poderia ter dois resultados diferentes: um ataque ao possível estranho ou um redirecionamento da excitação em forma de cumprimento. Sua ideia era que havia muito pouca diferença entre o ataque e o cumprimento, além de algumas alterações ou adições sutis. Entre os patos silvestres do hemisfério norte, uma das aves que ele estudou em profundidade, dois indivíduos que se encontram se envolvem em um rítmico "cerimonial de movimentos de ida e vinda" que pode se tornar agressivo, a não ser que o pato macho, o marreco, levante a cabeça e a vire. Isso dá ensejo a uma cerimônia mútua de fingir alisar as penas um do outro, e o cumprimento se completa: outra briga inibida.

Os cumprimentos entre os humanos são similarmente ritualizados. Olhamos um nos olhos do outro; acenamos com as mãos um para o outro; abraçamo-nos ou nos beijamos uma, duas ou três vezes, dependendo da cultura do país nativo de cada um. Tudo isso pode ser o redirecionamento de um sentimento de incerteza ao ver alguém. Além disso, podemos sorrir ou dar risadas. Nada é mais tranquilizador da boa intenção de outra pessoa do que a risada, afirmou Lorenz. Na maioria das vezes, essa explosão de ruídos é certamente uma expressão de alegria, mas também pode ser uma erupção típica de alarme reformulada como prazer ou surpresa (em certa medida parecida com o contexto de brincadeiras brutas em que a risada do cão aparece).

Ao manifestar a excitação em um cumprimento de uma forma lorenziana, é possível acrescentar outros componentes a ele. Os lobos e os cães o fazem. Seus cumprimentos e os de todos os canídeos sociais são semelhantes. Na vida selvagem, quando os pais retornam à toca, os filhotes se aglomeram em torno deles, arremessando-se freneticamente em direção às suas bocas na esperança de fazê-los regurgitarem um pouco da presa que consumiram. Eles lambem os lábios, o focinho e a boca deles, assumem uma postura submissa e abanam o rabo furiosamente.

Como vimos, aquilo que muitos donos alegremente descrevem como "beijos" são lambidas no rosto, a tentativa do cão de estimulá-lo a regurgitar. O cão nunca ficará infeliz se seus beijos o estimularem a vomitar seu almoço. Esse cumprimento não é completo sem uma abordagem agitada, assim como um contato constante e energético. Orelhas que foram empinadas para ouvir sua chegada são dobradas e a cabeça se abaixa levemente em um gesto submisso. O cão puxa os lábios para trás e abaixa os cílios — nos humanos, esses são sinais de um sorriso genuíno. Ele abana o rabo loucamente ou bate com a ponta do rabo no chão em um ritmo frenético. Ambos os tipos de abano contêm toda a energia agitada que o cão reprime para ficar próximo a você. Ele pode choramingar ou uivar de prazer. Os lobos adultos uivam diariamente: nas alcateias, um coral de uivos pode ajudar a coordenar os deslocamentos e fortalecer as ligações. Da mesma forma, se você saudar o cão com gritos e cumprimentos vocais, seu cão pode ganir para você. Em todos os movimentos, ele mostra que o reconhece.

Se o cumprimento e o contato fossem tudo, poderíamos esperar múltiplas ocorrências de macacos ligados a lobos e de coelhos convivendo com cães selvagens. Todos exigem contato na infância. Até mesmo as formigas cumprimentam os que retornam ao formigueiro. Suponho que, questões predatórias à parte (bastante à parte), o potencial exista. Um gorila chamado Koko, ensinado a usar a linguagem de sinais para se comunicar, e criado em um lar humano, tinha seu próprio gato de estimação. Não precisamos mais agir instintivamente da forma como poucos animais agem. Porém, há outro aspecto que torna a ligação humano-cão única: o momento. Funcionamos bem quando estamos juntos.

A DANÇA

Nos passeios longos, Pump fica perto de mim, mas não muito. Quando a chamo, ela vem correndo a todo vapor e para pouco antes de se aproximar demais. Ela gosta de ficar um passo à frente. No entanto, quando andamos juntas por um caminho estreito e ela está na minha frente, ela *dá uma conferida* — olha para trás periodicamente para ver onde estou. Ela só precisa virar a cabeça um pouco para me ver, levantando-a de sua posição normal inclinada para baixo, inspecionando o chão. Se, em algum momento, fico para trás, ela se vira totalmente, orelhas em pé e atenta: esperando por mim. Ah, eu adoro chegar a esse momento em que ela me aguarda! Pode ser que eu corra um pouco ao me aproximar dela, e esse é o sinal para ela fazer um cumprimento ou para se virar e retomar seu trote, conduzindo-nos em nosso passeio.

Nesse segundo dia, ele começou a vir com o som do estalar de dedos: aprendeu rapidamente. Basta estalarmos o dedo para fazer com que ele corra de um lado para outro entre nós dois.

Os cães, embora não cacem cooperativamente, são cooperativos. Observe o desfile de conjuntos pessoa-cão unidos por coleiras em uma rua da cidade. Apesar de pequenos desvios, eles dançam em sincronia magistral, caminhando *juntos*. Os cães trabalhadores são treinados para terem uma sensibilidade aguçada para a dança. Os cegos e seus cães-guia se revezam para iniciar movimentos, complementando um ao outro.

O fato de que os cães vivem na mesma velocidade que nós propicia essa sincronia. Um rato caseiro, cujo coração bate quatrocentas vezes por minuto em descanso, está constantemente apressado; uma pulga pode esperar um mês, um ano, ou 18 anos em animação suspensa até aquele odor de ácido butanoico aparecer; os cães funcionam muito mais no nosso ritmo. Embora vivamos por mais tempo, a vida deles estende-se por uma geração. E eles *agem* em um ritmo suficientemente próximo do nosso — embora ligeiramente mais rápido — para permitir-nos discernir seus movimentos, imaginar suas intenções. Eles agem em resposta às nossas ações, com disposição. Eles dançam conosco.

No início o filhote rejeita a coleira, puxa-a com força, ou simplesmente deixa de entender que está preso por ela — e, portanto, a você — enquanto tenta arrastá-lo na direção daquele jornal interessantíssimo que voa pela calçada. Em muito pouco tempo, eles aprendem a ser parceiros de caminhada altamente cooperativos, andando aproximadamente na mesma velocidade e frequentemente acertando o passo com os donos. Eles *combinam* com os donos, quase nos imitando. Por sua vez, imitamos inconscientemente nossos imitadores. Na etologia, isso é chamado "comportamento alelomimético" e faz parte do desenvolvimento e da manutenção dos bons relacionamentos sociais entre animais. Mais do que isso, no entanto, o filhote aprende a sequência de comportamentos que você repete — que constitui um passeio — e os antecipa. Em pouco tempo, ele conhece a série de etapas percorridas antes do começo do passeio — as esquinas que você vira no caminho em direção ao parque, o lugar onde a coleira é retirada ou a bola é jogada. Ele antecipa o ponto de retorno do passeio longo, o ponto de retorno do passeio curto e sabe como esquivar-se do último. Alguns cães parecem até saber com exatidão os parâmetros da distância entre a coleira e nossas mãos, deslocando-se freneticamente dentro dessa área — agarrando um graveto ou farejando um cão que passa — sem quebrar o ritmo da caminhada.

Assim que retiramos a coleira, a dança continua. Minha concepção de um passeio perfeito, ocasionalmente realizado, é o de minha cadela sem coleira, correndo não a meu lado, mas em grandes círculos ao meu redor, com uma progressão média mais ou menos igual por quilômetros. Em condições ideais, encontramos uma dezena de outros cães. Não existe nada mais terapêutico do que observar dois cachorros em uma brincadeira de luta energética e exuberante: o prazer que sentimos com esses jogos que exigem trocas de papéis em alta velocidade aumenta muito. As regras das brincadeiras — sinalização, agir no momento certo — são semelhantes às nossas regras de conversação. Eis a razão de podermos entrar no diálogo da brincadeira com nossos cães.

Eu começo. Primeiro, me aproximo devagar do lugar em que ela está deitada e coloco minha mão em sua pata. Ela a retira — e coloca a pata em minha mão. Torno a colocar minha mão sobre a pata dela e, mais rapidamente agora, ela me imita. Trocamos tapinhas como esses até não poder mais. Rio, quebrando o encanto, e ela se estica sobre as patas em minha direção, boca aberta quase sorridente, para lamber meu rosto. Há uma intimidade especial quando ela coloca a pata — seu peso, a aspereza das almofadas, a sensação de cada unha — em minha mão. Na maioria das vezes, é o simples fato de usar esse membro para se comunicar comigo — a pata não é vista como uma mão independente do braço, até que ela a trata como tal, semelhante ao meu.

Os elementos que tornam a brincadeira prazerosa são difíceis de identificar, exatamente como uma piada excelente sempre parece mais engraçada do que sua desconstrução. Tente fazer um robô brincar com você: ele sempre parece carecer de uma determinada... *jocosidade.* Há alguns anos, a Sony desenvolveu um bicho de estimação mecânico, o "Aibo", projetado para se parecer com um cão — com quatro patas, rabo, a forma característica da cabeça etc. — e para agir de certa forma de modo semelhante a um cão — abanar o rabo, latir e realizar rotinas simples de adestramento canino. O que o Aibo não faz é brincar como um cão, e os projetistas queriam que ele fosse mais divertidamente interativo com as pessoas. Com esse objetivo, estudei cães e humanos brincando juntos: luta livre, caça, jogar e pegar bolas, gravetos e cordas. Observei, gravei e depois transcrevi todos os comportamentos de cada um dos participantes. Então, procurei os elementos consistentes nos episódios bem-sucedidos dessa brincadeira interespécies.

O que esperava encontrar eram rotinas e jogos claros que poderiam ser modelados em um brinquedo "canino" como o Aibo. O que descobri foi mais simples e mais poderoso. Em cada episódio, as ações dos participantes *dependiam* significativamente das — baseado nas e relacionado às — ações do outro. Isso dava um ritmo à brincadeira. Tal contingência é facilmente vista nas interações sociais humanas mais incipientes. Aos dois meses, as crianças coordenam movimentos simples com as mães, tais como espelhar expressões faciais. Na brincadeira, as respostas coordenadas com as ações — tais como uma bola deixando a mão do jogador — aconteciam em apenas cinco quadros da gravação (aproximadamente um sexto de segundo). Respostas espelhadas — investir após ser alvo de uma investida, por exemplo — são comuns durante as brincadeiras. O momento é crucial: os cães respondem aos nossos movimentos no mesmo intervalo de tempo que outro humano levaria para responder.

Uma simples brincadeira de jogar uma bola para o cão pegar, por exemplo, é uma dança de chamada e resposta. Nós a apreciamos por causa da disposição reativa do cão nossas ações. Os gatos, ao contrário, não são companheiros desse tipo de diversão: eles de fato podem trazer um objeto até você, mas no tempo deles. Os cães participam em um tipo de comunhão com seus donos, ambos em volta da bola, cada um respondendo em um ritmo conversacional: em segundos, não horas. Os cães agem como humanos muito cooperativos. Outra brincadeira consiste simplesmente em realizar uma atividade em paralelo: correr juntos. Nas brincadeiras entre cães, o paralelismo é comum. Dois cães podem imitar o bocejo um do outro repetidamente. Muitas vezes, um cão observa e, em seguida, acompanha a preocupação do outro: cavar um buraco; mastigar um graveto; exibir uma bola. Assim como os lobos caçam juntos colaborativamente, essa capacidade de agir com outros, acompanhando seu comportamento, pode vir de seus ancestrais. Quando nosso tapa de brincadeira é imitado pelo cão, nós nos sentimos repentinamente em comunicação com outra espécie.

Experimentamos a sensibilidade do cão como indicativa de uma compreensão mútua: estamos nessa caminhada *juntos*; estamos brincando *juntos*. Os pesquisadores que analisaram os padrões temporais de nossas interações com os cães descobriram que eles são semelhantes aos padrões temporais dos flertes entre estranhos de sexo oposto e daqueles usados pelos jogadores de futebol que se movem pelo campo em uma jogada ensaiada. Há sequências ocultas de comportamentos paralelos que se repetem na interação: o cão olha para o rosto do dono antes de pegar um graveto; uma pessoa aponta e um cachorro segue a direção da indicação. As sequências são repetidas, e elas são previsíveis, portanto, com o passar do tempo começamos a ter a sensação de que existe um pacto compartilhado de interação entre nós. Nenhuma das sequências é em si complicada, mas nenhuma é casual, e juntas elas têm um resultado cumulativo.

Caminhe pela Quinta Avenida no centro de Manhattan por volta da hora do almoço em um dia de semana e você viverá a frustração e o prazer de ser um membro da espécie humana. As calçadas ficam cheias de pessoas, apinhadas de turistas vagando e observando com admiração; os funcionários dos escritórios apressados para almoçar ou matando o tempo antes de retornarem ao trabalho; os vendedores de rua correndo dos agentes de fiscalização. É uma visão assustadora, à qual você pode não querer se juntar. Na maioria dos dias, no entanto, você pode adotar o passo que quiser e transitar em meio à multidão com a mesma facilidade. Especula-se que as pessoas andando em massa não colidem porque somos instantânea e facilmente previsíveis. É necessário apenas um olhar rápido para calcular quando a pessoa que se aproxima o alcançará. Inconscientemente, você se desvia sutilmente para a direita para evitá-la; ela faz o mesmo em relação a você. É parecido com (mas não tão completamente bem-sucedido quanto) o comportamento do cardume de peixes que bruscamente, como se todos tivessem apenas uma mente, viram as costas e passam a nadar na direção de onde vieram. Somos sociais, e os animais sociais coordenam suas ações. O que os cães fazem é romper a linha divisória entre as espécies e coordenar conosco. Pegue a coleira de qualquer cachorro na sua vizinhança e imediatamente vocês estarão andando juntos, como velhos amigos.

O significado desses três elementos é corroborado pelos tipos de sentimentos gerados quando eles desaparecem: traição de pequena escala, quebra momentânea da ligação. Há um sentimento de desconexão quando nos aproximamos para cumprimentar um cão e ele vira a cabeça, evitando o contato. A frustração é imediata quando um cão para de cooperar e deixa de alternar os papéis em uma brincadeira: recusando-se a trazer a bola de volta, não vendo o arremesso ou deixando de perseguir o objeto arremessado. Há um sentimento de traição quando a comunicação simples de *Vem!* não é seguida por um cão *vindo*. E seria de partir o coração aproximar-se de seu cão e ver que sua presença não estimulou o rabo dele a abanar, as orelhas a se achatarem ou a barriga a virar para cima para ser coçada. Os cães que percebemos como teimosos ou desobedientes são aqueles que desconsideram esses elementos. Porém, tais elementos são naturais para ambos, eles e nós; é mais provável que um cão desobediente simplesmente não perceba quais regras ele está sendo solicitado a obedecer.

O EFEITO DA LIGAÇÃO

Nossa ligação com os cães é fortalecida pelo contato, pela sincronia e pela marcação dos encontros com uma cerimônia de cumprimento. Assim, também somos fortalecidos pela ligação. O simples ato de acariciar um cachorro pode reduzir a hiperatividade do sistema nervoso simpático em minutos: um coração disparado; a pressão arterial alta; transpiração excessiva. Os níveis de endorfinas (os hormônios que nos fazem sentir bem), oxitocina e prolactina (os hormônios envolvidos nas ligações sociais) elevam-se quando estamos com cães. Os níveis de cortisol (o hormônio do estresse) baixam. Existem boas razões para se acreditar que a convivência com um cachorro proporciona um apoio social que reduz o risco de diversas doenças — cardiovascular, diabetes, pneumonia — e melhora os índices de recuperação delas. Em muitos casos, o cão recebe quase o mesmo benefício. A companhia humana pode baixar o nível de cortisol do animal; as carícias podem acalmar os batimentos cardíacos. Para ambos, esse é um tipo de placebo, o que não significa que não seja real, mas sim que uma mudança é estimulada em nós sem um agente de mudança conhecido. Ligar-se a um cão pode ter o mesmo efeito do uso a longo prazo de remédios receitados por médicos ou da terapia comportamental cognitiva. É lógico que isso pode também não dar certo: a angústia de separação é a consequência do sentimento do cachorro que se sente tão ligado a ponto de não conseguir se desligar por um momento.

Quais são os outros resultados da ligação? Vimos o quanto eles sabem sobre nós — nossos cheiros, nossa saúde, nossas emoções —, e isso não apenas por causa de sua perspicácia sensorial, mas também devido à simples familiaridade conosco. Eles acabam por conhecer como normalmente agimos, cheiramos e parecemos no dia a dia e, por isso, são capazes de notar, muitas vezes de formas que nós não conseguimos, quando há qualquer mudança. O efeito da ligação funciona porque os cães agem, na melhor das hipóteses, como interlocutores sociais extremamente competentes. Eles são receptivos e, principalmente, prestam atenção em nós.

E essa conexão conosco é profunda. Uma experiência simples que consiste de humanos bocejantes e cães indica que nosso elo é instintivo — no nível de um reflexo. Eles captam nossos bocejos. Exatamente como acontece com os humanos, cães testados começaram a bocejar descontroladamente poucos minutos depois de virem alguém bocejando. Os chimpanzés são a única outra espécie que conhecemos para quem bocejar é contagioso. Passe poucos minutos bocejando diante de seu cão (tentando não olhá-lo fixamente nem sorrir ou ceder a suas reclamações inevitáveis) e você poderá testemunhar essa conexão arraigada entre humanos e cães.

Bocejos caninos à parte, existe um limite para a ciência aqui. Muito intencionalmente, a ciência não está preocupada com a característica de maior importância para os donos de cães: o sentimento de relacionamento entre uma pessoa e um cachorro. Esse sentimento é composto de afirmações e gestos, atividades coordenadas, silêncios compartilhados na vida cotidiana. De alguma forma ele pode ser desconstruído com a faca de manteiga sem fio da ciência, mas não pode ser reproduzido em um ambiente experimental: é arrogantemente não experimental. Muitas vezes, os pesquisadores usam o que chamamos de um procedimento *duplo-cego* para assegurar a validade dos dados. O sujeito sempre desconhece o objetivo da experiência, mas em um sistema duplo-cego o experimentador também desconhece os dados do sujeito — se ele pertence ao grupo experimental ou ao grupo de controle — que ele está analisando. Dessa forma, evita-se inadvertidamente ver o comportamento do sujeito como se ajustando um pouco mais firmemente às hipóteses testadas.

Em contrapartida, as interações humanos-cães felizmente são de análise dupla-visão. Temos a sensação de saber exatamente o que o cão está fazendo; o cão talvez também tenha. O que acreditamos ver não é a essência da boa ciência, mas a essência de uma interação recompensadora.

A ligação nos transforma. Mais importante, em um instante, ela praticamente nos torna alguém capaz de se comunicar intimamente com animais — com esse animal, esse cão. Um componente importante de nossa ligação com os cães é o prazer que sentimos em sermos *vistos* por eles. Os cachorros têm impressões de nós; eles nos veem em seus olhos, nos cheiram. Sabem sobre nós e estão ligados a nós comovente e indelevelmente. O filósofo Jacques Derrida teceu considerações a respeito de seu gato vê-lo nu: ele ficou assustado e constrangido. Para Derrida, o que assustava era que o animal refletia sua imagem para ele. Quando Derrida via seu gato, o que via era o gato *vendo-o* em sua nudez.

Ele estava certo em envolver nossa autoestima em nossa estima pelos bichos de estimação. (Que eu saiba, no entanto, Derrida nunca teve um cachorro: seu desconforto poderia ter sido muito maior diante do olhar altivo do cão.) É lógico que nós nos divertimos com os animais pelo que são. No entanto, parte do que percebemos quando olhamos para um cão é: ele está olhando para nós. Esse também é um componente de nossa ligação. Ainda imagino minha cadela, Pumpernickel, olhando para mim, vendo-se nos meus olhos. E eu olho para ela e me vejo nos olhos dela.

A importância das manhãs

Pump mudou meu *umwelt*. Andando pelo mundo com ela, observando suas reações, comecei a imaginar sua experiência. Meu prazer em um caminho estreito e cheio de curvas em uma floresta sombreada, ladeado por grama e arbustos baixos, deriva, em parte, de ver como Pump gostava dele: o frescor da sombra, claro, mas também o *caminho*, ao longo do qual ela podia correr livremente, parando apenas para excitar-se com os odores.

Agora, quando vejo os quarteirões da cidade, com seus edifícios e calçadas, penso em suas possibilidades de farejo investigativo: uma calçada ao longo de um muro comprido, sem cercas, árvores ou variações, é um quarteirão pelo qual eu nunca escolheria andar. Minha escolha de onde sentar no parque — em que banco ou pedra — se baseia no lugar em que um cão ao meu lado teria o melhor panorama olfativo. Pump adorava grandes gramados abertos — para se deitar, rolar repetidas vezes, cheirar sem parar — e grama alta ou mato — para galopar majestosamente através dele. *Eu* acabei adorando grandes gramados abertos, grama alta e mato, antecipando o prazer que ela sentiria. (O interesse em rolar em meio a cheiros invisíveis permanece de difícil compreensão...)

Cheiro mais o mundo. Adoro sentar ao ar livre em um dia de vento.

Meu dia é voltado para as manhãs. A importância das manhãs sempre teve a ver com o fato de que, se eu acordasse suficientemente cedo, poderíamos fazer uma longa caminhada juntas, sem coleira, em um parque ou praia relativamente vazios. Ainda não consigo dormir até tarde.

Fico um pouquinho mais reconfortada ao perceber o quanto ela está entranhada em mim, mesmo após um ano desde o dia em que ela estava a meu lado, pronta para se submeter a cócegas nos caracóis densos sob seu queixo enquanto o repousava no chão pela última vez.

Sentada com um cachorro no colo, considerando o que sabemos sobre as capacidades, experiências e percepções deles, sinto que estou a meio caminho de me tornar um cão. Ainda mais que, agora mesmo, estou coberta por pelos de um.

Mesmo sem estarmos envoltos em pelos, conhecer a ciência canina aumenta nosso entendimento e apreciação do comportamento desse animal: como ele deriva do canídeo ancestral; da domesticação; de sua acuidade sensorial; e de sua sensibilidade em relação a nós. Com alguma sorte, esse conhecimento penetrará em vocês e vocês verão o cachorro do ponto de vista dele. Ao longo do percurso, aqui estão algumas ideias de formas — impregnadas de *umwelt* — de se relacionar com seu cão, interpretar seu comportamento e considerá-lo em sua vida.

FAÇA UMA "CAMINHADA OLFATIVA"

A maioria de nós concordaria que passeamos com os cães por causa deles. Era por causa de Pump que eu acordava bem cedo todas as manhãs, para dar uma caminhada sem coleira no parque; por causa dela eu voltava para casa durante o dia para darmos uma volta no quarteirão; por causa dela eu me calçava antes de ir para a cama e seguia para um passeio em um estado quase zumbi. Os passeios com cães são muitas vezes realizados sem consideração pelo bem-estar deles, mas estranhamente desempenham uma definição muito humana de uma caminhada. Queremos não demorar, manter um passo rápido, ir aos correios e voltar logo. As pessoas arrastam seus cães junto a elas, puxando as coleiras para afastar focinhos de cheiros e de cães atraentes, para continuar a caminhada sem parar.

O cão não se preocupa em não demorar. Pense no passeio desejado por ele. Pump e eu tínhamos uma variedade boa. Havia caminhadas olfativas, em que não fazíamos progresso algum, mas ela inalava moléculas púrpuras, enormes e hipnotizantes. Havia caminhadas escolhidas por Pump, nas quais eu a deixava escolher que caminho seguir em cada cruzamento. Havia caminhadas tortuosas, em que eu me restringia em vez de restringi-la, enquanto ela puxava a coleira da direita para a esquerda e de novo para a direita. Quando Pump era jovem, ela concordava tacitamente em correr comigo quando eu concordava em pausar de vez em quando para dar voltas em torno dela enquanto ela girava ao redor de um cão interessante. Quando ficou mais velha, havia até caminhadas não andantes, nas quais ela deitava e ficava imóvel até estar pronta para prosseguir.

ADESTRAMENTO PENSADO

Ensine o que você quer a seu cão de uma forma que ele possa entender: seja claro (sobre o que você deseja que ele faça), consistente (no que pede e como pede) e faça com que ele saiba quando acerta (recompense-o imediatamente e com frequência). Um bom adestramento é o resultado do entendimento da mente do cão — o que ele percebe e o que o motiva.

Evite os equívocos comuns àqueles que possuem uma ideia clássica do que um cão deve fazer: sentar, ficar parado, obedecer. Seu cachorro não nasceu sabendo o que significa *vem aqui*. Você precisa ensiná-lo explicitamente, passo a passo, e recompensá-lo quando ele realmente vem. Os cães são capazes de notar as pistas mínimas produzidas por você — pistas que podem ser as mesmas quando você diz *vem* e quando diz *sai!*: um tom de voz, uma postura corporal. Você precisa fazer com que o pedido seja específico e nítido.

O treinamento pode demorar bastante; seja paciente. Quando até mesmo um cão "treinado" não atende a um chamado, muitas vezes as pessoas o procuram e o punem — esquecendo que, do ponto de vista do cachorro, a punição está ligada a sua chegada, não à desobediência anterior dele. Essa é uma maneira rápida e eficiente de ele aprender a nunca vir quando for chamado.

Quando *vem aqui* foi aprendido, pode-se afirmar com justiça que não existe muito mais em termos de comandos que um cão comum precise saber. Ensine mais, se você e ele gostarem disso. O que um cão mais precisa aprender é a importância que você tem — e isso é algo que ele nasceu com a capacidade de perceber. Um cão que não consegue "dar a patinha" quando solicitado é apenas um pouco mais cão. Deixe claro quais comportamentos você não gosta e seja consistente em não reforçá-los. Poucos apreciam um cão que se atira em cima das pessoas quando elas se aproximam, mas comece com a premissa de que somos nós que nos mantemos (e a nossos rostos) insuportavelmente afastados e podemos chegar a um entendimento mútuo.

DEIXE QUE SEU CÃO SEJA CÃO

Deixe-o rolar *naquela coisa qualquer* de vez em quando. Tolere que ele se meta em poças de lama de vez em quando. Ande com ele sem coleira quando puder. Quando não puder, não a puxe com força, nunca. Aprenda a distinguir uma mordidela de uma mordida. Deixe os cães que se aproximam cheirarem os traseiros uns dos outros.

CONSIDERE A FONTE

Por que ele faz isso? Quase todos os dias me fazem essa pergunta. Muitas vezes, minha resposta só pode ser que nem todos os comportamentos de um cão possuem uma explicação. Às vezes, quando um cão de repente se estatela no chão e olha para você, ele está apenas *deitando e olhando* — nada mais. Nem todo comportamento significa algo. Aqueles que significam algo devem ser explicados levando-se em consideração a história natural do cão — como um animal, como um canídeo e como membro de uma raça específica.

A raça importa: um cão que fita uma presa invisível ou lentamente caça outros cães pode estar apresentando um comportamento "visual" muito bom para um pastor. Assim também acontece com aquele que fica aflito quando uma pessoa deixa a sala ou que belisca os calcanhares de qualquer um que passe pelo corredor. Ficar parado em resposta a um movimento nos arbustos diminui o ritmo de sua caminhada, mas é um comportamento muito bom para os cães de aponte. Um cão de raça sem tarefas pode ficar agitado, nervoso, perturbado: disperso, não claramente motivado para fazer qualquer atividade. Dê-lhe alguma. Essa é a grande ciência por trás de "jogar uma bola": um retriever fica feliz só de fazer isso vez após vez. Ele está exercendo sua capacidade. Por outro lado, se seu cachorro possui um focinho pequeno e tem problemas de respiração, não presuma que ele pode correr com você. Esse mesmo cão, com visão central e próxima, pode não gostar do jogo de *pegar*, enquanto um retriever com uma tendência para visão ampla pode gostar apenas disso. Dê a seu cão um contexto para desenvolver suas predisposições inatas — e deixe-o regalar-se um pouco olhando para os arbustos de vez em quando.

A animalidade importa: adapte-se às capacidades de seu cachorro em vez de simplesmente esperar que ele se adapte às suas estranhas noções de como um cão deveria ser. Queremos que nossos cães *andem junto de nossos calcanhares* — já vi pessoas ficarem furiosas quando seus animais não fazem isso —, mas eles podem ser mais ou menos propensos a andar perto e no ritmo de seus companheiros sociais. Os retrievers fazem isso, mas as raças esportivas podem não fazê-lo (ambos ficarão de olho em você). Além disso, a maioria dos cães prefere um lado a outro; portanto, quando os colocamos à nossa esquerda, como toda aula de adestramento nos ensina, podemos estar prejudicando alguns cães mais do que outros (e causando uma frustração inevitável se os cheiros bons estiverem todos do lado direito do caminho). Seria uma pena punir um animal sem necessidade simplesmente porque desconhecemos sua natureza. Nem todo cão precisa andar junto a nossos calcanhares da mesma forma; o essencial é simplesmente estar seguro e ser controlável.

A "caninidade" importa. Seu cachorro é uma criatura social: não o deixe sozinho a maior parte de sua vida.

DÊ-LHE ALGO PARA FAZER

Uma das melhores maneiras de descobrir os interesses e as capacidades de seu cão é simplesmente apresentar-lhe uma porção de objetos que provoquem uma possível interação. Balançar um fio pelo chão na frente do focinho dele; esconder uma guloseima em uma caixa de sapatos; ou investir em um daqueles brinquedos criativos disponíveis no mercado. Uma série de objetos para enterrar, enfiar o focinho, mastigar, sacudir, agitar, perseguir ou observar vão atrair seu cão — e evitarão que ele encontre seus próprios objetos mastigáveis e enterráveis entre suas coisas. Os adestramentos de agilidade ao ar livre, ou algum caminho de obstáculos propositalmente criado, são uma forma bem definida de envolver e atrair o interesse de muitos cães enérgicos, porém determinados. No entanto, o interesse pode ser despertado simplesmente por um caminho cheio de curvas e cheiros, ou partes inexploradas de um campo.

Os cães tanto gostam do familiar quanto do novo. A felicidade vem da novidade — novos brinquedos, novas guloseimas — em um lugar seguro e bem conhecido. Isso tudo pode também ser uma cura para o tédio: o novo demanda atenção e ação imediata. Esconder comida a ser procurada é um exemplo: eles precisam se movimentar para explorar o espaço, usando o focinho, as patas e a boca ao mesmo tempo. Para ver como o *novo* é bom, basta observar a exuberância de um cão adestrado em provas de agilidade fazendo um percurso novo.

BRINQUE COM ELE

Na juventude, mas até mesmo ao longo de toda a vida, os cães estão constantemente aprendendo sobre o mundo, como uma criança em desenvolvimento. Os jogos que as crianças acham divertidos e impressionantes também funcionam com os cães. Brincadeira de esconder, desaparecer numa esquina ou sob um cobertor, em vez de por trás das mãos, são especialmente divertidas quando o cachorro está aprendendo sobre o deslocamento invisível — ou seja, os objetos continuam a existir mesmo quando não se consegue mais vê-los. Os cães percebem associações com astúcia, e você pode brincar com isso: toque a campainha antes do jantar — Ivan Pavlov descobriu isso — e os cães antecipam a hora do jantar. Você pode associar campainhas — ou buzinas, apitos, gaitas-de-boca, música gospel, quase qualquer coisa — não apenas à comida, mas à chegada de alguém ou à hora do banho. Construa uma cadeia associativa — e trate as ações de seu cão como partes adicionais dessa cadeia. Faça brincadeiras de imitação, espelhando o que seu cão faz: pular na cama, uivar, acariciar o ar. Observe as habilidades atuais de seu cachorro e tente ampliar suas capacidades. Se ele parece saber *andar* ou *pegar bolas*, comece a usar palavras que façam distinções mais sutis: *caminhada de cheiro* e *bola azul; caminhada de cheiro ao anoitecer* e *bola azul que apita*. E, em qualquer idade, brinque com ele como um cão faria. Escolha um sinal de brincar — bata com as mãos no chão, imite ofegar perto da cara dele, corra olhando para ele — e brinque. Faça com as mãos o que ele faz com a boca e agarre a cabeça, pernas, rabo e barriga dele. Dê-lhe um bom brinquedo para segurar ou se prepare para receber umas mordidelas. Fique de olho para ver se seu rabo começa a balançar.

OLHE NOVAMENTE

Muito prazer pode ser obtido na observação das características invisíveis e visíveis de seu cão: tudo aquilo que em geral ignoramos quando é exibido bem a nossa frente. Agora sabemos o quanto eles podem estar atentos às pessoas e a nossa atenção: observe os vários métodos criativos que ele usa para tentar atrair sua atenção. Ele late ou urra? Fita você melancolicamente? Suspira alto? Marcha para frente e para trás entre você e a porta? Coloca a cabeça em seu colo? Descubra as características que você gosta e responda a elas, deixando as outras desaparecerem naturalmente.

Observe como seu cão usa os olhos: o furor do focinho; como as orelhas dobram para trás, se endireitam e se direcionam para um latido distante. Observe todos os sons que ele faz e todos os que ele nota. Até mesmo a forma como ele se movimenta — uma ação tão familiar que o torna reconhecível a distância se transforma sob um exame detalhado: que forma de andar ele usa? Um cachorro de tamanho médio pode caminhar com um *andar* clássico, a pata traseira de um lado do corpo lentamente perseguindo a dianteira no chão, as patas diagonais se movendo quase em sincronia. Apressando-se um pouco, ele *trota*, as patas diagonais agora andando uma após a outra, ocasionalmente com apenas uma das quatro patas apoiada no chão. Entre o trote e o caminhar está o andar dos cães de pernas curtas: típico do buldogue, com a parte dianteira do tronco avantajada e larga, o traseiro rolando enquanto anda. Os cães de pernas compridas são melhores no *galope*, a forma de correr dos galgos, na qual as patas traseiras precedem as dianteiras no chão, o corpo alternando entre ficar esticado e comprimido como uma mola em pleno ar. No galope, aquele quinto dedo rudimentar encontrado no meio da perna dianteira da maioria dos cães — o *dewclaw* — é usado para estabilizar e alavancar; no final de um galope é comum encontrar acúmulos de lama sob o *dewclaw*, que costuma ser limpo. Os cães de tamanho pequeno dão um *meio salto*, trazendo as duas patas traseiras para a frente ao mesmo tempo, mas sem sincronia com as dianteiras. Outros cães *marcham*, as patas esquerdas se movendo para a frente e baixando imediatamente, seguidas rapidamente pelas direitas. Surpreenda-se ao tentar acompanhar a complexidade do modo de andar de seu cão.

ESPIONE-O

Para entender como é o dia de seu cão em casa sozinho, não deixe de filmá-lo. Um dos prazeres maiores que tive com Pumpernickel foi vê-la agir na minha ausência. Apesar de horas de filmagem, raramente dirigi minha câmera para ela. Foi apenas quando ela não me esperava — quando um amigo saíra com ela e eu cheguei sem aviso — que a vi em ação sem mim.

Foi espetacular de se ver. Você pode recriar esse tipo de espetáculo preparando uma filmagem de sua casa antes de sair para passar o dia fora. Recomendo essa "espionagem" não porque ela sempre proporcione espetáculos — não é o caso —, mas porque ela lhe permitirá ver como é a vida de seu cão sem você por perto. Você entenderá mais completamente como é o dia dele ao ver mais tarde um recorte do dia, minuto a minuto.

O que vi em minha espionagem foi a independência de Pump, livre não apenas da necessidade de me obedecer, mas do tipo de escrutínio ao qual submetia todos os seus comportamentos. Ela existia tranquilamente sem mim, durante as horas que eu vagueava pela livraria, nas minhas corridas extralongas ou quando saía para jantar em algum lugar e depois seguia para uns drinques em outro local. Tudo isso ao mesmo tempo me tranquilizava e me deixava totalmente mortificada. Fico feliz por ela conseguir administrar o dia na própria companhia; no entanto, às vezes, fico impressionada por ter conseguido deixá-la em casa sozinha.

Muitos cães simplesmente ficam sós o dia inteiro com pouco para fazer; espera-se que eles aguardem nosso retorno e depois ajam exatamente como queremos que façam. Então ficamos surpresos e horrorizados quando fazem algo em nossa ausência! Já é quase parte de sua constituição que eles tenham que aguentar esse tratamento (e, pior ainda, interpretações errôneas e negligência). Podemos, e conseguimos, fazer isso sem consequências adversas. Contudo, os cães são indivíduos. É por essa razão que eles exigem — e merecem — mais atenção a seus *umwelten*, suas experiências, seus pontos de vista.

NÃO LHE DÊ BANHO TODOS OS DIAS

Deixe-os cheirar como cães por tanto tempo quanto for tolerável. Alguns deles desenvolverão feridas dolorosas na pele por causa de banhos regulares. E nenhum cão quer cheirar a limpo.

LEIA AS INTENÇÕES DO CÃO

Como jogadores de pôquer novatos, os cães revelam o que poderia se chamar de "intenções" — suas "cartas" — em cada movimento, se você simplesmente olhar. As configurações do corpo, cara, cabeça e rabo são todas significativas. E há mais sentido nele do que o rabo balançando ou os latidos: cães conseguem dizer mais de uma coisa a cada momento. Um cão latindo cujo rabo varre o céu não está "pronto para atacar", mas sim mais curioso, alerta, incerto — e interessado. Um rabo baixo vigorosamente abanando abranda a agressividade de um cão familiar que resmunga enquanto vigia uma bola.

Dada a importância do contato visual para todos os canídeos, e o uso do olhar pelos cães, é possível obter uma porção de informações a respeito de um cão desconhecido por meio de seus olhos. O contato visual constante pode ser ameaçador: não se aproxime de um cachorro encarando-o sem parar — isso pode ser percebido como uma tentativa de dominá-lo. Se ele o está encarando, desvie seu olhar, virando-se ligeiramente, quebrando o contato visual. Eles fazem o mesmo quando estão tensos: voltam a cabeça para o lado, ou distraem-se com um bocejo ou um interesse repentino por um cheiro no chão. Se você acha que é alvo de um olhar ameaçador, confirme isso olhando para os comportamentos que o acompanham: pelos eriçados, orelhas eretas, rabo hirto, corpo paralisado. Um olhar com uma língua lambendo rapidamente o ar significa mais adoração do que ameaça.

UM TOQUE AMIGO

Embora quase todos pareçam acariciáveis, nem todo cão gosta de ser acariciado. Prestar atenção nisso não é um sinal apenas de polidez, às vezes é imperativo: um cão medroso ou doente pode responder ao toque com agressão. Existem grandes diferenças individuais na sensibilidade dos cães ao toque, e sua receptividade, em um dado momento, pode ser alterada pelo estado de saúde, humor e experiências anteriores. Para muitos cães, o toque certo dado por um humano é uma experiência que acalma e aproxima; uma mão firme é relaxante; uma firme demais é provavelmente opressiva. Eles (e você) podem ser fisicamente acalmados por carinhos contínuos e firmes da cabeça ao traseiro, ou por uma massagem muscular profunda benfeita. Observe as reações de seu cão e encontre as zonas de toque preferidas dele. E deixe-o tocá-lo.

PEGUE UM VIRA-LATA

Se você ainda não tem um cachorro, ou pretende pegar outro, tenho a raça ideal para você: o cão sem raça, o vira-lata. O mito de que um animal de abrigo, sobretudo um de raça mista, não será tão bom e confiável quanto um de raça pura não está apenas equivocado; é totalmente retrógrado: os cães de raça mista são mais saudáveis, menos ansiosos e vivem mais. Ao adquirir um cão de raça, você não está simplesmente comprando um objeto fixo, pronto para agir de determinadas maneiras — não importa o que o criador lhe diga. Talvez você leve para casa um cão com uma fixação exagerada, criado para uma tarefa que provavelmente nunca executará enquanto viver com você (e mesmo assim ainda será maravilhosamente canino). Os vira-latas, por outro lado, com suas características de raça diluídas, acabam adquirindo muitas capacidades latentes e menos manias.

ANTROPOMORFIZE TENDO O *UMWELT* EM MENTE

Em nossos passeios, Pump nunca ficava satisfeita em ficar apenas de um lado do caminho: ia de um lado para outro, voluvelmente. Segurando-a pela coleira, precisava constantemente reajustar minha mão. Às vezes, quando insistia que ela ficasse de um mesmo lado, Pump suspirava para mim enquanto ambas olhávamos pesarosamente para os bons pontos não cheirados do outro lado.

Mesmo empregando uma abordagem científica do cão, nos surpreendemos usando palavras antropomórficas. Nossos cães — meu cão — fazem amigos, sentem-se culpados, divertem-se, têm ciúmes; entendem o que queremos dizer, pensam, sabem mais; ficam tristes, alegres e apavorados; querem, amam, esperam.

Essa maneira de falar é fácil, e às vezes útil, mas também faz parte de um fenômeno maior e mais excepcional. Quando reformulamos cada momento da vida de um cachorro em termos humanos, começamos a perder completamente o contato com o animal que existe neles. Já não é raro que um cão seja banhado, vestido com roupas e festejado em seu aniversário. Tudo isso pode parecer benigno, mas também faz parte de uma "desanimalização" dos cães que é, até certo ponto, extrema. Raramente estamos presentes em seus nascimentos, e muitas pessoas escolherão não estar presente quando seus cães morrerem. Na maioria das vezes, eliminamos o sexo: castramos os cães e desencorajamos a mais modesta estocada lasciva de seus quadris. Eles são alimentados com comida esterilizada, em tigelas; são geralmente restritos à distância de uma coleira de nossos calcanhares. Nas cidades, o excremento é recolhido e jogado no lixo. (Felizmente, ainda não os ensinamos a usar o banheiro... embora saibamos o quanto conveniente seria.) Os tipos de raça são descritos como produtos, com características específicas. É como se estivéssemos tentando nos livrar da parte animal do cão.

Se adotarmos a redução do fator animal a zero, teremos surpresas desagradáveis. Nem sempre os cães se comportam exatamente como pensamos que deveriam se comportar. Ele pode sentar, deitar e rolar e, em seguida, reverter magnificamente: de repente, agacha e urina dentro de casa, morde sua mão, cheira sua região genital, pula em cima de um estranho, come algo embolado na grama, não atende a seu chamado, ataca violentamente um cãozinho. Dessa forma, nossas frustrações em relação a eles muitas vezes surgem de nossa extrema antropomorfização, que nega toda a animalidade dos cães. Um animal complexo não pode ser explicado de forma simples.

A conduta alternativa não se limita a tratar animais como precisamente não humanos. Agora possuímos as ferramentas para avaliarmos com maior precisão o comportamento deles: tendo em mente seu *umwelt* e suas capacidades perceptuais e cognitivas. Tampouco precisamos assumir uma posição desapaixonada. Os cientistas antropomorfizam... em casa. Dão nomes a seus bichos de estimação e veem amor no olhar de baixo para cima de um cão com nome. Nas pesquisas, os nomes são proibidos: embora possam ajudar a identificar os animais, eles não são benignos. Nomear um animal selvagem "afeta o pensamento de alguém sobre ele para sempre", observou um destacado biólogo de campo. Existem preconceitos observacionais óbvios que são introduzidos assim que o sujeito de suas observações é nomeado. Jane Goodall famosamente violou essa máxima, e "Barba Cinzenta" se tornou célebre no mundo inteiro. Contudo, para mim "Barba Cinzenta" lembra um homem idoso e sábio: consequentemente, é possível que eu perceba o comportamento dele como sendo mais indicativo de sabedoria do que de insensatez. Para distinguir animais, os etólogos usam marcas identificatórias — faixas na perna, etiquetas ou marcações com tinta no pelo ou nas penas — ou procuram pela identidade nos comportamentos habituais, na organização social ou nas características físicas naturais.*

---

* Em certos casos, nem esses métodos são benignos: ficou famoso o caso dos diamantes mandarim, aves que foram capturadas e, para efeitos de identificação, receberam

Nomear um cão é começar a torná-lo único — e, portanto, uma criatura antropomorfizável. Mas é assim que devemos proceder. Dar um nome a um cão é demonstrar interesse no entendimento da natureza dele; não nomeá-lo parece ser o auge do desinteresse. Os cachorros chamados *Cão* me deixam triste: eles já estão definidos como não sendo uma parte integrante da vida dos donos. O *Cão* não tem nome próprio; ele é apenas uma subespécie taxonômica. Nunca será tratado como um indivíduo. Quando nomeamos um cão iniciamos a personalidade na qual ele se desenvolverá. Ao experimentar diferentes nomes para nosso cão, soltando palavras em sua direção — "*Bela!*", "*Fofinha!*", "*Pituca!*" — para ver se algum deles estimularia algum tipo de reação, senti que buscava pelo "nome dela": o nome que já era dela. Com isso, o vínculo entre humano e animal — moldado no entendimento, não na projeção — podia começar a se formar.

Vá olhar seu cão. Chegue perto dele! Imagine seu *umwelt* — e deixe-o mudar o seu.

---

uma faixa inofensiva na pata enquanto os pesquisadores observavam suas táticas de acasalamento. Pasmem! A única característica encontrada que predizia o sucesso masculino no acasalamento foi a cor usada nas faixas. A fêmea do diamante mandarim aparentemente adora uma faixa vermelha na pata do companheiro (os machos preferem as fêmeas com faixas pretas).

Posfácio:
Eu e meu cão

Às vezes, encontro um profundo reconhecimento nas fotografias dela; aquelas nas quais seus olhos são indistinguíveis em meio à escuridão de seu pelo. Esse reconhecimento representa para mim a forma na qual sempre houve algo misterioso sobre a existência dela para mim: como era ser Pump. Ela nunca revelou esse mistério. Mantinha sua privacidade reservada para si mesma. Sinto-me privilegiada por ter sido autorizada a entrar naquele mundo particular.

Pumpernickel entrou abanando o rabo em minha vida em agosto de 1990. Passamos quase todos os dias juntas, até o dia em que ela deu seu último suspiro, em novembro de 2006. Ainda passo todos os dias de minha vida com ela.

Pump foi uma completa surpresa. Não esperava ser mudada constitucionalmente por um cachorro. Porém, de imediato ficou claro que a descrição "um cachorro" não capturava a extraordinária abundância de suas facetas, a profundidade de sua experiência e as possibilidades de uma vida inteira conhecendo-a. Em pouco tempo, sentia prazer simplesmente por estar em sua companhia e orgulho de suas ações. Era espirituosa, paciente, determinada e charmosa — tudo isso em um grande bolo de pelos. Era segura em suas opiniões (não suportava cães nervosinhos) e, no entanto, era aberta a novas experiências (como os gatos que eu ocasionalmente acolhia — apesar do desinteresse mútuo). Era efusiva; leal; muito divertida.

Entretanto, Pump não foi um sujeito de minhas pesquisas (pelo menos, não intencionalmente). Mesmo assim, levava-a comigo quando ia observar cães. Muitas vezes, ela era minha senha para entrar nos parques e nos círculos caninos: sem um companheiro cachorro, uma pessoa pode ser tratada com desconfiança pelos animais e também por seus donos. Portanto, ela aparece de passagem em muitos de meus vídeos de sessões de brincadeiras — dentro e fora deles, já que minha câmera mirava meus sujeitos involuntários, não Pump. Hoje, me arrependo da descuidada falta de consideração da câmera. Embora tenha capturado as interações sociais que buscava — e, mais tarde, após muita revisão e análise dos comportamentos, eu tenha sido capaz de descobrir algumas capacidades surpreendentes nos cães —, perdi alguns momentos com *minha* cadela.

Todo dono de cachorro concordaria comigo, acredito, sobre a natureza especial de seu cão. A razão nos diz que todo mundo deve estar errado: por definição, nem todo cão pode ser especial — senão, o especial se torna comum. Porém, é a razão que está errada: o que é especial é a história de vida que cada dono de cão constrói com seu animal e descobre sobre ele. Não estou isenta desse sentimento, até mesmo de um ponto de vista científico. As abordagens da ciência comportamental relativa aos cães, longe de remover essa história, simplesmente constroem em cima do entendimento singular do dono do cão — no conhecimento especial que cada dono possui sobre ele.

Quando Pump estava perto do fim de sua vida, inegavelmente velha, ela perdeu peso, o focinho ficou grisalho, às vezes diminuía o passo até parar de andar. Vi sua frustração, resignação, os impulsos perseguidos ou abandonados; vi suas considerações, seu controle e sua tranquilidade. Mas quando olhava para seu rosto e dentro de seus olhos, ela era novamente um filhote. Vi vislumbres daquele cão sem nome — que tão cooperativamente nos deixou colocar uma coleira grande demais ao redor de seu pescoço — sair do abrigo e caminhar trinta quarteirões até chegar em casa. E desde então milhares de quilômetros.

Após conhecer Pump, e perdê-la, encontrei Finnegan. Já não consigo imaginar não conhecer essa nova personalidade: esse esfregador de pernas, esse ladrão de bolas, esse aquecedor de colos. Ele é incrivelmente diferente de Pumpernickel. No entanto, o que ela me ensinou tornou cada momento com Finnegan infinitamente mais rico.

Ela levantou a cabeça e virou-a em minha direção, pulsando ligeiramente com sua respiração. O focinho estava escuro e molhado, os olhos tranquilos. Ela começou a lamber, lambidas longas e completas nas patas dianteiras, no chão. As plaquetas de identificação em sua coleira batiam na madeira. As orelhas ficavam achatadas, curvando um pouco para cima no final como uma folha caída, seca pelo sol. Naqueles dias, os dedos dianteiros estavam um pouco abaulados, as patas transformadas em garras como se preparando para dar um salto. Ela não deu um salto. Bocejou. Foi um longo e preguiçoso bocejo vespertino, a língua languidamente examinando o ar. Ela colocou a cabeça entre as patas, expirou um tipo de *har-ummmp* e fechou os olhos.

Notas e fontes

Além das fontes listadas por capítulo, faço diversas referências aos livros listados abaixo. Cada um deles faz uma abordagem acadêmica — e acessível — ao comportamento, cognição ou treinamento do cão. Recomendo todos eles para qualquer um que esteja interessado em obter mais detalhes sobre a ciência do cão.

Lindsay, S.R. 2000, 2001, 2005. *Handbook of applied dog behavior and training* (3 volumes). Ames, Iowa: Blackwell Publishing.

McGreevy, P. e R. A. Boakes. 2007. *Carrots and sticks: Principles of animal training*. Cambridge: Cambridge University Press.

Miklósi, Á. 2007. *Dog behaviour, evolution, and cognition*. Oxford: Oxford University Press.

Serpell, J., ed. 1995. *The domestic dog: Its evolution, behaviour and interactions with people*. Cambridge: Cambridge University Press.

PRELÚDIO

sobre a determinação de diferenças nos cérebros das espécies:

Rogers, L. 2004. Increasing the brain's capacity: Neocortex, new neurons, and hemispheric specialization. Em L. J. Rogers, e G. Kaplan, eds. *Comparative vertebrate cognition: Are primates superior to non-primates?* (pp. 289-324). Nova York: Kluwer Academic/Plenum Publishers.

UMWELT: DA PERSPECTIVA DO FOCINHO DE UM CÃO

sobre o sorriso de golfinhos:

Bearzi, M. e C. B. Stanford. 2008. *Beautiful minds: The parallel lives of Great Apes and dolphins*. Cambridge, MA: Harvard University Press.

sobre o sorriso de medo dos chimpanzés:

Chadwick-Jones, J. 2000. *Developing a social psychology of monkeys and apes*. East Sussex, Reino Unido: Psychology Press.

sobre o levantamento de sobrancelhas dos macacos:

Kyes, R. C. e D. K. Candland. 1987. Baboon (*Papio hamadryas*) visual preferences for regions of the face. *Journal of Comparative Psychology, 4*, 345-348.
de Waal, F. B. M., M. Dindo, C. A. Freeman e M. J. Hall. 2005. The monkey in the mirror: Hardly a stranger. *Proceedings of the National Academy of Sciences, 102*, 11140-11147.

sobre as preferências dos frangos:

Febrer, K., T. A. Jones, C. A. Donnelly e M. S. Dawkins. 2006. Forced to crowd or choosing to cluster? Spatial distribution indicates social attraction in broiler chickens. *Animal Behaviour, 72*, 1291-1300.

sobre morder focinhos e submissão em lobos:

Fox, M. W. 1971. *Behaviour of wolves, dogs and related canids*. Nova York: Harper & Row.

sobre experiências de choque:

Seligman, M. E. P., S. F. Maier e J. H. Geer. 1965. Alleviation of learned helplessness in the dog. *Journal of Abnormal Psychology, 73*, 256-262.

sobre umwelt*, pulgas e tons funcionais:*

von Uexküll, J. 1957/1934. A stroll through the worlds of animals and men. Em C. H. Schiller, ed. Instinctive behavior: The development of a modern concept (pp. 5-80). Nova York: International Universities Press.

sobre ratos pessimistas:

Harding, E. J., E. S. Paul e M. Mendl. 2004. Cognitive bias and affective state. *Nature*, *427*, 312.

sobre beijos caninos:

Fox, 1971.

sobre o sentido de gosto canino:

Lindemann, B. 1996. Taste reception. *Physiological Reviews*, *76*, 719-766. Serpell, 1995.

"forma impressionante de mostrarem seu afeto..."

Darwin, C. 1872/1965. *The expression of the emotions in man and animals*. Chicago: University of Chicago Press, p. 118.

PERTENCENDO A CASA

sobre a variedade de canídeos:

Macdonald, D. W. e C. Sillero-Zubiri. 2004. *The biology and conservation of wild canids*. Oxford: Oxford University Press.

sobre a toxicidade das passas:

McKnight, K. Feb. 2005. Toxicology brief: Grape and raisin toxicity in dogs. *Veterinary Technician*, *26*, 135-136.

a etimologia de "domesticado":

Retirei essa citação do dicionário de Samuel Johnson de 1755: domesticado e *domestick* são ambas parcialmente definidas como "pertencendo à casa; não relacionado a coisas públicas".

sobre experiências de domesticação de raposas:

Belyaev, D. K. 1979. Destabilizing selection as a factor in domestication. *Journal of Heredity*, *70*, 301-308.

Trut, L. N. 1999. Early canid domestication: The farm-fox experiment. *American Scientist*, *87*, 160-169.

sobre o comportamento e a anatomia dos lobos:

Mech, D. L., e L. Boitani. 2003. *Wolves: Behavior, ecology, and conservation*. Chicago: University of Chicago Press.

sobre domesticação:

Há muitas teorias atuais sobre a domesticação dos cães. A apresentada aqui é corroborada tanto por descobertas recentes de mtDNA como por um melhor entendimento da genética da seleção. Ela é discutida em R. Coppinger e L. Coppinger. 2001. *Dogs: A startling new understanding of canine origin, behavior, and evolution*. Nova York: Scribner.

Clutton-Brock, J. 1999. *A natural history of domesticated mammals*, 2ª ed. Cambridge: Cambridge University Press.

sobre a data da primeira domesticação:

Ostrander, E. A., U. Giger e K. Lindblad-Toh, eds. 2006. *The dog and its genome*. Cold Spring Harbor, NY: Cold Spring Harbor Laboratory Press.

Vilà, C., P. Savolainen, J. E. Maldonado, I. R. Amorim, J. E. Rice, R. L. Honeycutt, K. A. Crandall, J. Lundeberg e R. K. Wayne. 1997. Multiple and ancient origins of the domestic dog. *Science, 276*, 1687-1689.

sobre desenvolvimento:

Mech e Boitani, 2003.

Scott, J. P. e J. L. Fuller. 1965. *Genetics and the social behaviour of the dog*. Chicago: University of Chicago Press.

sobre a diferença no desenvolvimento entre o poodle e o husky:

Feddersen-Petersen, D., em Miklósi, 2007.

sobre a tarefa da corda dos lobos:

Miklósi, Á., E. Kubinyi, J. Topál, M. Gácsi, Zs. Virányi e V. Csányi. 2003. A simple reason for a big difference: Wolves do not look back at humans, but dogs do. *Current Biology, 13*, 763-766.

sobre o contato visual:

Fox, 1971.

Serpell, J. 1996. *In the company of animals: A study of human-animal relationships.* Cambridge: Cambridge University Press.

sobre raças:

Garber, M. 1996. *Dog love.* Nova York: Simon & Schuster. Ostrander et al., 2006.

sobre as relações entre o comprimento da perna e o tamanho do peito:

Brown, C. M. 1986. *Dog locomotion and gait analysis.* Wheat Ridge, CO: Hoflin Publishing Ltd.

sobre o Ibizan e o Faraó:

Parker, H. G, L. V. Kim, N. B. Sutter, S. Carlson, T. D. Lorentzen, T. B. Malek, G. S. Johnson, H. B. DeFrance, E. A. Ostrander e L. Kruglyak. 2004. Genetic structure of the purebred domestic dog. *Science, 304,* 1160-1164.

sobre as especificações das raças:

Crowley, J. e B. Adelman, eds. 1998. *The complete dog book*, 19ª edição. Publicação do American Kennel Club. Nova York: Howell Book House.

sobre o genoma canino:

Kirkness, E. F. et al. 2003. The dog genome: Survey sequencing and comparative analysis. *Science, 301,* 1898-1903.
Lindblad-Toh, K. et al. 2005. Genome sequence, comparative analysis and haplotype structure of the domestic dog. *Nature, 438,* 803-819.
Ostrander et al., 2006.
Parker et al., 2004.

sobre raças agressivas:

Duffy, D. L., Y. Hsu e J. A. Serpell. 2008. Breed differences in canine aggression. *Applied Animal Behavior Science, 114,* 441-460.

sobre o comportamento do cão pastor:

Coppinger and Coppinger, 2001.

sobre alcateias:

Mech, L. D. 1999. Alpha status, dominance, and division of labor in wolf packs. *Canadian Journal of Zoology, 77,* 1196-1203.

Mech e Boitani, 2003, especialmente L. D. Mech e L. Boitani. "Wolf social ecology" (pp. 1-34) e Packard, J. M. "Wolf behavior: Reproductive, social, and intelligent" (pp. 35-65).

sobre rastros de cães e lobos:

Miller, D. 1981. *Track Finder.* Rochester, NY: Nature Study Guild Publishers.

sobre cães selvagens:

Beck, A. M. 2002. *The ecology of stray dogs: A study of free-ranging urban animals.* West Lafayette, IN: NotaBell Books.

sobre cães livres italianos:

Cafazzo, S., P. Valsecchi, C. Fantini e E. Natoli. 2008. *Social dynamics of a group of free-ranging domestic dogs living in a suburban environment.* Ensaio apresentado no Fórum de Ciência Canina, Budapeste, Hungria.

sobre o projeto de socialização de lobos:

Kubinyi, E., Zs. Virányi e Á. Miklósi. 2007. *Comparative social cognition: From wolf and dog to humans.* Comparative Cognition & Behavior Reviews, *2,* 26-46.

"confusão extrema e barulhenta":

William James usou essas palavras para descrever a falta de organização das informações que uma criança recebe pela primeira vez através dos sentidos incipientes: James, W. 1890. *Principles of psychology.* Nova York: Henry Holt & Co., p. 488.

"bloco branco e disforme de carne...":

Plínio, o Velho. *Natural history* (tr. H. Rackham, 1963), Volume 3. Cambridge, MA: Harvard University Press, Livro 8(54).

FAREJAR

leituras interessantes sobre o cheiro em geral:

Drobnick, J., ed. 2006. *The smell culture reader.* Nova York: Berg.
Sacks, O. 1990. "The dog beneath the skin." Em *O homem que confundiu sua mulher com um chapéu.* São Paulo: Cia das Letras (pp. 156-160).

sobre farejar:

Settles, G. S., D. A. Kester e L. J. Dodson-Dreibelbis. 2003. The external aerody-namics of canine olfaction. Em F. G. Barth, J. A. C. Humphrey e T. W. Secomb, eds. *Sensors and sensing in biology and engineering* (pp. 323-355). Nova York: SpringerWein.

sobre a anatomia e a sensibilidade do focinho:

Harrington, F. H. e C. S. Asa. 2003. Wolf communication. Em D. Mech e L. Boitani, eds. *Wolves: Behavior, ecology and conservation* (pp.66-103). Chicago: University of Chicago Press.
Lindsay, 2000.
Serpell, 1995.
Wright, R. H. 1982. *The sense of smell.* Boca Raton, FL: CRC Press.

sobre o órgão vomeronasal:

Adams, D. R. e M. D. Wiekamp. 1984. The canine vomeronasal organ. *Journal of Anatomy, 138,* 771-787.
Sommerville, B. A. e D. M. Broom. 1998. Olfactory awareness. *Applied Animal Behavior Science, 57,* 269-286.
Watson, L. 2000. *Jacobson's organ and the remarkable nature of smell.* Nova York: W. W. Norton & Company.

sobre detecção de feronômios humanos:

Jacob, S. e M. K. McClintock. 2000. Psychological state and mood effects of steroi-dal chemosignals in women and men. *Hormones and Behavior, 37,* 57-78.
McClintock, M. K. 1971. Menstrual synchrony and suppression. *Nature, 229,* 244-245.

sobre focinhos úmidos:

Mason, R. T., M. P. LeMaster e D. Muller-Schwarze. 2005. *Chemical signals in vertebrates*, Volume 10. Nova York: Springer.

sobre nos cheirar:

Lindsay, 2000.

sobre distinguir gêmeos pelo cheiro:

Hepper, P. G. 1988. The discrimination of human odor by the dog. *Perception, 17*, 549-554.

sobre os cães de Santo Humberto:

Lindsay, 2000.
Sommerville e Broom, 1998.
Watson, 2000.

sobre usar pegadas para detectar o rastro:

Hepper, P. G. e D. L. Wells. 2005. How many footsteps do dogs need to determine the direction of an odour trail? *Chemical Senses, 30*, 291-298.
Syrotuck, W. G. 1972. *Scent and the scenting dog*. Mechanicsburg, PA: Barkleigh Productions.

sobre o cheiro da tuberculose:

Wright, 1982.

sobre o cheiro da doença:

Drobnick, 2006.
Syrotuck, 1972.

sobre a detecção de câncer:

uma listagem parcial de muitos estudos:
McCulloch, M., T. Jezierski, M. Broffman, A. Hubbard, K. Turner e T. Janecki. 2006. Diagnostic accuracy of canine scent detection in early and late-stage lung and breast cancers. *Integrative Cancer Therapies, 5*, 30-39.

Williams, H. e A. Pembroke. 1989. Sniffer dogs in the melanoma clinic? *Lancet*, *1*, 734.

Willis, C. M., S. M. Church, C. M. Guest, W. A. Cook, N. McCarthy, A. J. Bransbury, M. R. T. Church e J. C. T. Church. 2004. Olfactory detection of bladder cancer by dogs: Proof of principle study. *British Medical Journal*, *329*, 712-716.

sobre a detecção de ataques epiléticos:

Dalziel, D. J., B. M. Uthman, S. P. McGorray e R. L. Reep. 2003. Seizure-alert dogs: A review and preliminary study. *Seizure*, *12*, 115-120.

Doherty, M. J. e A. M. Haltiner. 2007. Wag the dog: Skepticism on seizure alert canines. *Neurology*, *68*, 309.

Kirton, A., E. Wirrell, J. Zhang e L. Hamiwka. 2004. Seizure-alerting and -response behaviors in dogs living with epileptic children. *Neurology*, *62*, 2303-2305.

sobre marcar com urina:

Lindsay, 2005.

Lorenz, K. 1954. *Man meets dog*. London: Methuen.

sobre o único uso da bexiga:

Sapolsky, R. M. 2004. *Why zebras don't get ulcers*. Nova York: Henry Holt & Company.

sobre a bolsa anal:

Harrington e Asa, 2003.

Natynczuk, S., J. W. S. Bradshaw e D. W. Macdonald. 1989. Chemical constituents of the anal sacs of domestic dogs. *Biochemical Systematics and Ecology*, *17*, 83-87.

sobre bolsas anais e veterinários:

McGreevy, P. (comunicação pessoal).

sobre arranhar o chão após marcá-lo:

Bekoff, M. 1979. Ground scratching by male domestic dogs: A composite signal. Journal of Mammalogy, *60*, 847-848.

sobre antibióticos e cheiro:

Atribuído a John Bradshaw por Coghlan, A. 23 de setembro de 2006. Animal welfare: See things from their perspective. NewScientist.com.

sobre a grade de ruas de Manhattan:

Margolies, E. 2006. Vagueness gridlocked: A map of the smells of New York. Em J. Drobnick, ed., *The smell culture reader* (pp. 107-117). Nova York: Berg.

sobre brolonga e bralufete:

Essas palavras foram cunhadas pelo artista Bill Watterson, responsável por Calvin e Hobbes, e colocadas na boca de seu personagem de história em quadrinhos, o tigre Hobbes.

"o cheiro brilhante da água . . .":

Chesterton, G. K. 2004. "The song of the quoodle," em *The collected works of G. K. Chesterton*. San Francisco: Ignatius Press, p. 556. (Nesse mesmo poema, ele comentou sobre a "falta de nariz" do homem.)

MUDO

"atordoamento vazio":

Woolf, V. 1933. *Flush: A biography*. Nova York: Harcourt Brace Jovanovich, p. 44.

"mudez incomunicável":

Lamb, C. 1915. *Essays of Elia*. Londres: J. M. Dent & Sons, Ltd., p. 53.

sobre a gama de audição do cão:

Harrington e Asa, 2003.

sobre o repelente de adolescentes "Mosquito":

Vitello, P. 12 de junho de 2006. "A ring tone meant to fall on deaf ears." *The New York Times*.

sobre relógios despertadores:

Bodanis, D. 1986. *The secret house: 24 hours in the strange and unexpected world in which we spend our nights and days.* Nova York: Simon & Schuster.

sobre rosnar:

Faragó, T., F. Range, Zs. Virányi e P. Pongrácz. 2008. The bone is mine! Context-specific vocalisation in dogs. Ensaio apresentado no Fórum de Ciência Canina, Budapeste, Hungria.

sobre sons de cães e lobos:

Fox, 1971.
Harrington e Asa, 2003.

sobre risos:

Simonet, O., M. Murphy e A. Lance. 2001. Laughing dog: Vocalizations of domestic dogs during play encounters. Conferência da Animal Behavior Society, Corvallis, OR.

sobre distinguir sons agudos:

McConnell, P. B. 1990. Acoustic structure and receiver response in domestic dogs, *Canis familiaris. Animal Behaviour, 39*, 897-904.

sobre Rico e outros vocabularistas:

Kaminski, J. 2008. Dogs' understanding of human forms of communication. Ensaio apresentado no Fórum de Ciência Canina, Budapeste, Hungria.
Kaminski, J., J. Call e J. Fischer. 2004. Word learning in a domestic dog: Evidence for "fast mapping". *Science, 304*, 1682-1683.

sobre máximas conversacionais:

Grice, P. 1975. *Logic and conversation.* Em P. Cole e J. L. Morgan, eds., Speech acts (pp. 41-58). Nova York: Academic Press.

sobre ganidos, latidos e outras vocalizações:

Bradshaw, J. W. S. e H. M. R. Nott. 1995. Social and communication behaviour of companion dogs. Em J. Serpell, ed., *The domestic dog: Its evolution, behaviour, and interactions with people* (pp. 115-130). Cambridge: Cambridge University Press.

Cohen, J. A. e M. W. Fox. 1976. Vocalizations in wild canids and possible effects of domestication. *Behavioural Processes, 1*, 77-92.

Harrington e Asa, 2003.

Tembrock, G. 1976. Canid vocalizations. *Behavioural Processes, 1*, 57-75.

sobre características e tipos de latidos:

Molnár, C., P. Pongrácz, A. Dóka. e Á. Miklósi. 2006. Can humans discriminate between dogs on the base of the acoustic parameters of barks? *Behavioural Processes, 73*, 76-83.

Yin, S. e B. McCowan. 2004. Barking in domestic dogs: Context specificity and individual identification. *Animal Behaviour, 68*, 343-355.

sobre os decibéis dos latidos caninos:

Moffat et al. 2003. Effectiveness and comparison of citronella and scentless spray bark collars for the control of barking in a veterinary hospital setting. *Journal of the American Animal Hospital Association, 39*, 343-348.

"O próprio homem não consegue expressar amor e humildade . . .":

Darwin, C. 1872/1965, p. 10.

sobre pelos eriçados:

Harrington e Asa, 2003.

sobre antíteses:

Darwin, 1872/1965.

sobre rabos:

Bradshaw e Nott, 1995.

Harrington e Asa, 2003.

Schenkel, R. 1947. Expression studies of wolves. *Behaviour, 1*, 81-129.

sobre postura:

Fox, 1971.

Goodwin, D., J. W. S. Bradshaw. e S. M. Wickens. 1997. Paedomorphosis affects agonistic visual signals of domestic dogs. *Animal Behaviour, 53*, 297-304.

sobre comunicação intencional:

Kaminski, J. 2008.

mais sobre marcação com urina:

Bekoff, M. 1979. Scent-marking by free ranging domestic dogs. Olfactory and visual components. *Biology of Behaviour, 4*, 123-139.
Bradshaw e Nott, 1995.
Pal, S. K. 2003. Urine marking by free-ranging dogs (*Canis familiaris*) in relation to sex, season, place and posture. *Applied Animal Behaviour Science, 80*, 45-59.

O OLHAR DO CÃO

sobre a capacidade visual dos canídeos:

Harrington e Asa, 2003.
Miklósi, 2007.

sobre distribuição de fotorreceptores na retina:

McGreevy, P., T. D. Grassia. e A. M. Harmanb. 2004. A strong correlation exists between the distribution of retinal ganglion cells and nose length in the dog. *Brain, Behavior and Evolution, 63*, 13-22.
Neitz, J., T. Geist e G. H. Jacobs. 1989. Color vision in the dog. *Visual Neuroscience, 3*, 119-25.

sobre lobos árticos:

Packard, J. 2008. Man meets wolf: Ethological perspectives. Ensaio apresentado no Fórum de Ciência Canina, Budapeste, Hungria.

sobre pegar Frisbees:

Shaffer, D. M., S. M. Krauchunas, M. Eddy e M. K. McBeath. 2004. How dogs navigate to catch frisbees. *Psychological Science, 15*, 437-441.

sobre o reconhecimento dos rostos dos donos pelos cães:

Adachi, I., H. Kuwahata e K. Fujita. 2007. Dogs recall their owner's face upon hearing the owner's voice. *Animal Cognition, 10*, 17-21.

sobre vacas que percebem detalhes visuais:

Grandin, T. e C. Johnson. 2006. *Animals in translation: Using the mysteries of autism to decode animal behavior.* Orlando, FL: Harcourt.

VISTO POR UM CÃO

sobre imprinting no ganso:

Lorenz, K. 1981. *The foundations of ethology.* New York: Springer-Verlag.

sobre a capacidade e o desenvolvimento visual das crianças e dos bebês:

As informações sobre a capacidade visual de crianças derivam de um século de pesquisas. Um bom resumo sobre o assunto é dado por Smith, P. K., H. Cowie e M. Blades. 2003. *Understanding children's development.* Malden, MA: Blackwell Publishing.

sobre mostrar a língua nas crianças:

Meltzoff, A. N. e M. K. Moore. 1977. Imitation of facial and manual gestures by human neonates. *Science*, 198, 75-78. (Os recém-nascidos não somente esticam a língua para fora da boca com um dia ou até mesmo uma hora de vida, eles também cerram os lábios e abrem bem a boca como se estivessem surpresos. Até mesmo entre eles repetem essas expressões — ou tentam: cerrar os lábios provavelmente não é uma capacidade motora voluntária possível para um recém-nascido.)

sobre Kanzi:

Savage-Rumbaugh, S. e R. Lewin. 1996. *Kanzi: The ape at the brink of the human mind.* New York: John Wiley & Sons.

sobre Alex:

Pepperberg, I. M. 1999. *The Alex studies: Cognitive and communicative abilities of grey parrots.* Cambridge, MA: Harvard University Press.

sobre o teclado-cão:

Rossi, A. e C. Ades. 2008. A dog at the keyboard: Using arbitrary signs to communicate requests. *Animal Cognition, 11*, 329-338.

sobre evitar o olhar:

Bradshaw E Nott, 1995.

sobre cães olhando rostos:

Miklósi et al., 2003.

sobre criadores que preferem olhos escuros:

Serpell, 1996.

sobre padrões de ação fixada das gaivotas:

Tinbergen, N. 1953. *The herring-gull's world*. Londres: Collins.

sobre o olhar na conversa humana:

Argyle, M. e J. Dean. 1965. Eye contact, distance and affiliation. *Sociometry, 28*, 289-304.

Vertegaal, R., R. Slagter, G. C. Van der Veer e A. Nijholt. 2001. Eye gaze patterns in conversations: There is more to conversational agents than meets the eyes. Em Anais da ACM CHI 2001 *Conference on Human Factors in Computing Systems*, Seattle, WA.

sobre seguir um gesto de aponte:

Soproni, K., Á. Miklósi, J. Topál e V. Csányi. 2002. Dogs' responsiveness to human pointing gestures. *Journal of Comparative Psychology, 116*, 27-34.

sobre seguir o olhar:

Agnetta, B., B. Hare e M. Tomasello. 2000. Cues to food location that domestic dogs (Canis familiaris) of different ages do and do not use. *Animal Cognition, 3*, 107-112.

sobre obter atenção:

Horowitz, A. 2009. Attention to attention in domestic dog (Canis familiaris) dyadic play. *Animal Cognition, 12*, 107-118.

sobre mastigadas sonoras:

Gaunet, F. 2008. How do guide dogs of blind owners and pet dogs of sighted owners (*Canis familiaris*) ask their owners for food? *Animal Cognition, 11*, 475-483.

sobre mostrar:

Hare, B., J. Call e M. Tomasello. 1998. Communication of food location between human and dog (Canis familiaris). *Evolution of Communication, 2*, 137-159.

Miklósi, Á., R. Polgardi, J. Topál e V. Csányi. 2000. Intentional behaviour in dog-human communication: An experimental analysis of "showing" behaviour in the dog. *Animal Cognition, 3*, 159-166.

sobre jogos de pegar:

Gácsi, M., Á. Miklósi, O. Varga, J. Topál e V. Csányi. 2004. Are readers of our face readers of our minds? Dogs (*Canis familiaris*) show situation-dependent recognition of human's attention. *Animal Cognition, 7*, 144-153.

sobre manipulação de atenção:

Call, J., J. Brauer, J. Kaminski e M. Tomasello. 2003. Domestic dogs (*Canis familiaris*) are sensitive to the attentional state of humans. *Journal of Comparative Psychology, 117*, 257-263.

Schwab, C. e L. Huber. 2006. Obey or not obey? Dogs (*Canis familiaris*) behave differently in response to attentional states of their owners. *Journal of Comparative Psychology, 120*, 169-175.

sobre experiências de súplica:

Cooper, J. J., C. Ashton, S. Bishop, R. West, D. S. Mills e R. J. Young. 2003. Clever hounds: Social cognition in the domestic dog (*Canis familiaris*). *Applied Animal Behaviour Science, 81*, 229-244.

sobre prestar atenção a uma projeção de vídeo:

Pongrácz, P., Á. Miklósi, A. Doka e V. Csányi. 2003. Successful application of video-projected human images for signalling to dogs. *Ethology, 109*, 809-821.

sobre por que os comandos transmitidos por alto-falantes não funcionam:

Virányi, Zs., J. Topál, M. Gácsi, Á. Miklósi e V. Csányi. 2004. Dogs can recognize the behavioural cues of the attentional focus in humans. *Behavioural Processes, 66*, 161-172.

ANTROPÓLOGOS CANINOS

"Eu sou eu . . .":

Stein, G. 1937. *Everybody's Autobiography*. New York: Random House, p. 64.

sobre autistas usando cães para ler outras pessoas:

Sacks, O. 1995. *An anthropologist on Mars*. New York: Knopf.

sobre Hans Esperto:

Sebeok, T. A. e R. Rosenthal, eds. 1981. *The Clever Hans phenomenon: Communication with horses, whales, apes, and people*. New York: New York Academy of Sciences.

sobre cães que leem os movimentos corporais dos treinadores:

Wright, 1982.

sobre cães que percebem com antecedência a hora do passeio:

Kubinyi, E., Á. Miklósi, J. Topál e V. Csányi. 2003. Social mimetic behaviour and social anticipation in dogs: Preliminary results. *Animal Cognition, 6*, 57-63.

sobre distinguir estranhos ameaçadores dos amigáveis:

Vas, J., J. Topál, M. Gácsi, Á. Miklósi e V. Csányi. 2005. A friend or an enemy? Dogs' reaction to an unfamiliar person showing behavioural cues of threat and friendliness at different times. *Applied Animal Behaviour Science, 94*, 99-115.

MENTE NOBRE

sobre neofilia:

Kaulfuss, P. e D. S. Mills. 2008. Neophilia in domestic dogs (*Canis familiaris*) and its implication for studies of dog cognition. *Animal Cognition, 11*, 553-556.

sobre cognição física:

Miklósi, 2007.

sobre puxar cordas:

Osthaus, B., S. E. G. Lea e A. M. Slater. 2005. Dogs (*Canis lupus familiaris*) fail to show understanding of means-end connections in a stringpulling task. *Animal Cognition, 8*, 37-47.

sobre o uso de pistas sociais:

Erdohegyi, A., J. Topál, Zs. Virányi e Á. Miklósi. 2007. Dog-logic: Inferential reasoning in a two-way choice task and its restricted use. *Animal Behavior, 74*, 725-737.

sobre cães que olham para humanos para resolver tarefas:

Miklósi et al., 2003.

sobre tampas de garrafas de leite e chapins:

Fisher, J. e R. A. Hinde. 1949. The opening of milk bottles by birds. *British Birds, 42*, 347-357.

sobre experiências com chapins norte-americanos:

Sherry, D. F. e B. G. Galef Jr. 1990. Social learning without imitation: More about milk bottle opening by birds. *Animal Behaviour, 40*, 987-989.

sobre aprender o desvio:

Pongrácz, P., Á. Miklósi, K. Timar-Geng e V. Csányi. 2004. Verbal attention getting as a key factor in social learning between dog (*Canis familiaris*) and human. *Journal of Comparative Psychology, 118*, 375-383.

sobre imitação infantil:

Gergely, G., H. Bekkering e I. Király. 2002. Rational imitation in preverbal infants. *Nature, 415*, 755.

Whiten, A., D. M. Custance, J-C. Gomez, P. Teixidor e K. A. Bard. 1996. Imitative learning of artificial fruit processing in children (*Homo sapiens*) and chimpanzees (*Pan troglodytes*). *Journal of Comparative Psychology, 110*, 3-14.

sobre a imitação pelo cão:

Range, F., Zs. Virányi e L. Huber. 2007. Selective imitation in domestic dogs. *Current Biology*, *17*, 868-872.

sobre a tarefa "faça isso":

Topál, J., R. W. Byrne, Á. Miklósi e V. Csányi. 2006. Reproducing human actions and action sequences: "Do as I Do!" in a dog. *Animal Cognition*, *9*, 355-367.

sobre a teoria da mente:

Premack, D. e G. Woodruff. 1978. Does a chimpanzee have a theory of mind? *Behavioral and Brain Sciences*, *1*, 515-526.

sobre teste de crença falsa:

Wimmer, H. e J. Perner. 1983. Beliefs about beliefs: Representation and constraining function of wrong beliefs in young children's understanding of deception. *Cognition*, *13*, 103-128.

sobre Philip, o cão que diz onde estão as chaves:

Topál, J., A. Erdőhegyi, R. Mányik e Á. Miklósi. 2006. Mindreading in a dog: An adaptation of a primate "mental attribution" study. *International Journal of Psychology and Psychological Therapy*, *6*, 365-379.

sobre a função da brincadeira:

Bekoff, M. e J. Byers, eds. 1998. *Animal play: Evolutionary, comparative, and ecological perspectives*. Cambridge: Cambridge University Press.
Fagen, R. 1981. *Animal play behavior*. Oxford: Oxford University Press.

sobre as lutas de brincadeira não ajudarem a melhorar a capacidade de lutar no futuro:

Martin, P. e T. M. Caro. 1985. On the functions of play and its role in behavioral development. *Advances in the Study of Behavior*, *15*, 59-103.

sobre o uso pelos cachorros da atenção, das formas de atrair atenção e a comunicação nas brincadeiras:

Horowitz, 2009.

sobre os sinais de brincadeira:

Bekoff, M. 1972. The development of social interaction, play, and metacommunication in mammals: An ethological perspective. *Quarterly Review of Biology, 47,* 412-434.

Bekoff, M. 1995. Play signals as punctuation: The structure of social play in canids. *Behaviour, 132,* 419-429.

Horowitz, 2009.

sobre o experimento com (in)justiça:

Range, F., L. Horn, Zs. Virányi e L. Huber. 2009. The absence of reward induces inequity aversion in dogs. *Proceedings of the National Academy of Sciences,* 106, 340-345.

DENTRO DE UM CÃO

sobre contar:

West, R. E. e R. J. Young. 2002. Do domestic dogs show any evidence of being able to count? *Animal Cognition, 5,* 183-186.

sobre silogismos disjuntivos:

Este é o filósofo estoico Chrysippos de Soloi, de acordo com Bringmann, W. e J. Abresch. 1997. Clever Hans: Fact or fiction? Em W. G. Bringmann et al., eds., *A pictorial history of psychology* (pp. 77-82). Chicago: Quintessence.

uma das tentativas científicas originais para operacionalizar os antropomorfismos:

Hebb, D. O. 1946. Emotion in man and animal: An analysis of the intuitive process of recognition. *Psychological Review, 53,* 88-106.

sobre o núcleo supraquiasmático:

Uma boa revisão de alguns trabalhos recentes: Herzog, E. D. e L. J. Muglia. 2006. You are when you eat. *Nature Neuroscience, 9,* 300-302.

sobre mudanças no sono com a idade:

Takeuchi, T. e E. Harada. 2002. Age-related changes in sleep-wake rhythm in dogs. *Behavioural Brain Research, 136,* 193-199.

sobre o movimento de cheiros em uma sala:

Bodanis, 1986.
Wright, 1982.

sobre a sensação de tempo das abelhas:

Boisvert, M. J. e D. F. Sherry. 2006. Interval timing by an invertebrate, the bumble bee Bombus impatiens. *Current Biology, 16*, 1636-1640.

"É raro o tédio ser discutido na literatura científica não humana":

Mas veja Wemelsfelder, F. 2005. Animal Boredom: Understanding the tedium of confined lives. Em F. D. McMillan, ed., *Mental health and well-being in animals* (pp. 79-91). Ames, Iowa: Blackwell Publishing.

"O homem é o único animal que pode ficar entediado":

Fromm, E. 1947. *Man for himself, an inquiry into the psychology of ethics.* Nova York: Rinehart, p. 40.

sobre o teste do espelho:

Gallup, G. G. Jr. 1970. Chimpanzees: Self-recognition. *Science, 167*, 86-87.
Plotnik, J. M., F. B. M. de Waal. e D. Reiss. 2006. Self-recognition in an Asian elephant. *Proceedings of the National Academy of Science, 103*, 17053-17057.
Reiss, D. e L. Marino. 2001. Mirror self-recognition in the bottlenose dolphin: A case of cognitive convergence. *Proceedings of the National Academy of Science, 98*, 5937-3942.

sobre os cães pastores saberem que não são ovelhas:

Coppinger e Coppinger, 2001.

Citação do Snoopy:

Gesner, C. 1967. *You're a good man, Charlie Brown: Based on the comic strip* Peanuts by *Charles M. Schulz.* Nova York: Random House.

sobre guardar comida pelos Aphelocome californica:

Raby, C. R., D. M. Alexis, A. Dickinson e N. S. Clayton. 2007. Planning for the future by western scrub-jays. *Nature, 445*, 919-921.

sobre ritualização ontogênica:

Tomasello, M. e J. Call. 1997. *Primate cognition.* Nova York: Oxford University Press.

sobre a punição dos cães na Idade Média:

Evans, E. P. 1906/2000. *The criminal prosecution and capital punishment of animals.* Union, NJ: Lawbook Exchange, Ltd.

sobre donos achando que cães sabem o que é certo e o que é errado:

Pongrácz, P., Á. Miklósi e V. Csányi. 2001. Owners' beliefs on the ability of their pet dogs to understand human verbal communication: A case of social understanding. *Cahiers de psychologie, 20,* 87-107.

sobre o cão de guarda e os ursos de pelúcia:

Kennedy, M. 3 de agosto de 2006. "Guard dog mauls Elvis's teddy in rampage". *The Guardian.*

sobre as experiências com culpa:

Horowitz, A. 2009. Disambiguating the "guilty look": Salient prompts to a familiar dog behaviour. Behavioural Processes, *81,* 447-452.
Vollmer, P. J. 1977. Do mischievous dogs reveal their "guilt"? Veterinary Medicine, Small Animal Clinician, *72,* 1002-1005.

sobre Norman, o labrador cego:

Goodall, J. e M. Bekoff. 2002. *The ten trusts: What we must do to care for the animals we love.* Nova York: HarperCollins.

sobre experimentos de emergência:

Macpherson, K. e W. A. Roberts. 2006. Do dogs (Canis familiaris) seek help in an emergency? *Journal of Comparative Psychology, 120,* 113-119.

"Como é ser um morcego?":

Nagel, T. 1974. What is it like to be a bat? *Philosophical Review, 83,* 435-450.

sobre a visão de mundo de Stanley:

Sterbak, J. 2003. "From here to there".

sobre o espaço pessoal:

Argyle e Dean, 1965.

sobre as diferenças nos estilos de andar junto ao calcanhar:

Packard, 2008.

sobre a percepção do graveto batendo por parte do caracol:

von Uexküll, 1957/1934.

sobre a liberação da pressão como reforço para cavalos:

McGreevy e Boakes, 2007.

sobre o projeto de matadouros:

Grandin e Johnson, 2005.

sobre a percepção de objetos sob luz amarela:

Devo meu entendimento sobre o efeito de falta de sangue na luz amarela à exposição "Room for one colour" do artista plástico Olafur Eliasson, na qual ele ilumina uma sala com lâmpadas que emitem uma gama extremamente estreita do que parece ser luz amarela.

Wittgenstein sobre cães:

Wittgenstein, L. 1953. *Philosophical investigations.* Nova York: Macmillan.

sobre a duração de um momento:

von Uexküll, 1957/1934.

sobre o adestramento com "clicker":

McGreevy e Boakes, 2007.

sobre a demonstração provocadora de comida pelos lobos:

Miklósi, 2007.

VOCÊ ME CONQUISTOU NO PRIMEIRO INSTANTE

sobre a vasopressina no arganaz-da-pradaria:

Alcock, J. 2005. *Animal behavior: An evolutionary approach*, 8ª ed. Sunderland, MA: Sinauer Associates.

sobre imprinting em cães pastores:

Coppinger e Coppinger, 2001.

sobre nem todos os animais serem igualmente antropomorfizáveis:

Eddy, T. J., G. G. Gallup Jr. e D. J. Povinelli. 1993. Attribution of cognitive states to animals: Anthropomorphism in comparative perspective. *Journal of Social Issues*, *49*, 87-101.

sobre nossa atração por crianças e outras criaturas com característica neotenizadas:

Gould, S. J. 1979. Mickey Mouse meets Konrad Lorenz. *Natural History*, 88, 30-36.
Lorenz, K. 1950/1971. Ganzheit und Teil in der tierischen und menschlichen Gemeinschaft. Reprinted in R. Martin, ed., *Studies in animal and human behaviour*, vol. 2 (pp. 115-195). Cambridge, MA: Harvard University Press.

"precisamos de ovos":

Dito pelo *alter ego* de Woody Allen, Alvy Singer, em *Noivo neurótico, noiva nervosa*, 1977.

sobre biofilia:

Wilson, E. O. 1984. *Biophilia*. Cambridge, MA: Harvard University Press.

sobre tocar:

Lindsay, 2000.

sobre os estudos de Harlow:

Harlow, H. F. 1958. The nature of love. *American Psychologist*, *13*, 673-685.
Harlow, H. F. e S. J. Suomii. 1971. Social recovery by isolation-reared monkeys. *Proceedings of the National Academy of Sciences*, *68*, 1534-1538.

sobre o alívio do sofrimento de filhotes com brinquedos:

Elliot, O. e J. P. Scott. 1961. The development of emotional distress reactions to separation in puppies. *Journal of Genetic Psychology, 99*, 3-22.

Pettijohn, T. F., T. W. Wong, P. D. Ebert e J. P. Scott. 1977. Alleviation of separation distress in 3 breeds of young dogs. *Developmental Psychobiology, 10*, 373-381.

"sonda sensorial tátil e térmica":

Fox, M. 1971. Socio-infantile and socio-sexual signals in canids: A comparative and developmental study. *Zeitschrift fuer Tierpsychologie, 28*, 185-210.

sobre nossa sensibilidade tátil:

Atribuído ao psicofísico Ernst Heinrich Weber von Uexküll (1957/1934).

sobre bigodes:

Lindsay, 2000.

"cerimônia de apaziguamento redirecionada":

Lorenz, K. 1966. *On aggression*. New York: Harcourt, Brace & World, Inc., p. 170.

sobre os cães-guia e os cegos:

Naderi, Sz., Á. Miklósi, A. Dóka e V. Csányi. 2001. Cooperative interactions between blind persons and their dog. *Applied Animal Behavior Sciences, 74*, 59-80.

sobre a brincadeira entre cães e humanos:

Horowitz, A. C. e M. Bekoff. 2007. Naturalizing anthropomorphism: Behavioral prompts to our humanizing of animals. *Anthrozoös, 20*, 23-35.

sobre padrões de tempo do flerte:

Sakaguchi, K., G. K. Jonsson e T. Hasegawa. 2005. Initial interpersonal attraction between mixed-sex dyad and movement synchrony. Em L. Anolli, S. Duncan Jr., M. S. Magnusson e G. Riva, eds., *The hidden structure of interaction: From neurons to culture patterns* (pp. 107-120). Amsterdã: IOS Press.

sobre a sincronia entre cães e pessoas:

Kerepesi, A., G. K. Jonsson, Á. Miklósi, V. Csányi e M. S. Magnusson. 2005. Detection of temporal patterns in dog-human interaction. *Behavioural Processes*, *70*, 69-79.

sobre a sensibilidade dos cães para o cortisol e a testosterona:

Jones, A. C. e R. A. Josephs. 2006. Interspecies hormonal interactions between man and the domestic dog (Canis familiaris). *Hormones and Behavior*, *50*, 393-400.

sobre a sensibilidade dos cães para estilos de brincadeiras:

Horváth, Zs., A. Dóka e Á. Miklósi. 2008. Affiliative and disciplinary behavior of human handlers during play with their dog affects cortisol concentrations in opposite directions. *Hormones and Behavior, 54*, 107-114

sobre a pressão sanguínea baixa, outras medidas e mudanças hormonais:

Friedmann, E. 1995. The role of pets in enhancing human well-being: Physiological effects. Em I. Robinson, ed., *The Waltham book of humananimal interactions: Benefits and responsibilities of pet ownership* (pp. 35-59). Oxford: Pergamon.
Odendaal, J. S. J. 2000. Animal assisted therapy-magic or medicine? *Journal of Psychosomatic Research*, 49, 275-280.
Wilson, C. C. 1991. The pet as an anxiolytic intervention. *Journal of Nervous and Mental Disease, 179*, 482-489.

sobre outros benefícios de possuir um cão:

Serpell, 1996.

sobre o bocejo contagiante:

Joly-Mascheroni, R. M., A. Senju e A. J. Shepherd. 2008. Dogs catch human yawns. *Biology Letters, 4*, 446-448.

sobre Derrida, nu, e seu gato:

Derrida, J. 2002. L'animal que donc je suis (à suivre). Traduzido como "The animal that therefore I am (more to follow)." *Critical Inquiry, 28*, 369-418.

A IMPORTÂNCIA DAS MANHÃS

sobre pastoreio e o "olho":

Coppinger e Coppinger, 2001.

sobre preferências de lado nos cães:

P. McGreevy, comunicação pessoal.

sobre adestramento:

Ver McGreevy e Boakes, 2007, para obter algumas ideias.

sobre a preferência pelo novo:

Kaulfuss e Mills, 2008.

sobre os modos de andar dos cães:

Brown, 1986.

"afeta o pensamento de alguém sobre ele para sempre":

Assim disse George Schaller, cujos vários livros estão repletos de animais nomeados. Citado em Lehner, P. 1996. *Handbook of ethological methods*, 2ª ed. Cambridge: Cambridge University Press, p. 231.

sobre as preferências dos diamantes mandarim pelas faixas nas pernas:

Burley, N. 1988. Wild zebra finches have band colour preferences. *Animal Behaviour*, *36*, 1235—1237.

Índice

Sobre a autora

Alexandra Horowitz graduou-se em filosofia pela Universidade da Pensilvânia e obteve o grau de doutora em ciência cognitiva pela Universidade da Califórnia em San Diego, estudando a cognição canina. Atualmente, ela é professora assistente de psicologia em Barnard College e continua a pesquisar o comportamento canino. Além de seu trabalho com cães, ela também estuda a cognição de humanos, rinocerontes e bonobos. Anteriormente, trabalhou como lexicógrafa para Merriam-Webster e como verificadora de fatos para o *The New Yorker*. Ela vive na cidade de Nova York com o marido, Finnegan, um cão de pais incertos e de caráter certo, e memórias agradáveis de cães do passado.

Este livro foi composto na tipografia Adobe
Garamond (T1), em corpo 12,5/17,7, e impresso em
papel off-white no Sistema Digital Instant Duplex
da Divisão Gráfica da Distribuidora Record.